MONT-CINÈRE

DU MÊME AUTEUR

AUX ÉDITIONS DU SEUIL

Journal, tome XI
La terre est si belle..., 1976-1978
1982

Journal, tome XII
La Lumière du monde, 1978-1981
1983

L'Autre
coll. « Points-Roman », 1983

Frère François, vie de François d'Assise
1983

Si j'étais vous...
coll. « Points-Roman », 1983

Histoires de vertige
1984

JULIEN GREEN

DE L'ACADÉMIE FRANÇAISE

MONT-CINÈRE

roman

édition intégrale
avec préface

ÉDITIONS DU SEUIL
*27, rue Jacob, Paris VI*e

ISBN 2-02-006678-5

PRÉFACE

Au printemps de 1925, je commençai ce livre que je devais achever quatre mois plus tard. Tel que je le vois à la distance d'un demi-siècle, il garde à mes yeux son mystère, car j'en écrivis les premières pages alors que le bonheur venait de faire irruption dans ma vie, et jusqu'au chapitre final couronné de flammes il me semble que mon cœur ne battait que de joie. De quelles noires profondeurs sortent ces histoires que nous imaginons ? Je distingue dans celle-ci l'obsession du froid et la hantise du feu.

Il faut dire que notre appartement de la rue Cortambert était mal chauffé. L'argent manquait et nous vivions assez petitement. En conséquence les bûches se trouvaient disposées dans l'âtre avec un soin jaloux au nom sacré de l'économie. Ce mot que je prenais en horreur me fournit à mon insu le ressort principal de mon roman. Je travaillais dans ma chambre, pièce obscure même en été. Nous étions en juin, toutes fenêtres ouvertes. De timides rayons de soleil m'invitaient à ne plus songer à l'hiver, mais j'avais cette particularité que je garde encore de ne bien décrire que le temps de l'année où nous ne sommes plus. Il me faut les sombres jours de décembre pour goûter par l'esprit les délices de la belle saison et de même une parfaite sérénité, un beau fixe de l'âme pour promener mes personnages à travers d'intéressants malheurs.

Quoi qu'il en soit, les grandes vacances venues, j'emportai dans ma valise mon manuscrit avec la Bible dont je ne me séparais jamais. Après un voyage nocturne, assis et en deuxième classe, mon compagnon et moi nous nous trouvâmes au cœur de l'Auvergne, dans la petite ville de Besse-en-Chandesse. En un seul nom, quel monde de souvenirs... Le ravissement où nous jeta un des plus magnifiques paysages de France, la petite église romane qui semblait s'enfoncer dans la terre sous le poids des siècles, et jusqu'à la très modeste chambre de l'Hôtel de la Providence et de la Poste *(l'une secondant l'autre, je pense, dans l'acheminement du courrier), tout nous séduisit dès les premières minutes. Je vivais dans une sorte d'ivresse dont il m'est difficile de donner une idée parce que les sens y tenaient assez peu de place, mais cette euphorie presque infantile, par quoi se traduisait-elle dans mon travail ? Là se cache l'énigme qui résiste à toutes les interprétations. La propriété de ma tante Lucy devenait un lieu d'horreur où le froid et l'avarice conjuguaient leurs efforts pour fabriquer un enfer. Trois femmes, toutes effrayantes, que je prenais plaisir à faire circuler dans des pièces glaciales, échangeaient de brefs aboiements sur des marches d'escalier, et pour la bonne mesure j'introduisis un fantôme. S'y trouve-t-il encore ? Je l'ai peut-être supprimé pour ne pas heurter ce qu'on appelle la vraisemblance. Il faudra que je relise ce livre.*

J'écrivais le matin, plus rarement la nuit. La rumeur qui montait de la place ne me dérangeait guère, ma plume courait. Une fois cependant, un peu avant midi, des cris inhumains m'attirèrent à la fenêtre et dans ma brusquerie je renversai l'encrier sur la table. Dehors on saignait un cochon. Cette boucherie me causa un choc et je me jetai à l'intérieur de la chambre sans vouloir regarder. Plus affreux que ces hurlements me parut le silence qui les coupa soudain comme on avait coupé la gorge à la bête.

La nuit j'étais assuré d'un profond silence, mais les

8

ampoules de nos lampes étaient si faibles que je les remplaçai par une bougie. Cet éclairage de fortune me rendait mon enfance et les heures de ma prime jeunesse passées dans la vieille maison que je décrivais. Tout ce qu'une petite flamme vacillante peut promener d'ombres autour d'une tête de romancier, on ne le sait plus aujourd'hui. Je n'étais plus en Auvergne, mais ailleurs dans le temps et dans l'espace. A la faveur de cette lumière à la fois si modeste et si puissante, je retrouvais les vastes pans de ténèbres qui bougeaient au plafond et sur les murs comme s'ils cherchaient quelqu'un à couvrir et à étouffer.

Kinloch *était le nom de la propriété qui me servait de modèle. Située sur une hauteur dans le nord de la Virginie, elle datait du XIXᵉ siècle. La première fois que je la vis, en 1919, elle me fit l'effet d'une immense baraque, intimidante par l'austérité de ses contours et le rouge foncé dont on l'avait peinte. Dans mon esprit elle évoquait une grande personne hautaine, sauvage, enfermée dans son silence, pleine de secrets. Des chênes gigantesques montaient la garde autour d'elle, çà et là, comme pour défendre sa solitude. Elle se montra pourtant fort accueillante quand je gravis les marches de la véranda où m'attendait une des trois sœurs de mon père. Ma tante Lucy que je n'avais jamais encore vue me serra dans ses bras. Son visage conservait une beauté régulière et ses yeux une douceur où je reconnus toute la famille. Vinrent ensuite des cousines fort intriguées par leur parent d'Europe, enfin leur père qui devait mourir quelques mois plus tard. Il se savait condamné et d'une manière indéfinissable s'effaçait devant les êtres et toutes les choses de la vie. L'impression qu'il me laissa ne s'est jamais affaiblie. Il ne semblait exister que par sa foi. Cela se voyait je ne sais comment, par le regard sans doute, moins triste que résigné et d'une profondeur admirable. C'était un grand homme mince aux yeux noirs, à la voix sérieuse et un*

9

peu sourde. Tout en lui respirait une bonté si évidente qu'elle frappait comme la beauté chez d'autres et j'eus pour lui une admiration immédiate qu'il ne soupçonna jamais. Si je m'attarde à le décrire, c'est qu'il modifia d'un coup les idées que je m'étais formées de la piété protestante, toutes fausses. De beaucoup il me dépassait.

Dans ce milieu pour moi nouveau mais étrangement familier je pénétrai non sans curiosité, le cœur inquiet. Il y avait en effet quelque chose de si mélancolique dans ces pièces assombries par des rideaux drapés... Même le jour, le plafond se perdait dans une sorte de pénombre. Par les hautes fenêtres, je voyais des chevaux se promener en liberté sous les arbres, et par-delà, des bois et des rangées de collines d'un bleu indigo. Je me sentais dans un monde entouré de silence et presque irréel par son éloignement du siècle. Cependant je m'y retrouvais comme on se retrouve dans un rêve.

Là comme chez nous, à Paris, la richesse était absente et les repas un peu justes. Celui du matin commençait par une fort longue prière débitée avec lenteur par mon oncle qu'on appelait Uncle Love. Je le voyais à contre-jour. Debout et le front incliné, il semblait oublier que nous étions là, devant des plats qui refroidissaient, et parlait visiblement à quelqu'un. Nous n'osions bouger.

De retour en France, je décrivis la maison et j'y mis le feu. Je l'avais auparavant vidée de ses habitants que je remplaçai par des personnages à moi. Mon père me le reprocha doucement quand mon livre parut. « Nous ne sommes pas avares, en Virginie, et la maison était si belle... » Cela m'était égal. J'avais un compte à régler avec le froid. L'incendie me fut suggéré par le nom d'un de ces lacs d'Auvergne qui cachaient, me figurais-je, la bouche de volcans éteints : Mont-Cineyre. L'y me parut de trop. Un mont de cendres, c'est ce que je fis de Kinloch qui est encore debout, mais entre les mains d'une autre famille. Quant aux circonstances du désastre, un incendie me les donna, véritable celui-là, qui détruisit en quelques heures une maison construite par mon grand-père dans un coin plus riant de la Virginie. En ayant lui-même dessiné les plans et surveillé les travaux, il y tenait beaucoup et elle était devenue pour lui et ses héritiers une sorte d'être animé d'une vie mystérieuse. Je ne sais pourquoi il attachait une grande importance au fait que sa propriété se trouvait sous la Grande Ourse. « Notre cher Lawn est sous la Grande Ourse », disait-il. Cette phrase, on me la répétait souvent. C'était au Lawn que je passais une partie de mes vacances et je tombai vite amoureux, moi aussi, de la vénérable bâtisse tout en bois, peinte en gris et cernée de grands arbres. Un sapin géant balayait de ses branches la toiture sang-de-bœuf. Tout flamba en une nuit. Seule resta debout la coupable, c'est-à-dire la cheminée de brique, fière de son beau travail et de sa supériorité sur le bois. Les habitants en robe de chambre se trouvèrent mal sur la pelouse. Des flacons de sels circulèrent. Dans le ciel nocturne, étoilé comme pour une fête, la Grande Ourse brillait avec une incroyable indifférence qui lui valut des regards lourds de reproches. Une fourchette et la cuvette ouvragée d'une petite montre furent retrouvées dans les décombres, rien d'autre.

Mon roman achevé, je le portai à mon éditeur. Pour des raisons purement commerciales, il fut jugé trop long de cinquante pages et je fus prié de le raccourcir. Un demi-siècle après, j'en éprouve encore un agacement à peine moins vif. Par une faiblesse dont j'eus honte, je cédai, car je voulais paraître.

Le jour que je touchai mes premiers droits, je fus manger un gâteau Au Cornet de Murat, dans la rue du Vieux-Colombier. J'étais tant de fois passé devant cette alléchante pâtisserie où je me défendais d'entrer parce que la sainte économie me l'interdisait, mais ce matin-là j'eus le plaisir de l'envoyer au diable.

En juin, le roman parut et un critique parla de ce qu'il appelait la maturité de l'auteur. Le mot me sembla étrange. J'étais resté un peu enfant. Que connaissais-je de la vie ? Voir mon nom dans un journal ne me causait pas une joie sans mélange. Sans doute la vanité y trouvait sa part, mais il s'y mêlait aussi un mystérieux malaise. Je me souviens qu'un après-midi, à la devanture d'une papeterie de l'avenue Kléber, je vis un journal littéraire où mon nom figurait en première page. Je passai vite et rentrai chez moi. Ces exquises pudeurs devaient s'évaporer bientôt comme rosée au soleil, et quel sens pouvaient-elles avoir ? Aucun, sinon le sentiment que j'abandonnais ma solitude pour aller vers le monde. Mon choix était fait. Une vie nouvelle commençait, fertile en émotions de tous genres, travaux et plaisirs mêlés dans les vastes incertitudes de l'avenir. Pour moi l'heure était au romantisme. J'avais vingt-cinq ans.

J. G.

Toutes les réimpressions ont reproduit l'édition originale mutilée de quatre chapitres ; cependant, en 1929, devant le succès du livre, j'eus une sorte de compensation lorsque, sur un beau papier, le texte intégral parut « A l'Abeille Garance ». C'est celui-ci qui revoit enfin, comme dit Lautréamont, « typographiquement parlant le jour d'hui. »

J. G.

Emily se taisait. Elle était assise dans un fauteuil à bascule qu'elle avait installé devant la fenêtre. De temps en temps, elle imprimait au fauteuil un mouvement plus rapide en heurtant le plancher du talon et fronçait les sourcils ; on eût dit, alors, qu'elle cédait à un mouvement d'impatience dont elle n'était plus maîtresse, et qu'elle frappait du pied par humeur.

C'était une jeune fille d'environ quinze ans et de petite stature. Elle tenait les bras étroitement croisés sur la gorge et froissait ainsi une grande collerette de toile blanche qui lui couvrait les épaules et la poitrine et constituait le seul ornement de sa robe de drap sombre. Son visage avait une expression inquiète, qui le vieillissait ; le nez en était saillant et incurvé, avec des narines trop ouvertes ; les lèvres minces paraissaient collées aux dents et des ombres foncées creusaient la ligne des pommettes, accusant le dessin des mâchoires lourdes et volontaires. Les yeux, qui d'ordinaire atténuent la laideur des traits et leur prêtent une sorte de poésie et de douceur, semblaient préciser au contraire tout ce qu'il y avait d'ingrat dans ceux-ci, et l'on pensait, en observant le regard vif des prunelles noires, à un animal méfiant et colère.

Sa mère, qui cousait dans une autre partie de la pièce, offrait un singulier contraste avec elle. Mrs. Fletcher, que

13

l'on voyait penchée sur son ouvrage et le dos arrondi, n'était guère plus grande que sa fille mais elle était grasse au point d'avoir le souffle un peu court. Parfois elle relevait la tête et prononçait quelques mots d'une voix douce. Dans son visage aux chairs sans vigueur, des rides profondes s'étaient installées, bien qu'elle n'eût pas beaucoup plus de quarante ans. Ses cheveux, qu'elle portait en chignon, découvraient une nuque large ; ses bras, son buste, tout son corps gonflait des vêtements faits du même drap que ceux d'Emily. Elle tirait son aiguille par un geste soigneux de sa main ronde et paraissait absorbée par ce travail. Lorsqu'elle rompait le silence, pour adresser quelques paroles à sa fille, ce qu'elle disait donnait l'impression d'être le fruit d'une méditation. Presque toujours elle commençait par *il faut* ou par toute autre expression traduisant l'idée de nécessité.

Cependant Emily ne répondait pas. Elle avait le dos tourné à sa mère et regardait par la fenêtre. Il pleuvait depuis quelques heures et l'on voyait, dans une lumière douteuse, le contour indistinct des arbres au fond du parc et la masse grise des collines dont la crête se confondait avec le ciel, mais l'herbe rafraîchie par la pluie semblait d'une teinte plus vive. La jeune fille considérait ce paysage avec l'attention que l'on prête à l'examen d'une peinture et ses regards se portaient sans cesse d'un point à un autre. On sentait que c'était là un des petits passe-temps d'une vie sans grandes occupations et qu'elle devait s'y livrer avec régularité. Chaque fois qu'elle entendait la voix de sa mère, elle agrippait d'une main le coin d'une table placée à côté d'elle et, par ce geste, interrompait le mouvement du fauteuil. Elle prenait alors un air de patience et soupirait à mi-voix, puis, lorsque le silence se rétablissait, appuyait sur le bord de la table en faisant plier son poignet comme si elle eût voulu pousser le meuble et l'éloigner d'elle et, retirant la main tout à coup, elle croisait les bras de nouveau et se laissait aller au balancement du fauteuil.

14

Tout ce petit manège échappait à Mrs. Fletcher qui paraissait accoutumée à l'attitude de sa fille et ne lui demandait pas de réponse. Sa voix avait un son triste et il fallait tendre l'oreille pour saisir la fin de ses phrases.

Au bout de quelque temps, Mrs. Fletcher releva la tête et posa son ouvrage. Ses yeux noirs papillotèrent en essayant de se fixer sur la fenêtre. Elle écouta un instant le bruit monotone du fauteuil sur le plancher, puis elle appela sa fille. Emily saisit l'angle de la table et se retourna brusquement.

— Je voudrais te parler, dit Mrs. Fletcher, viens plus près.

Emily vint s'asseoir sur un sofa sans répondre.

« Il faudra que tu finisses cette couture, lui dit sa mère en lui tendant un jupon de toile blanche, mes yeux sont fatigués. Fais les points bien serrés.

La jeune fille prit le jupon dont elle examina la couture.

« J'ai réfléchi à plusieurs changements que je veux apporter à notre manière de vivre, reprit Mrs. Fletcher en joignant les mains sur ses genoux. Je te demande de m'aider, Emily. Laisse ton ouvrage, ajouta-t-elle en voyant que sa fille ne l'écoutait pas. J'ai fait le compte de nos dépenses du mois. Il y aura des économies à faire.

Elle souffla un peu et parut gênée de l'air froid et dur de sa fille qui la regardait sans ouvrir la bouche.

« Nous sommes trois dans la maison, continua-t-elle. Un domestique doit nous suffire. Il faut renvoyer la femme de chambre, Emily. Nous nous passerons fort bien de ses services et cela nous fera une économie de trente dollars par an. Que fait-elle, en somme? Elle sert à table, elle aide à faire les lits et à nettoyer les chambres. Ce petit travail ne vaut pas le prix que nous le payons, et nous nous en chargerons nous-mêmes. Nous sommes pauvres, Emily, n'est-ce pas?

— Oui, maman, fit Emily.

Elle avait une voix brève bien différente de celle de sa mère.

15

— Joséphine partira à la fin de la semaine. Elle est jeune et robuste ; elle trouvera vite une occupation au village et ta mère aura quelques soucis de moins.

— Est-ce tout, maman ? demanda Emily en se levant.

Mrs. Fletcher lui prit la main en souriant et ne répondit pas tout de suite.

— J'ai quelque chose à te demander, dit-elle enfin. Il faut que tu m'aides. Tu diras à la femme de chambre que nous ne pouvons pas la garder.

— Moi ? dit Emily d'un air étonné. Pourquoi, maman ?

— Je te le demande, mon enfant, dit Mrs. Fletcher d'un ton suppliant. Tu sais que je n'aime pas à parler à cette fille.

— Mais pourquoi ? demanda la jeune fille en se dégageant.

— Est-ce que je sais ? s'écria Mrs. Fletcher avec un geste d'impatience. Ta mère est ainsi, mon enfant. J'ai mes défauts mais tu dois les supporter. Tu parleras donc doucement à cette fille. Elle nous a bien servies et elle a connu ton père. Tu lui diras que la prochaine fois que nous passerons à Glencoe nous la recommanderons au presbytère.

Emily fronça les sourcils et ne répondit pas. Elle s'était rassise dans son fauteuil et, dépliant son ouvrage, chercha l'aiguille pour continuer la couture. Ses mains tremblaient légèrement ; elle se mit à coudre avec une application forcée.

Cependant, sa mère continuait d'une voix plus calme :

« Lorsque la salle à manger communique avec la cuisine, c'est vraiment une vanité que de payer quelqu'un pour apporter les plats. Nous nous servirons nous-mêmes. »

Elle s'arrêta pour réfléchir et regarda sa fille qui cousait en silence :

« Le matin, tu feras ton lit. Ce n'est rien, j'ai été élevée bien plus durement. A ton âge je travaillais toute la journée et je m'en félicite aujourd'hui ; c'est une excellente chose que de se renoncer, et du reste nous y serons contraintes un jour ou l'autre ; autant vaut commencer maintenant. »

16

De nouveau elle se tut et souffla en hochant la tête.

« Tu ne dis rien ? reprit-elle d'un air mécontent, est-ce que cela ne t'intéresse pas ? Sais-tu que notre capital est entamé au point que je ne sais pas ce que nous ferons dans cinq ans d'ici ? Il faut à tout prix songer à de grandes économies, autrement je ne réponds de rien. Tu ne voudrais pas que nous fussions obligées de vendre Mont-Cinère ?

Emily releva la tête à ces mots et jeta un coup d'œil furtif dans la direction de sa mère.

— Non, maman.

Elle cousait mal ; ses points n'étaient pas droits. Trop de pensées se pressaient en elle pour qu'elle pût fixer son attention sur son travail. Ce que disait sa mère lui paraissait faux ou exagéré et elle l'avait si souvent entendue parler de vendre Mont-Cinère que cette menace ne l'effrayait plus. Mais elle était d'une constitution nerveuse et elle n'entendait jamais ces propos sans une vive et douloureuse impatience. Dans ces moments elle se sentait troublée si profondément que son malaise devenait physique : elle était obligée de se courber en deux et de se mordre les lèvres pour ne pas céder à un étrange désir de pleurer ou de crier.

Elle se tourna un peu plus vers la fenêtre et fit effort pour résister à une envie furieuse de se lever brusquement et de jeter son ouvrage aux pieds de sa mère. Ses mains se crispaient sur la toile et plusieurs fois elle cassa son fil tant elle mettait de violence à tirer l'aiguille.

La pièce dans laquelle se passait cette scène était haute et sombre ; le jour y pénétrait mal à cause de la disposition des draperies de peluche foncée qui cachaient à moitié les deux grandes fenêtres. Des fauteuils garnis d'une étoffe décolorée étaient rangés en demi-cercle autour de la cheminée et semblaient préparés pour une réunion. Dans un de ces fauteuils, Mrs. Fletcher était assise. Une grande table ovale indiquait que cette pièce devait servir aussi bien de salle à manger que de salon. Au-dessus d'une porte, une inscription en lettres gothiques noires et rouges rappelait aux personnes présentes que Dieu est partout et qu'Il entend toutes les paroles que nous prononçons.

Mrs. Fletcher avait cessé de parler et appuyait sa tête contre le dossier de son fauteuil en laissant errer son regard de droite à gauche. Elle avait étendu les jambes et croisé les pieds l'un sur l'autre dans une attitude nonchalante et parfois elle se donnait de petits coups sur les lèvres avec les doigts pour étouffer un bâillement, ou bien elle redressait la tête et aspirait comme si elle eût été sur le point de dire quelque chose, mais elle se ravisait aussitôt et reprenait sa méditation. Enfin elle se remit à parler :

— Tu lui diras qu'il faudra qu'elle parte samedi matin. Cela fera juste un mois à lui payer. Évidemment j'aurais dû songer plus tôt à me passer d'elle, mais le mal est fait.

Elle jeta un coup d'œil vers sa fille, qui paraissait ne pas entendre.

« Il faut réparer la brèche, continua-t-elle de sa voix douce, faire de nouvelles économies.

— Je ne vois plus quelles économies nous pourrions faire, après celle-là, dit Emily, au bout d'un instant de réflexion, à moins que nous ne vendions nos lits et que nous ne couchions sur le sol.

— Comment ? s'écria Mrs. Fletcher au comble de la surprise. Mais nous vivons comme des riches, Emily, et nous sommes pauvres. » Et elle frappa de son poing sur le bras du fauteuil pour accentuer ce dernier mot. « Nous avons des domestiques, nous entretenons une maison où l'on pourrait loger six personnes, et puis regarde cette pièce où nous sommes, regarde autour de toi ; des tableaux, des tentures, est-ce là la demeure d'une famille pauvre ?

Emily releva la tête et posa son regard sur sa mère. Ses yeux brillaient et un pli apparut au coin de sa bouche. Elle fit mine de reprendre son ouvrage et répondit d'une voix altérée :

— Je voudrais bien savoir quel genre d'économies vous voulez faire ; si elles consistent à vendre le peu de choses qui nous restent...

Elle s'arrêta comme si ces mots l'étranglaient.

— Eh bien, dit Mrs. Fletcher en se redressant, je fais ce que je peux pour trouver de l'argent. C'est pour toi comme pour moi.

— Vous ne devez pas toucher à ce que mon père nous a laissé, s'écria la jeune fille. De son temps vous n'auriez pas osé vous défaire de son bien.

Mrs. Fletcher regarda sa fille avec une expression de colère.

— Tais-toi, dit-elle. Ce que je vends est à moi.

— A vous, maman ! N'avez-vous pas vendu les chandeliers du salon ? Ils étaient autrefois dans sa chambre. Et les mosaïques qui étaient accrochées des deux côtés de la glace, dans cette pièce ? Il les avait rapportées d'Europe.

— Elles étaient à moi, répondit Mrs. Fletcher qui changeait de couleur, il me les avait données. Tu n'as pas le droit...

Emily sauta en bas de son fauteuil sans faire attention à ces paroles et, se dirigeant vers le fond de la pièce, elle ouvrit un grand coffre de chêne posé sur une table. Au milieu du couvercle une grande plaque de cuivre portait le nom de Stephen Fletcher gravé en lettres fines. Le coffre était vide, mais l'intérieur, garni de drap vert et divisé en compartiments, paraissait destiné à contenir de l'argenterie. Emily se tint un instant près de la table, la main appuyée sur le couvercle qu'elle avait soulevé ; elle allait parler quand sa mère se leva tout d'un coup et traversa la pièce. Une chaleur subite monta au visage de Mrs. Fletcher ; elle se mit à crier d'une voix que l'émotion rendait rauque :

« Tais-toi. Cela ne te regarde pas. Tu n'as pas le droit...

— Pas le droit ? répondit sa fille. Mais ces choses étaient à moi autant qu'à vous. Ce qui est dans la famille doit y rester, maman. Vous avez assez d'argent, d'autre part, pour ne pas toucher à ce qui appartenait à mon père.

— Je n'ai pas d'argent. Tout ce qui est dans cette maison est à moi et j'en ferai ce qu'il me plaira. Si ton père t'entendait, il te mettrait à la porte et tu serais forcée de gagner ta vie.

— Ce n'est pas vrai ! s'écria Emily. Si mon père était ici, nous ne vivrions pas comme des pauvres et je serais plus heureuse.

— Assez ! », dit Mrs. Fletcher qui s'était adossée à un meuble et tremblait de colère ; elle ramassa l'ouvrage que sa fille avait laissé tomber à terre, l'examina rapidement et fronça les sourcils en voyant la ligne irrégulière de la couture. « C'est ainsi que tu travailles, fit-elle avec véhémence, et tu veux que Dieu te protège, et tu reproches à ta mère de sacrifier ce qui lui appartient lorsqu'elle se dépouille pour te nourrir ?

Elle jeta le vêtement à ses pieds et se dirigea rapidement vers sa fille, la main levée.

— Vous ne me toucherez pas ! », dit Emily qui lui lança un regard haineux ; et laissant retomber le couvercle elle courut à la porte et sortit. « Vous êtes ridicule, cria-t-elle de l'antichambre, tout le monde se moque de vos manies. Vous vous croyez bonne parce que vous lisez la Bible tous les soirs, mais vous n'êtes pas meilleure que moi, que vous tourmentez.

II

Des scènes de ce genre n'étaient pas rares à Mont-Cinère. Sous un extérieur calme, Mrs. Fletcher cachait une âme inquiète et facilement irritable. Rien d'un tempérament colère ne se lisait sur son visage et il était aisé de se tromper sur son compte ; aussi, quoi qu'en dît sa fille, on ne se moquait pas d'elle et plusieurs ne l'appelaient pas autrement que la bonne Mrs. Fletcher. Elle le savait et s'en félicitait secrètement d'autant plus qu'il lui plaisait de se croire vertueuse. D'ordinaire, elle joignait les mains en parlant et s'exprimait d'une voix hésitante. Ses yeux, qui paraissaient sur le point de se fermer comme si la lumière les eût blessés ou que ses paupières fussent trop lourdes, avaient un regard lent qui ne s'attachait à rien et se posait sur les gens avec un air triste et craintif. Son nez charnu et proéminent donnait à son profil quelque chose de dur et de masculin que l'on ne retrouvait pas dans ses traits lorsqu'on la regardait de face. Elle portait ses cheveux en larges bandeaux grisonnants qui recouvraient son front et ses tempes et se relevaient par-derrière en un grand chignon aplati. On la croyait bossue parce qu'elle se tenait mal et l'attitude voûtée de cette femme, petite et trapue, confirmait une indéfinissable impression de candeur et d'humilité qu'elle produisait tout d'abord.

Mais il suffisait de porter atteinte à son égoïsme ou à son

21

orgueil pour que sa physionomie bienveillante se transformât tout d'un coup. On eût dit alors qu'elle avait reçu un coup de fouet sur le visage. Elle se redressait ; ses yeux s'ouvraient tout grands et une étincelle jaune, brillant au fond des prunelles noires, leur donnait une vivacité extraordinaire. Ce n'était plus la même femme ; elle devenait incapable de se retenir et se laissait aller à prononcer les paroles les plus injurieuses sans hésiter non plus à lever la main sur la personne qui l'avait offensée. C'est dans ces moments seuls qu'un air de ressemblance se voyait entre elle et sa fille.

Elle était veuve depuis cinq ans. Une médiocre peinture, accrochée au-dessus de la cheminée du salon, lui rappelait chaque jour les traits d'un mari qu'elle n'avait jamais regretté. L'artiste l'avait représenté dans un paysage sombre où des montagnes noires s'enlevaient sur un fond bleu traversé de nuées ; mais cette nature romantique et sauvage n'allait guère avec le petit homme à l'aspect timide qui avait servi de modèle. Son dos était arrondi et, sans être absolument contrefait, il paraissait chétif. Ses cheveux étaient soigneusement brossés de façon à dissimuler ses tempes ; il était vêtu d'un habit brun, avec une cravate de soie blanche enroulée autour du cou et, de ses beaux yeux noirs, contemplait avec un air d'intérêt un silex qu'il tenait dans le creux de sa main droite.

Il avait été de ces hommes tristes et réservés, dont personne n'a rien à dire après leur mort, et qui semblent avoir passé entre le bien et le mal comme entre les haies d'un chemin spacieux. Il avait fait la connaissance de sa femme à Savannah, où il était secrétaire général d'une compagnie d'exportation, et vécut quelque temps avec elle dans cette ville. Mais le climat presque tropical de ce pays finit par altérer sa santé ; un an après son mariage, il envoya sa démission de secrétaire et se retira, un peu au sud de Washington, dans une propriété qu'il avait héritée de son père, et qu'en souvenir d'un voyage en Europe il avait appelée Mont-Cinère.

Représentez-vous une maison bâtie selon le modèle le plus simple des habitations américaines, c'est-à-dire en forme de coffre, avec un porche à colonnes qui règne sur presque toute la longueur de la façade. Basse et percée de petites fenêtres, elle n'a qu'un étage au-dessus du porche. Les murs sont peints en gris clair et le toit en pente douce est recouvert de tuile brune. Aucun ornement ne relève la simplicité de la façade ; à peine un filet rouge souligne-t-il les moulures plates des colonnes, la seule note de couleur dans cet ensemble monotone. Des arbres gigantesques, plantés un peu au hasard devant la maison, lui donnent un air de magnificence et s'élèvent par-dessus le toit en caressant les murs de leurs branches puissantes.

Du porche, la vue est belle et bien dégagée. De grands rochers noirs cachent le rebord du plateau sur lequel est bâti Mont-Cinère et forment un mur naturel au fond du long jardin. Tout au loin, l'horizon est borné par une ligne ininterrompue de hautes collines. La distance les fait paraître bleues ; à peine y distingue-t-on, quelquefois, les taches plus sombres qu'étalent sur leurs flancs les bois dont elles sont recouvertes jusqu'à mi-hauteur. Mais si l'on va jusqu'au bout de la grande pelouse, on découvre un autre paysage dont on ne pouvait guère soupçonner l'existence et qui surgit tout d'un coup comme on s'approche de la masse rude et trapue des roches noires : une profonde et fertile vallée s'étend entre Mont-Cinère et les collines ; d'immenses étendues de terre cultivées se déroulent à perte de vue, du nord au sud, des champs de maïs, de blé, de trèfle déployant leurs couleurs sur le fond plus terne des prairies. De longs chemins traversent la campagne et unissent de gros villages plantés d'arbres. Çà et là, un coin de terre nue se montre, d'un ton ardent et foncé, et repose en bordure des moissons qui se creusent sous le vent. Retournez-vous maintenant et voyez

Mont-Cinère. Les chênes et les sapins le cachent à moitié, mais entre les troncs noirs vous en apercevez les parois grises et les petites fenêtres carrées : vous pensez voir une prison. C'est là, cependant, que Stephen Fletcher était venu s'établir dans le dessein d'y passer le restant de sa vie.

Quelque chose de la mélancolie de sa maison natale s'était glissé en lui et faisait partie de son caractère. Il aimait à se promener lentement sous les arbres de Mont-Cinère, le front baissé comme s'il eût cherché un objet perdu. Parfois il s'arrêtait et regardait une pierre à ses pieds ; si elle ne lui paraissait pas digne d'intérêt, il lui donnait un petit coup du bout de sa chaussure et continuait sa route, mais, si elle était curieuse, il se courbait, la ramassait avec un geste délicat et l'examinait longuement, puis il la coulait dans une basque de son habit brun et reprenait sa promenade.

Il répondait doucement et poliment à tout le monde mais d'un air patient qui gênait un peu ; aussi évitait-on de lui adresser la parole quand cela n'était pas nécessaire. Les jours de pluie et le soir, après dîner, il se retirait dans sa chambre et lisait des livres de science ou de piété. Le temps passait sans apporter de modifications apparentes à sa manière d'être. Il vit naître et grandir sa fille sans manifester le moindre intérêt. Sa vie était ailleurs et cette vie était inconnue de tous. Il avait quarante-cinq ans lorsqu'il fut atteint du mal dont il devait mourir et, d'abord, personne ne s'aperçut qu'il était souffrant. Il continuait ses promenades sous les arbres et restait en méditation devant les pierres que heurtait sa chaussure, mais on le voyait quelquefois comprimer sa poitrine de ses mains, puis sa figure, pâle et cireuse, s'empourprait ; alors il portait à sa bouche un grand mouchoir de soie blanche et toussait en se cachant le visage. On eût dit, à voir le mouvement de ses épaules, qu'il cédait à un accès de gaieté irrésistible.

Mrs. Fletcher ne trouva pas dans la mort de son mari un sujet d'affliction véritable. Pauvre et pauvrement élevée, elle l'avait épousé sous la pression de sa famille qui voulait se débarrasser d'elle ou, comme on dit, assurer son avenir. A cette époque, elle avait vingt-cinq ans et quoiqu'elle ne fût pas belle, on s'accordait à lui trouver un air agréable. Elle avait la taille robuste, mais bien prise, de beaux yeux, de beaux cheveux et une peau qui était alors dans toute la fraîcheur et la fermeté de la jeunesse. Telle qu'elle était, Kate Elliot plut à Stephen Fletcher et il l'épousa. Plus tard, il revint des sentiments qu'il avait eus pour elle et fit tout pour se dérober à sa compagnie.

Il l'avait épousée parce qu'il s'ennuyait dans sa solitude et il se remit à aimer cette solitude dès que la vie conjugale lui en eut fait connaître les avantages. Le temps aidant, il finit par considérer sa femme comme une ennemie, point de vue qu'elle partagea bientôt elle-même ; mais dans la lutte inavouée qui s'engagea entre eux ce fut lui qui l'emporta, car il savait se taire et elle ne le pouvait pas. Elle était jeune et vaniteuse, avec un goût très fort pour la discussion, mais, à toute sa véhémence, Stephen Fletcher opposait un air distrait ou ennuyé sans répondre à ses insultes. Il n'y a rien à faire contre un homme qui se résout au silence ; il faut le fuir ou accepter sa loi. Après bien des scènes inutiles, cette vérité se fit jour dans le cerveau de Mrs. Fletcher qui dévora, comme elle put, l'humiliation de se voir délaissée par un homme qu'elle n'avait même pas aimé ; et la paix revint à Mont-Cinère.

Lorsqu'elle put se rendre compte qu'elle n'était pas aussi malheureuse qu'elle l'avait cru d'abord, Mrs. Fletcher s'abandonna à la douceur d'une vie tranquille et aisée. A l'exception de deux pièces où son mari travaillait et d'une allée où il se promenait, elle était maîtresse d'une grande maison, d'un vaste jardin, de plusieurs voitures et de nombreux domestiques. Elle pouvait rester chez elle ou faire atteler et rendre visite à ses amies du voisinage, revenir quand il lui semblait bon, ne pas revenir si cela lui plaisait.

On ne rêvait pas une liberté plus grande, mais justement parce qu'elle était si grande, Mrs. Fletcher ne songea pas à en user dans sa plénitude. Elle sentait qu'elle pouvait vivre à sa guise et cela seul lui paraissait suffisant.

Comme toutes les personnes qui n'ont passé que quelques jours à Mont-Cinère, elle trouva, d'abord, qu'il était impossible d'y rester longtemps. Pour aller au village le plus proche il fallait une bonne heure ; il était insupportable de se sentir isolée ainsi. La maison elle-même était triste et ne contenait pas une pièce qui fût bien éclairée et où l'on eût envie de s'asseoir et de se reposer. Dans les premiers temps de son mariage elle n'osa rien dire à son mari de tout cela, mais plus tard elle se gêna moins et fit à Stephen Fletcher un reproche personnel de tous les inconvénients de la maison ; elle alla même jusqu'à lui dire qu'elle y périrait de mélancolie à moins qu'elle ne devînt folle ou imbécile. Ces paroles furent prononcées en pure perte, comme tant d'autres, et, du reste, Mrs. Fletcher ne croyait qu'à moitié à ce qu'elle disait, car elle avait déjà modifié son opinion sur Mont-Cinère. A la vérité, il n'est pas d'endroit au monde auquel on ne puisse s'habituer et où l'on ne découvre une raison de se trouver bien.

Le jour où Mrs. Fletcher fut amenée à se faire cette réflexion, l'univers changea à ses yeux. Elle était inquiète et soucieuse ; elle se résigna, son égoïsme fut en paix ; elle connut alors cette sorte de joie qui consiste à se sentir à l'abri de toutes les émotions de la souffrance comme de celles du bonheur. Elle allait par la maison, montait, descendait, se promenait de pièce en pièce et se disait, en se frottant les mains, que tout ce bien était à elle. Après tout, la maison était peut-être un peu triste, mais on ne pouvait pas dire qu'elle fût laide ; ensuite elle était bien située. Lorsque éclatèrent les premières scènes avec son mari, Kate Fletcher n'avait plus envie de quitter Mont-Cinère ; et comme Stephen Fletcher cessait peu à peu de prendre ses repas avec elle et même de la voir à aucune heure du jour et de la nuit, elle put croire que l'ennemi lui cédait la place et y prit ses aises.

C'est alors qu'elle donna libre cours à une passion qu'elle avait tenue secrète jusqu'alors et qui avait failli être détournée de son chemin normal. Kate avait été élevée par une mère qui, riche d'abord, fut ensuite, et d'un seul coup, ruinée par la guerre de Sécession. L'enfance de Kate fut une enfance pauvre et le mot qu'elle entendit le plus souvent, pendant toute cette époque, fut celui d'*économie*. Par économie, on ne lui donna pas de jouets et on lui fit porter ses robes plusieurs années de suite en se contentant de rabattre un ourlet ou de rapiécer un trou ; par économie, on ne l'envoya pas à l'école et elle apprit ses lettres comme elle put, dans des livres sales, achetés au rabais. Plus tard, et par économie encore, elle se retira avec sa mère à la campagne et passa son temps à coudre. Bien entendu, elle ne dansait pas, ne sortait jamais et s'habillait d'étoffes qu'elle se procurait au moment des soldes et qu'elle taillait elle-même, menait enfin une existence de béguine. Lorsqu'elle fit la connaissance de Stephen Fletcher, c'était une grosse fille sans gaieté et sans espoir, que rien ne paraissait toucher et qui n'attendait rien du monde, ni d'elle-même. Ses yeux noirs ne reflétaient que l'ennui d'une âme qui ne sait où elle va, mais se résigne à son sort et s'abandonne mollement à la volonté des autres. Il n'est pas difficile de concevoir qu'elle ait pu plaire à Stephen Fletcher. Elle avait les qualités négatives qui attirent un homme rangé, sérieux, avare de son temps et de sa paix. Elle paraissait timide, n'osait parler beaucoup et ne se faisait pas remarquer.

Son mariage faillit la changer tout à fait. Du jour au lendemain elle devint riche et libre de toute discipline. Quelqu'un qui l'eût observée alors se fût vite rendu compte que ce changement soudain lui tournait la tête et qu'elle agissait souvent sans savoir ce qu'elle allait faire. Elle parlait avec une volubilité inattendue et se livrait à des accès de joie qui consternaient son mari et dont elle revenait presque aussitôt, du reste, en rougissant un peu. Parfois l'émotion la faisait pleurer. Il fallut des semaines pour qu'elle cessât de s'étonner de tout ce qu'elle voyait autour d'elle.

Émerveillée de se savoir riche, elle prit en horreur jusqu'au nom d'économie et voulut jouir de sa fortune. Mais elle s'y prit mal. Il n'est pas si facile qu'on le pense de faire le prodigue si l'on n'est pas rompu à cet exercice ; Kate Fletcher s'en aperçut peu de temps après son mariage.

Elle commença immédiatement à faire des achats de toutes sortes et donna carrière à son avidité. Elle se sentait grisée. Deux mois passèrent dans une espèce de ravissement jusqu'au jour où elle se rendit compte qu'elle n'avait rien acheté d'inutile. Toutes ses acquisitions présentaient le même caractère de bon marché et d'utilité. Elle s'en félicita beaucoup d'abord, puis moins. Enfin, elle forma le projet de ne plus acheter que des objets de luxe. Le luxe ! Ce mot avait pour elle quelque chose d'attirant et de réprouvé à la fois et elle décida, pour ainsi dire, d'en explorer le sens. Elle se promena dans les magasins où l'on spécule surtout sur la vanité des acheteurs et sur leur besoin de s'entourer de belles choses, mais elle ne s'y sentait pas à son aise. Sans le vouloir, elle prenait un air coupable, baissait la tête, s'éloignait rapidement des comptoirs lorsqu'elle croyait qu'on allait lui adresser la parole, et sortait enfin, le visage en feu et les mains vides. Pourtant, elle admirait les bijoux, les riches étoffes, mais un instinct plus fort que sa volonté l'empêchait de poser longuement ses regards sur ces choses splendides, et il lui semblait, à certains moments, qu'une main lui prenait le bras et la tirait.

Dans tout autre magasin, au contraire, elle maniait et palpait avec volupté ce qui lui paraissait avantageux ; elle s'attardait, parlait aux employés, discutait avec eux jusqu'à les excéder lorsqu'elle croyait pouvoir rabattre quelque chose sur le prix de ce qu'elle voulait acquérir. C'est ainsi qu'elle ne pouvait se défaire de sa première éducation qui l'emportait sur les circonstances de sa vie présente et la dominait au sein même de la prospérité. Elle s'en aperçut et renonça bientôt à se faire violence, car, sans être intelligente, elle avait le sens de ce qui devait nuire ou aider à son bonheur. Elle résolut donc de reprendre des habitudes qu'elle était impuissante à maîtriser et de donner à sa manière de vivre le caractère qui lui semblerait bon.

Peu de monde venait à Mont-Cinère. Stephen Fletcher n'avait ni le goût de la conversation ni le besoin de se confier à autrui. Sa femme, pour qui c'était un état de choses naturel que le silence et la solitude, crut cependant qu'il serait convenable de recevoir quelques visiteurs et, le premier mois de son mariage, elle invita plusieurs fois des amies à venir passer la journée avec elle ; mais, outre qu'elle voyait le peu de plaisir que ces visites leur procuraient, car elle était maladroite et ne savait pas leur parler, elle n'aimait pas les mines surprises que l'on faisait en entrant au salon. Évidemment, elles trouvaient à redire aux meubles et à la façon dont ils étaient disposés ; ils n'étaient pas selon la mode du jour. Souvent elle surprenait dans leurs yeux un regard égayé qui la touchait à vif. C'était dans des moments comme ceux-là qu'elle se rendait compte des grosses lacunes de son éducation et qu'elle prenait en haine les principes d'économie que sa mère lui avait inculqués. Elle rêvait alors de retourner au plus tôt à Washington et d'y acheter, par exemple, de belles étoffes dont elle recouvrirait les chaises ; puis, par un mouvement irrésistible, elle touchait la peluche du siège sur lequel elle était assise et se disait : « Mais celle-ci est encore très bonne. » Peu à peu elle rompit toutes les relations qu'elle avait eues avec les personnes du dehors.

Elle vivait comme il lui plaisait et voyait si rarement son mari qu'elle pouvait se croire seule maîtresse de Mont-Cinère. Maintenant qu'elle s'était ressaisie, après une courte aberration, elle ne songeait plus qu'aux moyens de faire des économies ; c'était le besoin le plus impérieux de sa nature. Son ambition eût été de condamner une grande partie de la maison et de congédier les domestiques, l'instinct la poussant à reproduire les circonstances dans lesquelles elle avait vécu jusqu'au jour de son mariage, mais elle n'était pas assez hardie pour frapper un si grand coup et, du reste, elle savait que son mari, si patient et si distrait qu'il pût être, ne consentirait jamais à des changements de ce genre. Elle fut donc obligée de satisfaire sa passion comme elle put.

Son premier soin fut de réduire les dépenses de sa garde-robe et, se souvenant des utiles leçons qu'elle avait reçues de sa mère, elle dessina elle-même les patrons de ses vêtements et cousit ses robes de sa main. Les étoffes dont elle faisait usage étaient toujours les mêmes, noires ou d'une couleur sombre, un peu grossières, mais solides. Elle s'entendait à merveille à les choisir, prenait les échantillons entre le pouce et l'index, les regardait d'un air de méfiance, les flairait et ne se décidait jamais à acheter qu'après une laborieuse discussion avec les vendeurs ; généralement elle l'emportait, lorsqu'il s'agissait d'une diminution du prix marqué, grâce à son obstination et à quelque chose de rusé qui, en elle, prenait la place de l'intelligence. Enfin, elle se montrait d'une adresse consommée quand elle donnait dans le drap le coup de ciseau si difficile qui détermine la forme du vêtement : après avoir déployé la pièce d'étoffe sur une grande table, elle la considérait longuement d'un air absorbé et n'y portait la main qu'avec précaution, mais une fois qu'elle avait commencé à couper le tissu, elle allait de plus en plus vite et taillait hardiment de grands morceaux. Elle s'était fait ainsi trois robes : une qu'elle portait en été, une autre en hiver, une dernière dont elle réservait l'usage aux jours de grandes circonstances. Dehors, on la voyait toujours les épaules couvertes d'un châle d'indienne qui n'était autre que le tapis de la table de sa chambre. Elle allait plus loin que sa mère n'avait jamais été.

Sa passion dominante se heurtait quelquefois à d'autres instincts qui lui étaient contraires et qui cédaient toujours, car cette femme bataillait avec elle-même et il y avait un côté presque ascétique à sa volonté de renoncement. Sans être sensuelle, par exemple, elle avait un petit penchant à la gourmandise et il lui était désagréable de boire son thé sans y mettre de sucre ; elle le faisait cependant. Deux ou trois mois après son mariage, alors qu'elle vivait pratiquement séparée de son mari, elle sut gouverner en elle une frayeur naturelle de l'obscurité et prit l'habitude de se dévêtir sans allumer la lampe. Pour ceux qui connaissent les angoisses des terreurs nocturnes et le réconfort que donne le moindre rayon de lumière, cette action si simple en apparence prend un aspect particulier de résolution et de bravoure. C'est ainsi que beaucoup de passions vont si avant dans le cœur humain qu'elles y remuent tout ensemble de bonnes et de mauvaises choses.

III

Au début de l'année 1872, Emily naquit. Il y avait déjà un éloignement considérable entre Stephen et sa femme et cette enfant, qui leur apparaissait comme le signe d'une période sans retour possible, avait à leurs yeux quelque chose de dérisoire et de gênant. Stephen Fletcher, confiné dans sa bibliothèque lorsqu'il ne faisait pas ses promenades solitaires autour de la maison, ne se souciait aucunement de sa fille et il était bien entendu qu'on ne lui en parlerait jamais. Mrs. Fletcher, qui ne se sentait pas beaucoup plus d'affection pour son enfant que pour son mari, s'occupa d'elle aussitôt qu'elle en fut capable, afin de ne pas avoir à payer une nourrice, mais elle le fit sans joie et avec l'amertume de prendre soin d'un être dont elle n'avait souhaité la naissance à aucun moment.

Cependant, Emily avait besoin de beaucoup d'attention. Elle paraissait si faible et si petite que les domestiques, invités à venir la contempler dans son berceau, ne trouvèrent rien à dire sur son compte, mais on lisait sur leur visage tout ce qu'ils n'osaient exprimer autrement : la pitié et la crainte de voir mourir leur jeune maîtresse avant la fin du mois. Elle vécut, pourtant, mais elle conserva fort longtemps un air malingre. Jamais elle ne pleurait et elle étonnait les gens par les regards soucieux qu'elle promenait autour d'elle ; on lui trouvait alors un air de grande personne qui faisait dire à tout le monde : « Oh ! voyez-la : ne dirait-on pas qu'elle va se mettre à parler ? »

Elle eut une enfance solitaire. Toute marque de tendresse lui étant refusée, elle devint silencieuse et renfermée en elle-même. Souvent elle s'accroupissait dans le coin d'une chambre et s'amusait sans rien dire de tous les objets qu'elle trouvait à portée de sa main, les pieds des meubles, la frange d'un rideau ; ou bien, du bout du doigt, elle suivait patiemment les rainures du parquet et tâchait d'en faire sortir les épingles, les aiguilles et les menus objets qui s'y glissent quelquefois.

Elle dormait peu et d'un sommeil léger. Le matin, on la trouvait assise dans son lit, les mains croisées sur ses genoux, avec le visage attentif d'une personne qui observe un spectacle. « Mais que regardes-tu ? », lui demandait sa mère. L'enfant relevait alors la tête sans répondre, en écartant les mèches de cheveux qui lui tombaient sur le front. Elle avait dans ces moments une expression mystérieuse qui impatientait Mrs. Fletcher. « As-tu bien dormi ? Es-tu contente ? », lui demandait-elle, pendant que la petite fille s'asseyait au bord de son lit et mettait ses pantoufles ; ce n'étaient pas là des paroles d'affection et elles étaient prononcées d'une voix accompagnée d'un regard sans indulgence. Emily répondait oui invariablement et n'ajoutait pas un mot.

De temps en temps, dans un couloir ou sur la pelouse, devant la maison, Emily rencontrait son père. Stephen Fletcher ne l'aimait pas. Il attachait sur l'enfant ses yeux noirs et la considérait sans rien lui dire, en remuant les lèvres comme s'il eût été sur le point de parler ; puis, brusquement, il lui tournait le dos et grommelait des phrases inintelligibles. Il existait entre eux un certain air de ressemblance que les années accentuaient. Comme son père, elle se tenait le dos un peu voûté, mais la tête droite et jetée en avant dans l'attitude de quelqu'un qui écoute. Comme lui encore, elle avait les yeux noirs, extrêmement mobiles, les pommettes

33

hautes et décharnées, une physionomie inquiète jusqu'à paraître chagrine et mélancolique.

Sur la fin de sa vie, Stephen Fletcher faisait en sorte de ne plus jamais voir sa fille. On eût dit que, pour une raison qu'il ne confiait à personne, il craignait de la rencontrer. S'il l'apercevait de loin dans ses promenades, il détournait la vue et, lorsque cela était possible, rebroussait chemin et s'enfonçait sous les arbres. Si, par une circonstance qu'il n'avait pu empêcher, elle le croisait à la porte de sa chambre, il faisait un signe de tête à la fois timide et courroucé et rentrait aussitôt chez lui.

Sa mort survint en 1879. Emily avait juste sept ans, mais on hésitait à lui donner cet âge, soit parce que ses manières sérieuses n'étaient pas celles d'un enfant si jeune, ou encore, que son visage avait quelque chose de rembruni et de soucieux qui lui donnait un air vieillot. Sa mère l'avait tenue brièvement au courant de la maladie de son père : « Ton père n'a pas dormi. Il va moins bien qu'hier. » Un matin, elle entra dans sa chambre et, par un geste théâtral qui ne lui était pas naturel, elle lui mit les bras autour de la tête et la serra contre sa poitrine ; puis elle la prit par la main et la conduisit à la porte de la chambre où Stephen Fletcher venait d'expirer.

Elles entrèrent. Jamais Emily n'avait pénétré dans cette pièce. Les fenêtres étaient drapées de rideaux bruns. On voyait sur une table un livre ouvert, des cailloux de différentes couleurs, une loupe et, près de cette table, un fauteuil placé un peu de côté comme si quelqu'un venait de le repousser en le quittant. Un grand lit à colonnes, également drapé de velours brun, occupait un coin de la chambre. Ce fut vers ce point qu'Emily tourna ses regards ; elle eut aussitôt un frisson et aspira violemment en portant la main à sa bouche. Son père était couché dans son lit, mais recourbé sur lui-même et la face contre le mur. La couverture avait été rejetée et pendait hors du lit, les draps semblaient pris entre les jambes et enroulés autour du corps. Il y avait quelque chose d'horrible dans son immobilité, qui n'était pas celle du repos.

Emily contempla un moment ce spectacle auquel elle ne s'attendait pas, mais dont elle ne pouvait détacher les yeux. Elle ouvrit la bouche et fit le geste d'y mettre les doigts comme pour étouffer le gémissement qui montait de sa poitrine. Des gouttes de sueur perlèrent à la racine de ses cheveux et elle se retourna brusquement : on eût dit qu'un vertige la prenait. Elle cacha son visage dans la robe de sa mère. Alors Mrs. Fletcher la soutint en l'embrassant de nouveau : « Voilà ce qu'est la mort, Emily, lui dit-elle d'une voix ferme, lorsqu'elles furent sur le palier. N'oublie pas ton père et honore sa mémoire. »

Sans doute cette femme pensait-elle bien faire en agissant ainsi. La mort de son mari la touchait peu et la rendait perplexe. Elle éprouvait à l'égard de cet événement l'inquiétude des âmes un peu primitives qui craignent de se tromper dans des circonstances où il faut montrer des sentiments vifs et profonds dont elles se sentent incapables. Elle se demanda donc ce qu'elle devait faire à l'occasion de la mort de son mari et quelle attitude il convenait d'avoir ; et, avec ce manque de naturel qui paraît être en quelque sorte le naturel pour les esprits restreints, elle résolut de donner aux choses un tour dramatique et frappant.

L'épreuve était forte pour une constitution nerveuse comme celle d'Emily. En sortant de la chambre mortuaire, la petite fille frissonnait et serrait le bras de sa mère. Jamais elle n'avait été mise en présence de la mort. Ce mot de mort, lui-même, n'avait dans son esprit qu'un sens assez vague et le spectacle qu'elle venait de voir lui semblait épouvantable et incompréhensible.

Elle y pensa des journées entières. Son esprit, fasciné par ce sujet macabre, ne parvenait pas à lui échapper. Elle se rappelait plusieurs détails qui l'avaient frappée d'abord dans la chambre de son père et qu'elle avait oubliés ensuite, comme le mouvement silencieux d'un pan de drap qu'un courant d'air faisait remuer au ras du sol ; elle revoyait, par l'esprit, un grand trou dans la chemise du mort, depuis le cou jusqu'à l'épaule et qui laissait voir une peau d'une blancheur écœurante ; elle supposait que son père avait déchiré sa chemise dans un grand effort, en se retournant violemment vers le mur, sans doute les bras serrés contre ses côtes. Parfois, sa pensée s'égarant tout à fait dans cette mauvaise voie, elle se demandait quelle avait dû être l'expression de ce visage qu'elle n'avait pas vu, et comme elle n'en pouvait rien savoir, son imagination suppléait à son ignorance. Alors elle tombait à genoux en se cachant la figure comme pour écarter l'innommable vision qui se présentait à elle.

Peu à peu elle devint plus calme, mais l'impression qu'elle avait reçue ne s'effaçait pas. Elle évitait la compagnie de sa mère, pour qui elle éprouvait maintenant une sorte de crainte, car elle ne pouvait plus penser à elle sans penser aussitôt à son père. Elle vivait dans une solitude de plus en plus grande, personne ne s'occupant d'elle, ce qui lui était agréable. Elle aimait surtout à s'enfermer dans sa chambre et, s'asseyant près de la fenêtre, regardait pendant des heures le paysage de rochers et de collines qui s'offrait à sa vue. Une pente naturelle la portait à la rêverie. Souvent, elle se parlait à elle-même d'une voix basse et monotone, en regardant autour d'elle avec une mine inquiète. Quelquefois aussi des mouvements de frayeur subite la contraignaient à se lever tout d'un coup et à sortir de sa chambre en courant.

IV

Emily avait huit ans lorsqu'un événement vint modifier le cours de sa vie. En 1880, le frère de Mrs. Fletcher mourut de la fièvre, à Savannah, et il fut décidé que Mrs. Elliot, qui n'avait plus au monde que sa fille Kate, viendrait habiter chez elle. Je n'ai pas besoin d'entrer dans le détail des négociations qui suivirent ce projet. Aucun lien de véritable affection n'existant entre la mère et la fille, on devinera aisément qu'elles échangèrent de nombreuses lettres avant de pouvoir s'entendre sur plusieurs points capitaux, notamment sur le chiffre d'une somme que Mrs. Elliot aurait à verser pour prix de sa pension.

La mort de Stephen Fletcher donnait à sa femme une entière liberté d'agir comme il lui plaisait et lui permettait surtout de faire des économies importantes; aussi Mrs. Fletcher, qui voyait ses rêves sur le point de se réaliser, ne se souciait-elle pas du tout d'avoir à sa charge une personne qui prendrait en quelque sorte la place de son mari et qui, moins discrète certainement qu'il ne l'avait été lui-même, essaierait d'intervenir à tout moment dans la conduite de la maison et donnerait son avis sur ce qu'il fallait faire. « Je suis ruinée! », s'écria-t-elle, lorsqu'elle reçut la lettre dans laquelle sa mère lui demandait l'hospitalité, et elle lui répondit sur-le-champ pour lui expliquer que son mari ne lui avait laissé que des dettes et qu'il ne fallait pas songer un instant à venir

37

s'installer à Mont-Cinère, propriété qu'elle comptait vendre dans le courant de l'année suivante. Mrs. Elliot tint bon, cependant, et répondant par un mensonge au mensonge de sa fille, elle prétendit pouvoir lui verser une assez grosse somme le jour même de son arrivée. « Tant que je vivrai, ajoutait-elle, vous ne vendrez pas Mont-Cinère. »

Elle arriva quelques jours avant Noël. Agée d'un peu plus de cinquante ans, elle était grasse et lourde comme sa fille, mais avec un port de tête plus arrogant et une expression de majesté que Mrs. Fletcher n'avait jamais eue. Ses yeux noirs rappelaient ceux d'Emily, à cela près que le regard en était placide et un peu narquois, nullement agité comme celui de sa petite-fille. Le nez long, la bouche aux lèvres minces tendues en un demi-sourire lui donnaient un air de suffisance et il était impossible de la regarder sans craindre qu'elle ne fît une remarque désobligeante ou moqueuse ; le tour de son visage s'épaississait et la forçait à se rengorger un peu, ce qui rendait encore plus nette l'impression de hauteur qu'elle ne manquait jamais de produire sur tout le monde. Elle portait une robe noire aux plis abondants, et un corsage très ajusté, garni d'une collerette et de poignets de toile unie. En arrivant à Mont-Cinère, elle était coiffée d'un vaste bonnet recouvert de tulle noir et de rubans de soie prune qu'elle avait noués sous son menton. Deux masses compactes de cheveux bouclés et luisants se voyaient à la hauteur de ses tempes.

Elle parlait doucement, mais il y avait une pointe d'auto-rité dans ses paroles et elle savait encore se faire craindre de sa fille. Lorsqu'elle descendit de voiture, elle regarda autour d'elle avec curiosité et monta les degrés du porche en faisant résonner ses pas. Alors Mrs. Fletcher se précipita au-devant d'elle avec une mine empressée et la serra fortement dans ses bras, puis toutes deux entrèrent, suivies d'un nègre qui portait une petite malle de bois noir dont le couvercle était garni de grosse peluche.

— C'est tout ce que vous apportez avec vous, maman ? demanda Mrs. Fletcher en avisant ce bagage d'un œil inquiet.

Mrs. Elliot éclata de rire et dit gaiement :

— Tu l'as dit, Kate. Me croyais-tu riche, par hasard ? Dans tous les États du Sud, il n'y a pas plus pauvre que moi, et c'est beaucoup dire.

— Comment ? s'écria Mrs. Fletcher avec un air d'effroi, vous m'aviez écrit...

— Ne t'occupe pas de cela, mon enfant, répondit sa mère d'un ton plus sévère. Il y a un proverbe, un dicton... Toi qui lis ta Bible, aide-moi un peu. *Le Seigneur pourvoira.* C'est cela !

Elle rit de nouveau et ajouta :

« Fais-en ta devise ! Cela te portera bonheur. Mais je ne vois pas ta fille. Où est-elle ?

Il fallut aller chercher Emily dans sa chambre. Elle vint timidement au salon et se tint un moment à quelque distance de Mrs. Elliot, les yeux agrandis, les mains derrière le dos ; et comme sa mère la poussait, elle fit deux ou trois pas dans la direction du fauteuil où la nouvelle venue était assise.

« Plus près !, commanda Mrs. Elliot d'une voix mordante. La petite fille obéit.

« Une révérence maintenant ! », reprit sa grand-mère en appuyant sa main ronde sur l'épaule anguleuse de l'enfant. Emily rougit ; elle ne comprenait pas ce qu'on voulait d'elle, mais, à tout hasard, elle inclina la tête.

« Petite sotte ! s'écria Mrs. Elliot en la tirant à elle pour l'embrasser. Je vois tout de suite que tu n'es bonne à rien. » Elle lui donna un baiser sur la bouche et la repoussa en riant.

« Kate, dit-elle, tu n'élèves pas bien ta fille. C'est moi qui me chargerai d'elle désormais.

Emily alla s'asseoir sur une chaise et contempla sa grand-mère avec un mélange de frayeur et de surprise, et cependant quelque chose l'avait immédiatement attirée vers cette grosse femme qu'elle pressentait d'une composition différente de sa mère. Certes, Mrs. Elliot lui paraissait redoutable, mais sa rudesse même lui inspirait un étrange sentiment de confiance, alors que la froide douceur de sa mère ne faisait que l'éloigner d'elle. Elle se mit à écouter la conversation. Il fut décidé que Mrs. Elliot occuperait la chambre qui avait été celle de Stephen Fletcher. Selon Mrs. Fletcher, c'était la plus belle de Mont-Cinère et la plus agréablement meublée ; sans doute elle était un peu isolée du reste de la maison, mais elle n'en était que plus tranquille.

« Que fais-tu là ? demanda tout à coup Mrs. Elliot en se tournant vers sa petite-fille. Lève-toi, que je te regarde.

Emily se leva et s'avança un peu.

« Voyons, à qui ressembles-tu ? Pas à quelqu'un de ma famille en tout cas. Tourne-toi. Comme elle se tient mal ! Kate, tu as vu ? Elle est bossue, ta fille. Redresse-toi donc, petite sotte ! Tu n'as donc pas de vanité ? Et que tu es donc maigre ! C'est tout à fait comme ton père. Reste à savoir si le caractère est le même.

Elle se pencha vers sa fille et murmura :

« Espérons que non. Si ton Emily est aussi lunatique et aussi faible... » Elle acheva sa pensée par un geste qui semblait vouloir dire : autant vaut la jeter à l'eau avec une pierre au cou.

Mrs. Fletcher se mordit les lèvres ; Emily devint toute rouge.

« Eh bien, s'écria Mrs. Elliot d'un air de stupeur, on ne peut pas dire la vérité ici ? Tenez, allons voir cette chambre. Emily, je m'appuie sur toi, je suis fatiguée.

Elles montèrent. Mrs. Fletcher les précédait en cherchant une clef dans la poche de son tablier de serge noire. Depuis quelques minutes, elle se taisait et paraissait mécontente et préoccupée.

La chambre était en ordre et dans un état de propreté scrupuleuse, et il suffit à Emily d'un coup d'œil pour se rendre compte qu'elle n'avait pas changé depuis la dernière fois qu'elle y avait pénétré, c'est-à-dire le jour où elle avait vu son père mort, étendu sur son lit. Le souvenir de cette visite se présentait à sa mémoire avec tant de force qu'elle ne put réprimer un mouvement d'effroi. Le livre était toujours sur la table ronde, mais il était fermé et l'on voyait, à la croix imprimée en creux dans le cuir noir de la couverture, que c'était une Bible. Les cailloux de différentes couleurs avaient été rangés dans une petite vitrine accrochée entre les deux fenêtres. Les rideaux du lit, légèrement entrouverts, laissaient paraître une courtepointe bleue à fleurettes jaunes. L'enfant eut le sentiment trouble de voir des choses défendues et se tint un peu en arrière.

Mrs. Elliot examina la pièce assez longuement ; on eût cru qu'elle allait en demander le prix, comme d'une chambre d'hôtel. Elle écartait les rideaux des fenêtres et regardait le paysage en fronçant les sourcils. Son pied foulait le tapis comme pour en apprécier l'épaisseur ; elle essaya successivement les trois fauteuils garnis de peluche rouge et tâta le lit de ses poings fermés. Enfin elle se déclara satisfaite.

Mrs. Fletcher n'avait pas dit un mot pendant toute la durée de cette inspection. Elle se tenait au milieu de la chambre, les mains jointes, et suivait sa mère du regard à mesure que celle-ci se rendait d'un point à un autre. De temps en temps, Mrs. Elliot tournait les yeux vers elle, d'un air amusé, comme si elle trouvait plaisante la mauvaise humeur de sa fille, et s'adressant à Emily, qui ne perdait pas un seul de ses mouvements, elle faisait de petites réflexions malicieuses dont l'enfant riait malgré sa gêne, mais qui atteignaient Mrs. Fletcher par l'endroit le plus sensible.

« Vois, disait la grand-mère en caressant la peluche déteinte et fatiguée d'une chaise, comme ce velours est riche, et quelle belle couleur ! » Elle roulait des yeux et coulait un regard hypocrite dans la direction de Mrs. Fletcher qui ne bronchait pas. Ou bien, elle faisait osciller un fauteuil à un pied duquel il manquait une roulette. « Et ce fauteuil à capitons, n'est-ce pas le fauteuil du président Hayes ? » Et elle inclina la tête d'une façon comique.

En dépit de ces railleries, il était clair que la chambre lui plaisait et elle s'y installa sans tarder ; mais elle proposa quelques petites améliorations dans l'ameublement. Le tapis était trop vieux : par endroits, il s'était aminci et commençait à s'effranger. Les sièges avaient grand besoin d'être recouverts. Elle disait cela d'un ton sérieux de réprimande qui exaspéra sa fille. Mrs. Fletcher ne put se contenir plus longtemps :

— Mais, maman, s'écria-t-elle, songe à la dépense que tout cela entraînerait. Est-ce que chez toi...

— Chez moi, interrompit Mrs. Elliot, tout est simple, mais rien n'est misérable. Ceci est misérable, ma fille, ceci, ceci.

Et elle désignait des trous et des déchirures ; elle ajouta d'un air de commandement :

« Nous remédierons à tout cela.

Mrs. Fletcher ne répondit pas. Dans le courant des semaines qui suivirent, la chambre fut remise à neuf, en effet, selon la volonté de Mrs. Elliot.

A la différence de Mrs. Fletcher qui pratiquait l'économie par goût, exactement comme on s'abandonne à la pente d'une passion, sa mère avait pratiqué l'économie par nécessité et contre son inclination. Elle n'avait jamais perdu le souvenir de richesses dont elle déplorait l'absence avec amertume, et là où l'économie lui paraissait inutile, comme chez sa fille, elle lui paraissait également ridicule. Aucun scrupule ne s'opposait donc à ce qu'elle fît faire à Mrs. Fletcher toutes les dépenses qui sembleraient à propos.

Devant la mine volontaire de Mrs. Elliot, Kate Fletcher se sentait petite fille et s'accusait durement d'avoir permis à sa mère de venir s'établir chez elle. Ne la connaissait-elle donc pas ? Suffisait-il de ne pas l'avoir vue pendant quelques années pour oublier son caractère hypocrite et autoritaire à la fois, son avidité, son impatience si on ne lui cédait pas en tout ? Et comment avait-elle pu croire un instant que Mrs. Elliot lui paierait sa pension ? Folle ! Elle en pleurait, lorsqu'elle était seule.

Pleine de ses griefs et du sentiment de sa propre bêtise, elle regardait sa mère se promener dans sa maison en critiquant les meubles et ne disait rien. Cependant, elle dévora sa colère comme elle put et s'accommoda de ce qu'elle ne pouvait empêcher. Peu à peu, Mrs. Elliot prenait ses habitudes à Mont-Cinère. Elle défendait qu'on traversât le salon entre deux et quatre heures, parce qu'elle y faisait sa sieste, étendue sur un canapé, et s'y réservait l'usage du meilleur fauteuil qu'elle avait fait pousser près de la fenêtre. Elle fit également déplacer la table de la salle à manger pour ne pas avoir la lumière dans les yeux pendant les repas, et en même temps pour occuper la place du bout qu'elle jugeait préférable à toute autre. A ces petites exigences s'en ajoutaient de beaucoup plus considérables. C'est ainsi qu'elle voulait faire repeindre les boiseries, changer le papier des murs, réparer les meubles, exactement comme si elle eût été chez elle. Chaque fois que sa fille la voyait examiner un fauteuil ou palper l'étoffe d'un rideau elle se mettait à trembler et pensait avec une tristesse mêlée de colère : « Je suis ruinée. »

Elle se rattrapait de son mieux. Heureusement, Mrs. Elliot n'était pas gourmande et, par crainte de devenir obèse, ne mangeait presque rien, ce qui permettait à Kate Fletcher de réduire les dépenses de nourriture. Les deux plats de légumes furent remplacés par un seul plat de riz ; puis le dessert fut supprimé, enfin les portions diminuèrent et les repas devinrent de plus en plus brefs. A chaque nouvelle dépense de Mrs. Elliot correspondait une nouvelle mesure d'économie de la part de Mrs. Fletcher qui n'hésitait devant aucune privation. C'était Emily qui souffrait le plus de cette sorte de duel. On lui avait enlevé les draps de son lit et elle devait porter son linge deux fois plus longtemps qu'autrefois. Ses chaussures trouées ne la préservaient plus des cailloux ni de l'humidité du sol, et comme sa mère lui interdisait de les donner au cordonnier, elle restait à la maison et ne prenait l'air que sur le porche. Bien entendu Mrs. Fletcher s'infligeait des mortifications analogues, mais, au contraire de sa fille qui gémissait de toutes ces rigueurs, elle avait la foi et les supportait sans rien dire.

V

Enfin, il sembla qu'une puissance invisible eût décidé de prêter main-forte à Mrs. Fletcher. Un après-midi de février, sa mère fut prise de faiblesse alors qu'elle examinait au salon des fauteuils que le tapissier venait de rapporter. Elle s'appuya à une porte et porta la main à son front ; son visage s'empourprait et une grimace de douleur relevait ses sourcils. Emily, qui se trouvait seule avec elle, la considéra avec effroi.

— Qu'y a-t-il, grand-mère ? s'écria-t-elle en la voyant chanceler et laisser retomber sa tête sur son épaule.

— Rien. Va chercher ta mère », balbutia Mrs. Elliot. Et elle arracha son bonnet ; ses cheveux se déroulèrent. Au même instant elle voulut aller vers un fauteuil, mais ses jambes fléchissaient et elle tituba. Son regard semblait vide et incapable de se fixer. Elle leva les bras, essaya d'agripper un des rideaux qui drapaient la porte et, tout d'un coup, s'écroula aux pieds de sa petite-fille qui s'enfuit en hurlant.

Mrs. Elliot se remit assez promptement de cette attaque et au bout de quelques jours elle se sentait bien, à cela près qu'elle était souvent lasse sans raison apparente et se prenait à dormir dans son fauteuil. Elle décida de garder la chambre une semaine ou deux pour se reposer tout à fait. Volontiers, elle parlait de son attaque et ne se fatiguait pas de décrire les

45

sensations qu'elle avait eues sur le moment ; selon elle, il fallait attribuer cela au long voyage qu'elle venait de faire, à l'émotion de retrouver sa fille après une séparation de plus de six ans, et elle répétait ces choses à toutes les personnes qui venaient la voir, à Mrs. Fletcher, à Emily, aux domestiques qui lui apportaient ses repas.

Quelque chose semblait changé en elle, mais il était difficile de se rendre compte de ce que c'était. Au physique elle était la même ; à peine aurait-on pu trouver que ses yeux paraissaient moins durs, que son regard avait perdu son tranchant. Il y avait encore autre chose. Était-ce qu'elle parlait plus et avec moins de brusquerie ? Mrs. Fletcher résuma ce qu'elle pensait sur ce point en disant un jour à sa fille, dans un moment d'expansion assez surprenant chez elle : « On dirait que Dieu a touché le cœur de ta grand-mère. » Sans doute voulait-elle dire qu'il y avait plus de bonté qu'on n'aurait cru dans le caractère de Mrs. Elliot, mais qu'il avait fallu le coup d'une douleur violente pour la faire paraître, comme il arrive ; ou peut-être dissimulait-elle, sous ces pieuses paroles, un petit mouvement de joie triomphante qui la forçait à dire quelque chose.

Deux semaines s'écoulèrent sans que Mrs. Elliot parlât de se relever. Il était clair qu'elle s'accoutumait à son nouveau genre de vie et s'y plaisait. Maintenant Emily lui rendait visite plusieurs fois par jour et une véritable intimité s'établissait entre elles. La petite fille avait oublié ses craintes d'autrefois, et les souvenirs pénibles que la chambre de son père faisait renaître en elle s'effaçaient peu à peu sous les nouvelles impressions qu'elle y recevait à présent.

Sa grand-mère engageait avec elle des conversations qui duraient parfois des heures et dans lesquelles Emily, d'ordinaire si peu bavarde et si timide, se laissait aller à toutes sortes de réflexions et de confidences. Ce qu'elle aimait surtout, dans ces entretiens, c'était que Mrs. Elliot lui parlait exactement comme à une grande personne et ne lui faisait jamais sentir qu'elle n'était qu'une petite fille ignorante qui ne savait pas même ses lettres. Cela lui donnait du courage, et elle s'abandonnait avec émotion au plaisir, jusqu'alors inconnu, de dire les pensées qui l'avaient occupée dans sa solitude.

Les mains croisées sur le drap dans une attitude bienveillante, Mrs. Elliot écoutait d'un air attentif. Elle s'appuyait mollement sur trois ou quatre oreillers amoncelés derrière elle et de temps en temps hochait la tête et souriait. Parfois, lorsqu'elle se mettait à parler, elle s'arrêtait au milieu d'une phrase pour chercher ses mots ; souvent aussi sa langue s'embarrassait et elle n'arrivait pas à dire ce qu'elle voulait. Emily la voyait alors devenir toute rouge ; une étrange lueur traversait ses yeux. « Qu'a-t-elle donc ? », pensait la petite fille en se détournant, gênée par ce trouble qu'elle ne comprenait pas.

Ce n'était plus la même femme. Il lui manquait son arrogance des premiers jours qu'elle avait passés à Mont-Cinère et cette expression railleuse qui prêtait un sens particulier aux mots dont elle se servait. Pourtant, lorsqu'une hésitation de sa voix la forçait à s'interrompre, on voyait, au fond de ses prunelles, briller une petite flamme de colère qui la transfigurait un instant et rendait à son visage l'aspect orgueilleux qu'Emily lui avait connu, mais ces moments étaient courts et l'air un peu morne, un peu égaré des jours présents, revenait aussitôt dans les traits.

Dans ses heures de solitude elle avait pris goût à la lecture et se faisait apporter tous les romans dont on disposait à Mont-Cinère. Il y en avait un assez grand nombre dans la bibliothèque de Stephen Fletcher qui s'était toujours piqué d'être un amateur de littérature. C'était Emily qui les montait à la chambre de Mrs. Elliot. Elle demandait d'abord à Mrs. Fletcher de lui lire les titres de quelques ouvrages et se les répétait à voix basse dans l'escalier ; puis elle récitait la liste à sa grand-mère qui choisissait.

Il semblait que cette vie paresseuse fît grand bien à Mrs. Elliot. Des couleurs revenaient dans ses joues. Le matin, pendant qu'on apprêtait son lit, elle allait faire quelques pas dans un petit cabinet attenant à sa chambre ; c'était ce qu'elle appelait prendre un peu d'exercice et cela paraissait lui suffire. Elle regardait quelquefois par la fenêtre et observait les changements que les saisons amenaient dans l'aspect de la nature, mais jamais l'envie ne lui venait de descendre et de se promener en plein air, de fouler l'herbe, de sentir les cailloux et la terre sous ses pieds. Elle devenait frileuse et gémissait si l'on ouvrait la fenêtre sans lui donner le temps de bien se couvrir. Aussi, lorsqu'elle se levait, passait-elle un long vêtement de laine sombre, sans manches, qu'elle drapait avec soin autour de ses épaules ; et elle marchait d'un bout à l'autre du petit cabinet avec une lenteur prudente, en s'appuyant aux meubles. On remarquait qu'elle ne se tenait plus aussi droite et qu'elle négligeait un peu l'arrangement de ses boucles ; toutefois, elle portait encore ses bonnets de tulle comme avant sa maladie, mais c'était plutôt un reste d'habitude qu'un souci de coquetterie.

L'hiver finit sans avoir apporté de modification à cet état de choses. Peu à peu, Mrs. Fletcher regagnait le terrain qu'elle avait perdu. Le lendemain du jour où sa mère eut son attaque, elle fit atteler la voiture, qui n'était pas sortie depuis la mort de Stephen Fletcher, et se rendit en hâte à Wilmington et à Salem pour annuler les commandes de Mrs. Elliot.

Elle bataillait avec ardeur comme s'il se fût agi de défendre son existence même. Les fournisseurs qui se présentaient à Mont-Cinère étaient renvoyés. « Mrs. Elliot se ravise, disait sa fille qui les recevait, elle ne veut plus rien de ce qu'elle avait commandé. » Cette femme, qui manquait tant de fermeté en toute autre occasion, en trouvait toujours assez dans ces moments-là.

Jamais elle ne payait une note de sa mère sans exiger qu'on

lui fît une réduction ; elle se rendait dans les magasins avec son livre de comptes et montrait aux commis, suivant les lignes de son gros doigt impératif, les chiffres de ses achats des années précédentes. Elle soutenait toujours qu'on avait augmenté les prix et coupait court aux discussions en étalant sur le comptoir le nombre de billets qu'il lui semblait devoir donner. Si cet argument échouait, elle avait recours à une explication de ce qui s'était passé à Mont-Cinère. Les achats n'avaient pas été faits par elle, mais par sa mère qui ne l'avait pas consultée. Était-il juste qu'on lui fît payer ce qu'elle n'avait jamais eu l'intention d'acquérir ? Et elle frappait sur le comptoir du plat de la main en signe de protestation. Ces scènes renouvelées partout lui valaient quelquefois de petites diminutions, car elle excellait à donner aux choses un tour pénible qui finissait par gêner ses adversaires, tout zélés qu'ils fussent du soin de leurs intérêts. Volontiers elle faisait appel à leurs sentiments personnels lorsqu'elle pressentait que cette méthode devait lui réussir. Elle mendiait. Dans ses habits de drap noir elle avait une mine pauvre qui faisait impression ; elle avait soin de porter des gants troués à plusieurs doigts, mais lorsqu'elle feuilletait son livre de comptes elle affectait de ne montrer ses mains que le moins possible comme pour dissimuler aux yeux des commis les tristes marques de sa misère et les inciter à une pitié plus grande.

Chez elle, tout se réorganisait selon ses vues. Elle savait que sa mère était plus gravement atteinte qu'on ne l'avait cru tout d'abord et qu'elle ne quitterait pas sa chambre de sitôt. Elle en éprouvait de l'ennui, car elle avait une horreur naturelle de la maladie et de tout ce qui, de loin ou de près, pouvait lui rappeler l'image de la mort, mais elle trouvait une satisfaction très grande dans la pensée qu'elle était de nouveau libre d'agir selon sa propre volonté.

Maintenant, il semblait que la vie à Mont-Cinère eût pris son aspect définitif. Mrs. Elliot ne sortait plus de sa chambre et sa petite-fille lui rendait visite à des heures irrégulières que l'habitude fixait peu à peu. Fidèle à sa promesse, la vieille femme s'était chargée de l'éducation d'Emily et lui apprenait à lire, à coudre et à compter ; elle-même n'en savait pas plus long, et du reste, disait-elle, est-ce que cela ne suffisait pas ? Souvent, pendant que l'enfant ânonnait ses leçons, elle l'observait et se laissait aller au cours d'une rêverie : elle s'imaginait Emily à vingt ans, à trente ans, Emily vieille avec le regard douloureux qu'elle avait vu à Stephen Fletcher, dans le portrait du salon ; et lorsque la petite fille relevait la tête, étonnée du silence de sa grand-mère qui ne la corrigeait pas, Mrs. Elliot éprouvait quelque chose d'analogue à un choc en voyant ce visage qui n'était pas celui d'un enfant et qui portait comme par avance les marques d'une vie difficile et tourmentée.

Mrs. Fletcher partageait son temps entre les soins de la maison et de longs travaux de couture, et insensiblement les occupations diverses de ces trois personnes acquéraient le caractère de nécessité qui domine les existences restreintes jusque dans les actes les plus insignifiants. Sans doute, des changements s'opéraient dans le caractère de ces femmes, mais c'était avec la lenteur patiente que la nature apporte à son ouvrage et tels qu'il n'en paraissait rien aux yeux de ceux mêmes qui auraient pu les observer le plus facilement. Comment les habitudes d'économie de sa mère étaient devenues les manies impérieuses d'une avare, Emily eût été incapable de le dire ; et de même l'indolence de Mrs. Elliot s'était transformée en une sorte de paralysie, mais d'une façon trop naturelle pour que la petite fille songeât à s'en étonner. Longtemps la vieille dame parla de se lever, puis moins souvent, enfin, plus du tout. Elle était devenue malade comme d'autres deviennent religieuses, après mûre considération. A l'époque où nous arrivons, personne à Mont-Cinère ne l'imaginait plus habillée d'une robe et d'un chapeau, descendant l'escalier, parcourant la maison et le jardin. Elle était malade ; on ne concevait pas qu'il en fût, ni qu'il en eût jamais été autrement.

Et en retour, la mère et la grand-mère ignoraient à peu près tout de l'enfant qu'elles voyaient grandir et de ce qui changeait ou se développait en elle.

VI

Cette nuit-là, Emily dormit mal. Plusieurs fois elle se leva et allumant sa bougie elle prit un livre pour dissiper les pensées qui la tenaient éveillée, mais elle ne parvenait pas à fixer son attention sur les pages qu'elle avait devant elle ; elle sautait des lignes et ne comprenait rien à ce qu'elle lisait. Le silence de la maison lui faisait peur. Elle était assise au bord de son lit et ses cheveux retombant sur son livre lui cachaient le visage. Au moindre bruit elle se redressait et jetait les yeux autour d'elle en écartant vivement les mèches qui couvraient son front. Un vent assez fort soufflait de la fenêtre et la faisait grelotter, mais elle n'osait se lever. Elle tenait les coudes serrés au corps et, de temps en temps, considérait avec inquiétude la bougie qui diminuait sur la table à côté d'elle, ou bien, lorsque le vent ébranlait le châssis de la fenêtre, elle se retournait, le cœur battant, et regardait les rideaux qu'une vie mystérieuse paraissait animer.

Il lui semblait que l'effroi stimulait son cerveau et qu'elle pensait plus vite et plus clairement qu'à l'ordinaire. Depuis la scène qu'elle avait eue avec sa mère, elle avait senti qu'il y avait en elle quelque chose de changé. C'était comme si une partie de sa vie avait pris fin et qu'une autre allait commencer. Jamais, quoi qu'elle pût faire, elle ne pourrait vivre comme elle l'avait fait jusque-là, dire et penser les mêmes choses qu'auparavant. Et elle essayait de comprendre la

52

raison du changement qu'elle constatait en elle et qui lui semblait si net, mais elle n'y parvenait pas. « C'est sans doute parce que je deviens grande », pensait-elle. Et maintenant, malgré son inquiétude et la frayeur qui la faisait regarder autour d'elle dans sa chambre mal éclairée, elle éprouvait une joie étrange qui grandissait au fond de son cœur. Par un effort de volonté, elle se leva et se dirigea vers la fenêtre dont elle écarta les rideaux. La nuit était claire ; elle se pencha et vit la pelouse à travers les arbres. Pas un bruit ne parvenait à son oreille, sauf le murmure irrégulier du vent autour de la maison, et la voix à peine perceptible d'un coq qui chantait très loin dans la vallée. Au bout de quelques minutes, elle se coucha.

En se réveillant le lendemain, elle se souvint immédiatement des pensées qu'elle avait eues et des résolutions qu'elle avait formées dans la nuit, et les jugea puériles. Sa mère venait de frapper à sa porte comme elle faisait tous les matins. Une lumière grise filtrait à travers les rideaux et lui montrait sa chambre sous son aspect habituel. En quoi sa vie pouvait-elle changer puisque tout cela ne changeait pas ? Où pouvait-elle vivre ailleurs qu'à Mont-Cinère ? Et si elle vivait à Mont-Cinère, ne devait-elle pas obéir à sa mère ? Ces réflexions moroses l'occupèrent jusqu'au moment où elle entendit Mrs. Fletcher qui l'appelait au salon.

Elle descendit sans hâte. Pour la première fois elle ressentait l'ennui de faire tous les jours les mêmes choses sans pouvoir modifier cet emploi du temps. Ainsi elle connaissait si bien l'escalier, qu'elle pouvait descendre les yeux fermés, et elle le fit, les mains croisées, comptant les marches à mesure. Cet exercice réussit à merveille et elle arriva à la salle à manger comme Mrs. Fletcher en ouvrait la porte pour l'appeler une seconde fois.

— Tu ne t'habilles pas assez vite, lui dit-elle. Il est six heures passées et le thé est servi.

Maintenant, agenouillée devant un fauteuil de la salle à

manger, Emily observait sa mère qui faisait la lecture des prières quotidiennes. Elle la voyait de dos, les genoux sur un coussin de peluche, les mains jointes sur la table, lisant dans une petite Bible qu'elle avait appuyée à la corbeille à pain. Il faisait encore nuit, bien que la demie de six heures eût sonné. Seule, la trouble et avare lumière d'une lampe à globe posée devant elle éclairait la tête enfoncée et les épaules arrondies de Mrs. Fletcher. Alors Emily se demanda combien de temps encore elle descendrait ainsi chaque matin de sa chambre pour s'agenouiller derrière sa mère et entendre cette voix hésitante qui brouillait les phrases des prières en un murmure incompréhensible. Mentalement elle fit la liste de tous les griefs qu'elle avait contre Mrs. Fletcher. Elle détestait sa fausse douceur, les manières timides et l'air innocent et triste qu'elle affectait en présence des gens pour cacher sous une apparence bénigne un cœur dur et avide des biens de ce monde. Pourquoi aussi ces pieuses habitudes ? Sans doute pour flatter son âme éprise d'elle-même et jouir de se croire bonne, car assurément elle se croyait bonne. Tout d'un coup, Emily se rappela que sa mère l'avait chargée de renvoyer la femme de chambre, et se sentit pleine d'indignation au souvenir de cette corvée qu'elle aurait à faire dans quelques minutes. Une chaleur subite s'étendit sur tout son visage. Il lui vint un étrange désir de se lever, de s'approcher de sa mère, de la prendre par les cheveux pour l'insulter et se venger d'elle. Cette idée lui parut effrayante et risible à la fois, mais avec une joie malicieuse elle imagina la scène. Elle se vit, s'aidant de la main pour se lever sans bruit, puis elle faisait un pas en avant sur la pointe des pieds, maintenant elle étendait les doigts. Ces gestes se présentaient à elle avec tant de force qu'elle se demanda à quoi il tenait qu'elle ne les accomplît pas véritablement. Elle ferma les yeux et cacha sa figure dans ses mains comme pour chasser de son esprit cette sorte de vision, et elle se mit à pleurer en silence.

Mrs. Fletcher ferma son livre et se leva.

« Tu n'oublieras pas de parler à la femme de chambre, dit-elle en se retournant vers sa fille. Il faut qu'elle parte avant le commencement du mois.

« Ainsi, pensa Emily en se relevant à son tour, elle ne fait aucune allusion à la scène que nous avons eue hier. Elle craint que je ne me mette en colère de nouveau et que je ne refuse de lui obéir. Elle est si lâche. Elle n'ose pas même parler aux domestiques. »

« Qu'as-tu donc, mon enfant ? ajouta Mrs. Fletcher en voyant ses paupières battre comme sous l'effet d'une lumière trop vive.

— Rien, maman.

— Souviens-toi de ne pas la laisser partir sans examiner sa malle. De mon côté, je vérifierai le compte de la vaisselle.

Emily ne répondit pas ; elles s'assirent l'une en face de l'autre. Une lumière triste commençait à blanchir les fenêtres et de sa place la jeune fille pouvait voir les lourdes branches des sapins qui s'inclinaient avec lenteur. Elle demeura un instant immobile et comme absorbée par la contemplation de ces arbres dont la vue lui était pourtant si familière. Soudain, elle fit une sorte de grimace qui ressemblait à un rire et portant sa serviette à ses yeux, elle éclata en sanglots.

« Mais qu'est-ce qu'il y a ? », s'écria Mrs. Fletcher qui coupait des tranches de pain. Elle laissa retomber le couteau et machinalement se leva. Elle semblait indécise et se penchait par-dessus la table. Cependant, comme la jeune fille se courbait en deux sur sa chaise et semblait perdre le souffle à force de pleurer, Mrs. Fletcher repoussa violemment sa chaise derrière elle et cria d'une voix altérée : « Oh ! tu ne vas pas être malade, n'est-ce pas ? » Et courant à elle, elle l'aida à se lever et l'obligea à s'étendre sur le canapé.

Emily écarta sa mère qui voulait placer un coussin sous sa tête et se tournant vers le mur elle fit mine de s'endormir. « Laissez-moi », murmura-t-elle lorsqu'elle se fut apaisée. Mais Mrs. Fletcher insistait et lui posait des questions : « Te sens-tu mieux ? Où as-tu mal ? Dis-moi quelque chose, faisait-elle d'un ton implorant et irrité à la fois. Tu ne crois pas que tu vas être malade ? » Elle la regardait avec angoisse et de temps en temps jetait les yeux autour d'elle d'un air de désespoir. Enfin elle retourna à la table et emplit une tasse de thé qu'elle apporta à sa fille. « Bois ceci, lui dit-elle en lui prenant l'épaule pour la forcer à se relever. Tu iras mieux tout de suite. » Elle parvint à lui faire avaler une gorgée, mais Emily fit aussitôt un signe de la main et se laissa retomber sur le canapé.

Mrs. Fletcher remporta la tasse et s'asseyant avec humeur se mit à boire le thé que sa fille n'avait pu finir. « As-tu bien dormi ? Es-tu sûre de n'avoir pas pris froid ? », demandait-elle de sa place, et elle répétait obstinément : « Tu iras mieux tout de suite. » Au bout d'un moment, impatientée du silence de sa fille qui gardait sa tête tournée vers le mur, elle dit d'une voix plus forte : « Est-ce que tu ne vas pas un peu mieux ? » comme si elle croyait que ses questions avaient dû la guérir.

Sans prononcer une parole, Emily se leva et vint s'asseoir à sa place ; elle fronçait les sourcils et d'une main tremblante relevait les cheveux qui tombaient en longues mèches sur son front et ses joues humides.

« Tu vois bien, s'écria Mrs. Fletcher, complètement rassurée, j'étais sûre que cela passerait. » Et elle se carra sur sa chaise avec une expression de triomphe dans les yeux.

Un peu plus tard, Emily entendit la femme de chambre qui balayait le tapis du couloir, et se rendant auprès d'elle elle lui dit à brûle-pourpoint que Mrs. Fletcher n'avait plus besoin de ses services et qu'elle aurait à partir dans le courant de la semaine. La femme de chambre la regarda d'un air stupide. C'était une négresse vêtue avec toute la négligence des personnes de sa race. Elle n'osa pas demander d'explications, tant le ton d'Emily était dur, et se retira presque aussitôt en traînant ses savates.

56

A ce moment, Mrs. Fletcher sortit à son tour de la salle à manger.

« Eh bien, est-ce fait ? demanda-t-elle.

— Oui, maman.

— Ah ? fit-elle comme si elle avait peine à croire ce que sa fille lui disait.

Elle baissa un peu la tête et regarda à droite et à gauche, ce qui indiquait chez elle un travail de l'esprit ; sans doute allait-elle poser des questions, faire répéter à sa fille cette bonne nouvelle, mais Emily passa devant elle et monta rapidement les premières marches de l'escalier. Arrivée à mi-chemin du premier étage, elle se retourna et vit sa mère qui rentrait à la salle à manger. Un instant elle regarda ce dos rond, cette tête grise calculant de nouvelles économies, et avec une espèce de soupir de colère, elle continua de monter.

C'était l'heure à laquelle elle allait voir sa grand-mère. Mrs. Elliot somnolait encore lorsque Emily entra dans sa chambre. Elle n'avait pas beaucoup changé depuis les premiers temps de sa maladie et son visage semblait même avoir recouvré quelque chose de sa jeunesse. Elle était devenue plus grasse et l'échancrure de sa chemise laissait paraître un cou puissant. Des mèches grises s'échappaient d'une coiffe de mousseline fort sale qu'elle fripait à chaque mouvement de tête. Ses mains étaient croisées sur un livre. Elle ouvrit les yeux en entendant Emily et l'accueillit avec des paroles affectueuses.

— Assois-toi, lui dit-elle ; pourquoi es-tu si agitée ? Est-ce qu'il s'est passé quelque chose ?

Emily fit signe que oui et s'assit au bord du lit de sa grand-mère.

« Quoi donc ? », fit Mrs. Elliot en tournant vivement la tête du côté de sa petite-fille ; et elle ajouta en lui prenant les mains d'un air d'intérêt :

« Est-ce qu'il s'agit de ta mère ?

Emily se mit aussitôt à lui raconter la scène qu'elle avait

eue la veille avec Mrs. Fletcher, puis le malaise dont elle avait souffert le matin même.

— Elle me rend trop malheureuse, expliqua-t-elle, il suffit que je la voie pour que l'envie me prenne de pleurer. J'ai toutes sortes de mauvaises pensées...

— Qu'appelles-tu de mauvaises pensées ?

Emily fronça les sourcils et répondit au bout d'un instant :

— Je ne l'aime pas.

Il y eut un silence, puis Mrs. Elliot passa son bras autour du cou de la jeune fille et toucha son visage du sien.

— Quand tu seras triste, tu viendras me voir », dit-elle. Et elle sourit, découvrant ses dents jusqu'aux gencives.

Emily lui apprit enfin le renvoi de la femme de chambre et conclut en hochant la tête :

— Sûrement, il viendra un jour où elle croira possible de se passer de la cuisinière. Puis elle vendra des meubles comme elle a vendu l'argenterie, les chandeliers du salon. Pourquoi pas ? Elle parle bien de vendre Mont-Cinère, elle en est capable.

— Elle n'oserait pas, dit Mrs. Elliot en serrant la jeune fille plus étroitement.

— Grand-mère, demanda Emily tout d'un coup, est-ce que Mont-Cinère ne sera pas à moi un jour ?

Mrs. Elliot regarda curieusement sa petite-fille et répondit avec un sourire :

— Mais peut-être, sans doute. Pourquoi me demandes-tu cela ?

Emily devint toute rouge.

— Maman ne s'occupe jamais de vous. Il ne fait jamais assez chaud ici, par exemple ; elle économise son bois... » Elle ajouta en baissant les yeux : « Je veux que vous soyez heureuse.

— Brave enfant, s'écria la vieille femme, et elle appliqua ses lèvres sur la joue maigre de la jeune fille. Dieu te récompense de tes bons sentiments.

58

A ces mots Emily saisit entre ses mains osseuses la main potelée de sa grand-mère et la serra avec force, les yeux brillants de reconnaissance. On eût dit que Mrs. Elliot venait de lui faire présent de la maison tout entière.

« Tu es jeune, continua Mrs. Elliot. Il viendra peut-être un jour où tu auras besoin de moi pour t'aider. Tu verras que la vie est plus difficile encore qu'elle ne te paraît maintenant. Alors les conseils de ta grand-mère te seront utiles. Promets-moi que tu ne garderas rien pour toi, autrement je ne pourrai rien faire.

— Je vous dirai tout, grand-mère, s'écria Emily en lui prenant les mains.

— Ne me cache rien ou ne compte pas sur moi, poursuivit Mrs. Elliot. Je suis prisonnière dans ma chambre, je ne vois rien par moi-même et j'ai besoin de tout savoir si tu veux que je dirige ta conduite.

Elle prononça ces paroles d'une voix plus rapide et saisit la main de sa petite-fille ; il y avait quelque chose d'inquiet dans son regard qui surprit Emily.

— Ne craignez rien, grand-mère, lui dit-elle avec une sorte de chaleur, je vous promets de vous obéir en tout.

VII

Elle entendit sa mère qui l'appelait et se retira. Dans la
conversation à demi-mot qu'elle avait eue avec Mrs. Elliot,
elle savait fort bien de quoi il s'agissait. Ce n'était pas un
secret pour elle que l'inimitié de sa grand-mère à l'égard de
Mrs. Fletcher ; elle l'avait devinée au ton réservé dont elles
parlaient l'une de l'autre. Elle se rappelait aussi qu'un jour
elle avait vu sa mère au moment où elle sortait de la chambre
de Mrs. Elliot, et fut frappée de son teint blême et de l'air
égaré de son visage. « Suis-moi », lui dit Mrs. Fletcher en la
voyant et elle la mena au salon dont elle ferma la porte avec
violence ; elle lui dit ensuite d'une voix que la colère faisait
trembler un peu que sa grand-mère s'occuperait de son
éducation et qu'elle commencerait dès le lendemain à lui
apprendre ses lettres. Bien qu'elle fût très jeune à cette
époque, Emily ne manqua pas d'observer ce qu'il y avait
d'étrange dans les regards que sa mère jetait autour d'elle ;
assurément ils trahissaient quelque chose de plus profond et
de plus durable qu'un accès de dépit ou d'impatience. Et en
effet, elle put constater par la suite qu'elle n'allait plus voir
Mrs. Elliot et qu'elle semblait même éviter de prononcer son
nom ; ou bien, lorsqu'elle était forcée de lui rendre visite,
c'était avec un visage sévère qui ne se déridait pas. Plusieurs
fois Emily eut l'occasion de les voir ensemble. Les deux
femmes se parlaient sèchement et avec le désir évident

d'abréger un entretien qui leur était désagréable à toutes deux.

Cette attitude s'accentuait avec les années. Mrs. Elliot nourrissait à l'égard de sa fille une de ces haines féroces de malade, haines d'autant plus vives et persistantes, semble-t-il, qu'elles ne se raisonnent pas et qu'elles finissent par devenir, en quelque sorte, une partie de la maladie, un des phénomènes qui l'accompagnent, comme les accès de fièvre, les malaises, les douleurs. Peu à peu, la solitude aidant, elle en vint à croire que sa fille lui voulait du mal et souhaitait sa fin.

De son côté, il y avait longtemps que Mrs. Fletcher n'entretenait plus aucun sentiment d'affection naturelle pour sa mère ; le moins qu'on pût dire était qu'elle ne l'aimait pas. Cependant elle eût souffert plus patiemment sa présence dans la maison si Mrs. Elliot n'avait pas commis l'offense de critiquer et de contrarier ses habitudes d'économie. C'était là le point sensible, l'endroit où la blessure infligée ne se refermait pas. Mrs. Fletcher ne parvenait pas à oublier certaines paroles que sa mère avait prononcées à propos de l'éducation négligée d'Emily et elle les portait dans son cœur comme un venin qui l'empoisonnait.

Entre ces deux femmes, Emily n'hésita pas. Mrs. Fletcher ne lui parlait que pour la reprendre ou la charger de quelque ennuyeuse besogne. Mrs. Elliot au contraire écoutait ses confidences, l'aidait de ses conseils et de ses encouragements, et ce fut à elle que la petite fille donna toute l'amitié dont elle était capable. Chaque matin, elle montait la voir et lui rapportait par le détail, non seulement ses occupations de la journée précédente mais aussi, voyant qu'elle y prenait plaisir, toutes celles de sa mère ; de sorte que, sans quitter le lit où la retenait une paresse maladive, Mrs. Elliot était au courant des mille petites choses dont la vie de sa fille était faite. Elle ne voulait la voir sous aucun prétexte, mais elle se serait difficilement passée de la petite chronique qu'Emily lui faisait tous les jours ; ainsi elle aurait souffert de revoir sa fille mais plus encore de ne jamais plus entendre parler d'elle.

Toutes les méditations de Mrs. Elliot roulaient sur le même sujet : sa fille ; que faisait-elle ? en quoi désirait-elle lui nuire ? empêcherait-elle les domestiques de lui monter du bois ? Et elle tendait l'oreille pour saisir le bruit lointain des pas dans les pièces du rez-de-chaussée où Mrs. Fletcher se tenait d'ordinaire ; elle essayait, à l'aide des renseignements qu'Emily lui avait donnés, de deviner à quoi sa fille employait l'heure présente. Avait-elle fini son repas ? Travaillait-elle ? Puis, lorsque sa petite-fille revenait auprès d'elle, elle s'efforçait de lui faire dire plus de choses qu'elle n'en avait dites jusqu'alors. Elle tenait à savoir de quel ton Mrs. Fletcher parlait d'elle ; est-ce qu'elle soupirait ? Avait-elle l'air mécontente, malheureuse ? Peut-être levait-elle les yeux au ciel en parlant des dépenses que nécessitait l'entretien d'une malade ? Pourtant, Mrs. Elliot évitait de poser des questions trop directes ou d'une manière qui pût laisser paraître l'intérêt qu'elle y prenait. Parfois même, avec une habileté sournoise, elle grondait Emily lorsque la jeune fille, heureuse de se savoir écoutée, donnait cours à des réflexions personnelles et parlait à voix basse de plusieurs petits secrets qu'elle pensait avoir découverts, mais elle ne la grondait qu'après en avoir entendu assez, ou bien elle feignait de dormir au moment où elle pressentait qu'Emily lui demanderait son opinion sur la conduite de sa mère. D'un naturel fort soupçonneux, elle craignait en effet que la jeune fille ne rapportât ses propos à sa mère, ce qui l'aurait considérablement humiliée et la contraignait à observer une discrétion dont elle souffrait la première ; par-dessus tout, elle voulait que Mrs. Fletcher la crût indifférente à ce qui se passait en dehors de sa chambre. C'était là une sorte de point d'honneur pour cette malade.

Toutefois, avec le temps, sa contrainte diminuait un peu. Elle comprenait sans doute qu'une trahison ou simplement une étourderie n'étaient pas dans le caractère d'Emily, mais elle attendit des années pour s'en assurer tout à fait, et jusqu'à l'âge de quinze ans que la jeune fille venait d'atteindre, Emily n'entendit jamais de la bouche de sa grand-mère une parole désobligeante sur le compte de Mrs. Fletcher.

VIII

Bien que la chambre d'Emily fût petite et meublée de
façon assez laide, la jeune fille s'y trouvait mieux qu'en
aucune autre partie de la maison et elle y aurait passé les
journées entières si elle avait pu y faire du feu, mais
naturellement il n'en était pas question. Elle aimait à mettre
cette pièce en ordre et à se dire : « Je suis chez moi, ici. Tout
ceci m'appartient. » Et elle appliquait la main sur le dos des
chaises, sur la commode en répétant avec un geste autoritaire : « Ceci, ceci », comme si elle eût craint qu'une
personne invisible ne le contestât. Elle s'attachait passionnément à ce qu'elle considérait sa propriété et elle s'y attachait
d'une manière égale, sans que son goût la portât plutôt vers
une chose que vers une autre. De son lit à la petite boîte de
carton où elle serrait ses épingles, tout dans sa chambre lui
paraissait précieux et intéressant au même degré. C'était
comme si le fait de lui appartenir conférait aux meubles et
aux objets une qualité spéciale et une même valeur.

En été, elle s'installait pour coudre dans le renfoncement
de la fenêtre et levant à tout moment les yeux de son ouvrage
contemplait le bois poli des meubles qu'elle frottait chaque
matin : une commode massive, un lit d'acajou grossier et une
chaise à bascule garnie d'une tapisserie à fond grenat. Il lui
semblait qu'on lui eût presque ôté la vie en la privant de ces
meubles qu'elle s'était accoutumée à voir dans sa chambre

depuis l'époque la plus reculée de son enfance et qu'elle chérissait comme elle n'avait jamais chéri des êtres humains. Les autres meubles de la maison lui paraissaient aussi beaux et elle les regardait de près fort souvent, non sans une espèce de convoitise inavouée, mais ils ne lui appartenaient pas en propre et cela seul l'empêchait de s'attacher à eux. Quelquefois, cédant à un mouvement qui devenait plus fréquent et plus fort avec les années, elle se disait qu'un jour elle serait maîtresse de tous ces biens et elle s'amusait à passer d'une pièce à l'autre en examinant leur contenu, jusqu'à ce que sa conscience lui fît honte des pensées que cette occupation faisait naître en elle. Ne souhaitait-elle pas que ce jour vînt bientôt et qu'est-ce que cela supposait ? Elle rougissait alors de ses aspirations cupides, et la nuit, éveillée, par un scrupule que la solitude et le silence nocturne rendaient plus pénible, elle s'accusait durement d'avoir souhaité la mort de sa mère.

Cependant le désir la tenait et la même question revenait à son esprit avec la force et la persistance d'une obsession : quand Mont-Cinère lui appartiendrait-il ? Serait-ce bientôt ? Elle essayait de lutter contre cette pente qu'elle découvrait en elle et se demandait si, après tout, Mont-Cinère n'était pas à elle aussi bien qu'à sa mère. Ne disait-elle pas : nos meubles, notre maison ? Mais sa raison lui montrait aussitôt ce qu'il y avait de spécieux dans ces expressions. Jamais sa mère ne lui eût permis, par exemple, de mettre un des fauteuils de la salle à manger dans sa chambre.

Maintenant ces préoccupations la rendaient pensive des heures entières sans qu'elle parvînt à s'en défendre. Elle finissait par ne plus voir en Mrs. Fletcher qu'un obstacle et cette idée qui s'imposait à elle malgré sa volonté la tourmentait beaucoup. Souvent, elle s'agenouillait au pied de son lit pour prier, mais elle perdait rapidement toute paix intérieure et ne réussissait qu'à augmenter le trouble de sa conscience.

IX

Comme elle entrait un soir dans la salle à manger, elle vit
sa mère plongée dans la lecture d'un journal, mais au bruit
que fit Emily en entrant Mrs. Fletcher plia ce journal avec
soin et le serra dans un tiroir ; c'était le premier que la jeune
fille eût vu depuis très longtemps, car on n'en achetait jamais
à Mont-Cinère, toutefois elle contraignit sa curiosité et, sans
mot dire, prit un livre et s'installa dans un fauteuil en
attendant l'heure du dîner. Il était clair cependant que Mrs.
Fletcher ne demandait qu'à répondre à ses questions : elle
s'était assise non loin de sa fille et la regardait de temps en
temps comme si elle eût été sur le point de lui parler ; elle
aspirait, posait son ouvrage sur ses genoux et ouvrait la
bouche, puis se ravisant tout à coup, elle reprenait sa couture
en hochant la tête.

Quelques minutes plus tard elles se mirent à table, à la
lueur d'une petite lampe que Mrs. Fletcher manquait d'éteindre en voulant toujours en baisser la mèche un peu plus. Ni
l'une ni l'autre ne prononçaient une parole, Emily par
maussaderie, sa mère par gêne et par timidité. Quelque
chose tracassait Mrs. Fletcher ; on le voyait à son regard fixe
et à la lenteur de chacun de ses mouvements. Parfois elle
soupirait, croisait les mains, ou bien, par un petit geste furtif
de ses gros doigts, elle brossait les miettes sur la nappe et les
rangeait près de son verre. Vers la fin du repas, elle n'y tint

plus ; elle écarta son assiette et, joignant les mains sur la table, elle dit d'une voix douce :

— Mon enfant, j'ai réfléchi à quelque chose.

Emily releva la tête avec vivacité ; il y avait toujours un air de défi dans ses attitudes qui agaçait sa mère.

« La cuisinière est allée ce matin à Wilmington pour régler une note, reprit Mrs. Fletcher. Elle en a rapporté un journal.

Elle se leva et chercha le journal dans le tiroir où elle l'avait mis.

« Le voici », dit-elle après s'être rassise, et elle le déplia et l'étala devant elle tout en faisant mine de le parcourir des yeux pour ne pas voir le regard que sa fille plantait sur elle.

« Tu te souviendras de ce que je t'ai dit l'autre jour, poursuivit-elle. Il faut que tu m'aides un peu. Tu es plus grande...

Sa langue se liait ; elle eut un moment d'hésitation et dit :

« Il s'agit de quelques achats. Nous voici à la fin d'octobre, dans un mois nous serons en plein hiver et tu sais que nous n'avons presque plus de bois.

— Eh bien ? demanda Emily d'un ton dur.

— Eh bien, nouvelles dépenses, répondit Mrs. Fletcher. » Elle devint rouge et ajouta avec une pointe d'irritation : « Ce bois n'est point pour moi. Le Ciel m'est témoin que jamais une bûche n'a brûlé dans ma chambre.

Elle s'arrêta, joignit les mains sur le journal comme pour se recueillir.

« Ce n'est pas tout. Nous avons besoin de couvertures ; il faudra que je déchire les miennes pour en faire des chiffons, elles sont trop vieilles. Enfin, ta mère porte une robe qui tombe en morceaux.

Elle étendit le bras et tourna le poignet pour montrer à sa fille un endroit de la manche où l'étoffe amincie s'effilait en tous sens. Emily avança un peu la tête.

« Là encore », reprit Mrs. Fletcher en se levant, encouragée par cette marque d'attention ; et elle indiqua du doigt plusieurs déchirures parallèles autour de la taille. « Tu vois, l'étoffe cède un peu partout.

Elle s'assit de nouveau et reprit :

« Maintenant, j'apprends par ce journal qu'il y a une vente la semaine prochaine...

— Une vente ! s'écria Emily d'une voix étranglée. Vous pensez vendre quelque chose d'ici ?

— Tu ne comprends pas, fit Mrs. Fletcher qui rougit un peu. Ce n'est pas pour vendre, c'est pour acheter. Comment n'y avons-nous pas songé plus tôt ? continua-t-elle avec une sorte de volubilité. Il y a là une grosse économie à faire. Désormais nous n'achèterons plus rien dans les magasins. On trouve toutes sortes de choses fort avantageuses dans ces ventes. Écoute.

Et elle lut avec un léger tremblement d'émotion dans la voix :

« Mardi 20, il sera procédé à la vente d'un important lot de meubles, ustensiles de ménage, vêtements...

— Ce sont de ces vêtements que vous voulez acheter ? demanda la jeune fille brusquement.

— Sans doute, fit Mrs. Fletcher en relevant la tête, pourquoi pas ?

— Mais ce sont de vieux vêtements, de vieux vêtements sales que vous allez porter ! s'écria Emily avec indignation ; et son visage se contracta comme si on eût étalé devant elle, sur la table, des jupes et des corsages d'une malpropreté dégoûtante.

— Comment ? fit Mrs. Fletcher d'un ton offensé. Mais on peut les faire nettoyer s'ils sont vraiment sales. Puis, nous ne sommes pas au Moyen Age : les gens n'ont pas la peste.

Elle comprit la faiblesse de cette raison au regard méprisant que sa fille lui lança. Alors elle eut recours à son argument le plus fort :

« Nous sommes pauvres, dit-elle en élevant la voix et en

frappant la table du plat de la main. Il faut limiter nos dépenses...

— Non, nous ne sommes pas pauvres, maman, interrompit la jeune fille qui devenait blême, mais vous nous faites vivre comme des pauvres.

— Moi ? Moi ?, dit Mrs. Fletcher d'une voix sourde.

Emily fut sur le point de laisser éclater sa colère, mais les mots ne sortaient pas de sa gorge. Elle éprouva une étrange sensation d'étourdissement et regarda devant elle, sans voir : les contours des choses se brouillaient et se confondaient. Elle aurait voulu se lever, s'enfuir ; cependant une force insurmontable la tenait immobile. Mille pensées incohérentes se formaient en elle et elle demeura un long moment sans prononcer une parole. Enfin elle entendit sa mère qui parlait d'une voix qui lui semblait lointaine et qu'elle eut peine à reconnaître. Elle pensa : « J'ai failli m'évanouir. » Évidemment Mrs. Fletcher parlait depuis quelques minutes.

« Penses-tu que si nous pouvions vivre autrement, nous ne le ferions pas ? disait-elle avec une véhémence contenue et en bredouillant un peu. Est-ce pour mon plaisir que je me prive de tout ce qui rend la vie agréable ? Ah ! si je ne travaillais pas constamment à réduire nos dépenses, il y aurait des années que nous aurions entamé l'argent que ton père nous a laissé, et alors qu'aurions-nous pour l'avenir ? Il me reste un peu d'argent de la somme qu'il m'a donnée autrefois et je ferai en sorte que cela nous suffise, pour quelques années encore tout au moins. Quant à son argent...

Elle souffla et reprit du ton que l'on prend pour se parler à soi-même :

« Mon Dieu, faites que je n'y touche jamais. Quand je pense à l'imprévoyance de ma mère...

Elle regarda sa fille et dit plus haut :

« Vraiment le moins que tu puisses faire est de m'aider.

Plus tard tu sauras gré à ta mère de t'avoir conservé une maison et un peu d'argent pour vivre.

Ses yeux se mouillèrent comme si ses propres paroles l'avaient émue, et elle replia le journal avec lenteur.

« J'irai donc à cette vente », fit-elle en baissant les yeux. Tout à coup, elle parut frappée d'une idée soudaine : elle joignit les mains sur sa poitrine et s'exclama : « Mon Dieu, j'y pense, notre voiture n'est pas en état de sortir ! Que faire, mon enfant ?

Il y avait quatre mois que la carriole des Fletcher était dans la remise et ne servait à rien, l'essieu d'une des roues s'étant brisé. Le cheval, une jument corneuse, avait été loué à un commerçant de Wilmington.

Emily releva la tête et dit d'une voix lasse :

— Heureusement vous avez le chemin de fer.

— Jamais je n'irai en chemin de fer », répondit Mrs. Fletcher gravement ; elle professait une aversion passionnée pour ce mode de transport, sans qu'il fût possible de démêler la cause de ce sentiment. Était-ce la crainte des accidents ou la répugnance qu'elle avait à payer sa place ? Était-ce un scrupule religieux qui lui faisait voir l'œuvre du démon dans cette invention moderne ?

Emily haussa les épaules.

« J'avais pensé, dit Mrs. Fletcher en étendant la main vers sa fille par un geste amical, que nous pourrions demander aux Stevens de nous prêter la leur.

— Ils ne voudront pas, répondit aussitôt la jeune fille, ce sont des gens fort désagréables.

— Comment le sais-tu ? répliqua vivement sa mère. Tu pourrais leur demander, demain après-midi par exemple.

— Mais je les connais à peine ! s'écria Emily à qui l'idée d'une visite chez ces voisins moroses paraissait insupportable.

— Ah ! ne feras-tu rien pour m'aider ? demanda Mrs.

Fletcher d'une voix implorante. Dois-je supplier ma fille de m'obéir ?

Elle allait continuer sur ce ton, lorsque Emily excédée lui dit rapidement :

— C'est bien, maman, ne vous plaignez pas. J'irai.

Et elle se retira aussitôt, furieuse, mais laissant sa mère stupéfaite et ravie d'une victoire aussi facilement remportée.

X

Le lendemain, Emily rapporta cette scène à sa grand-mère, fidèle à sa promesse de ne rien lui cacher. La vieille femme l'écouta en silence, puis elle prit une mine renfrognée et l'attirant tout près d'elle lui dit à mi-voix :

— Ma petite-fille est bien maladroite. N'est-il pas heureux que je sois là pour l'aider ?

Tout à coup, elle quitta ce ton cajoleur et se rejeta brusquement dans le fond de son lit ; son visage changea et prit une expression de colère ; elle fronça les sourcils et fixant Emily des yeux s'écria d'une voix rauque :

« Petite sotte ! N'as-tu pas de volonté ? Te laisseras-tu gouverner par cette femme jusqu'à ce qu'elle t'avilisse tout à fait ? Elle ne fait plus rien par elle-même ; dans une semaine elle t'obligera à faire le marché de la cuisinière, qu'elle renverra comme elle a renvoyé la femme de chambre. N'est-ce pas assez qu'elle te force à balayer ta chambre toi-même ? Bientôt elle te fera travailler comme une femme de charge, tandis qu'elle se prélassera dans son fauteuil et comptera les dollars que tu lui permets de mettre de côté.

Elle secoua la tête par un mouvement furieux qui fit voler ses mèches grises dans les coques de son bonnet.

« Tu verras, reprit-elle avec chaleur, elle fera de toi sa petite esclave, elle te volera ta maison, elle réduira ta nourriture à rien ; un jour, lorsqu'elle te sentira incapable de te défendre, elle te mettra à la porte.

Ses paroles devenaient confuses et sa langue s'épaississait. Elle fit un geste de ses deux mains comme pour cacher quelque chose dont la vue lui était odieuse. Enfin elle bredouilla avec un accent de frayeur :

« Elle s'en prendra à moi aussi, elle me déteste.

— Qu'avez-vous ? s'écria la jeune fille que cette agitation terrifiait. Je n'aurais pas dû vous parler de tout cela.

Mrs. Elliot lui saisit les mains et les tint dans les siennes.

— Si, si, fit-elle, il faut tout me dire, tu me l'as promis. Tout ce qu'elle fait...

Elle s'interrompit et demanda tout à coup :

« Est-ce qu'elle t'a parlé de moi ?

— Non, grand-mère.

— Si, allons, dis-moi, ma petite-fille. (Elle se pencha en avant et appliqua les lèvres sur les mains décharnées d'Emily.) Tu vois, je suis ta pauvre grand-mère qui met sa confiance en toi. Je vais t'aider, écoute-moi, dit-elle en souriant comme à un enfant à qui l'on propose un jeu. Dit-elle que je suis désagréable ? Oh ! ne crains rien, cela ne me blessera pas.

— Elle ne parle pas de vous, grand-mère.

— Jamais ? Ne dit-elle pas, par exemple, que je lui coûte beaucoup d'argent ? Si, n'est-ce pas ? dit-elle en voyant qu'Emily réfléchissait.

— Elle a dit que vos feux de bois l'obligeaient à faire des dépenses.

— Le feu dans ma chambre ? gémit la vieille femme. Mais elle veut ma mort ! N'a-t-elle pas d'entrailles ? Est-ce que je ne l'ai pas nourrie moi-même, élevée, entourée de soins ? Dieu ait pitié ! Que dit-elle encore ? C'est bien, ajouta-t-elle en caressant les mains de sa petite-fille pour l'engager à poursuivre. Dieu se souviendra que tu as été bonne pour moi.

— Elle ne dit rien, c'est tout ce qu'elle a dit, répondit Emily que ces questions rendaient nerveuse.

Cependant, Mrs. Elliot insistait :

— Je suis sûre que si. Écoute. Lorsqu'elle te voit sortir de ma chambre, ne dit-elle pas quelque chose ? Ou bien, lorsqu'on me monte mon déjeuner, est-ce qu'elle ne dit pas...

— Mais je vous assure qu'elle ne dit rien, répéta Emily.

— Écoute-moi donc un peu », fit Mrs. Elliot avec un mouvement d'irritation ; et elle reprit en minaudant un peu pour imiter la douceur de sa fille : « ... quelque chose comme ceci : que d'argent nous dépensons pour ta grand-mère, mon enfant...

Emily se leva tout d'un coup et secoua la tête.

— Non, dit-elle.

— Oh ! ma petite Emily, dit alors Mrs. Elliot d'un air contrit, je t'ennuie un peu, mais sois patiente et douce. Je suis malade, j'ai besoin que tu me ménages. Assois-toi, ma petite-fille. Écoute-moi. J'ai de gros défauts et je veux simplement savoir ce que ta mère en pense. (Elle lui prit les mains de nouveau et les serra doucement.) Elle peut fort bien me trouver maussade, par exemple, je ne m'en offenserais pas. Elle peut penser aussi que j'ai des goûts de dépense et qu'on brûle trop de bois dans ma cheminée. Dit-elle que je suis ingrate, eh ?

— Non.

— Malpropre alors, négligée, sale, quelque chose, elle doit quelque chose, s'écria Mrs. Elliot avec désespoir, elle me déteste, je le sais bien ! » Et voyant que la jeune fille ne répondait rien, elle se redressa brusquement dans son lit avec une vigueur extraordinaire. Le sang lui monta au visage et elle cria d'une voix altérée : « Tu ne me dis rien, tu vas me trahir, tu es avec elle contre moi ! Tu veux rapporter sur mon compte. Va-t'en !

La colère étouffa ses dernières paroles et elle fit mine de se lever, mais sa force la quitta aussitôt ; elle retomba sur son lit et cacha sa tête dans son oreiller. Emily se tint un instant près d'elle immobile de frayeur, ne sachant que penser de cette étrange incartade. Elle se demanda si sa grand-mère allait avoir une attaque comme celle qu'elle avait eue autrefois, et l'idée lui vint d'appeler au secours, mais le bruit calme et régulier de sa respiration la rassura un peu. Elle sortit.

XI

Elle demeura quelques minutes l'oreille collée au vantail de la porte, partagée entre le remords d'abandonner sa grand-mère et la crainte, en restant avec elle, de s'exposer à une nouvelle explosion de fureur. Enfin elle gagna sa chambre où elle attendit l'heure du déjeuner.

La conduite de Mrs. Elliot la jetait dans l'étonnement et dans la tristesse. Jamais elle ne l'avait vue en proie à une colère aussi vive et elle n'arrivait pas à concevoir que ce fût la même personne qui lui parlait d'ordinaire avec tant de bonté. Et elle se rappela avec un mélange d'effroi et de déception le changement subit dans l'attitude de cette vieille femme qui l'avait caressée tout d'abord et, se redressant soudain, l'avait chassée de sa chambre.

Après quelque temps de réflexion, elle décida d'agir par la suite comme si rien ne s'était passé entre elle et Mrs. Elliot ce matin. Cette résolution lui rendit un peu de sa tranquillité, mais elle dut faire effort pour contenir le désespoir qui grandissait en elle. Ainsi, toutes sortes de rêves dont elle avait occupé son esprit s'évanouissaient d'un coup et son seul appui lui manquait. Maintenant, elle se sentait en présence d'une réalité froide et sévère qui la privait de toute illusion : il fallait qu'elle acceptât le joug maternel jusqu'à ce qu'il plût au Ciel de l'en délivrer. Quels projets ne formait-elle pas encore ce jour même ! Quel espoir l'avait agitée ! A cette

pensée, son cœur s'émut de pitié pour elle-même et, s'agenouillant au pied de son lit, elle se mit à sangloter violemment.

Un peu plus tard, elle descendit à la salle à manger. Sa
mère, plongée dans ses pensées, était déjà assise à table, et
ne remarqua ni son visage défait ni ses yeux rougis. Tout de
suite, elle lui expliqua dans le détail ce qu'elle aurait à dire
aux Stevens. De temps en temps, elle s'interrompait et
hochait la tête comme pour ponctuer des phrases qu'elle se
récitait intérieurement, puis reprenait tout haut la série de
ses recommandations :

— Dis-leur que tu viens de ma part et que je ne me sens
pas assez bien pour sortir. Du reste, il pleut, ajouta-t-elle
comme pour justifier son excuse. N'oublie pas qu'il nous faut
cette voiture pour mardi matin de bonne heure. Dis-leur
aussi que nous ne manquerons pas de leur rendre ce service si
l'occasion s'en présente.

Emily écoutait sa mère en silence et d'une oreille inatten-
tive. Quelquefois, elle levait les yeux vers la fenêtre et
regardait la pluie qui tombait sans arrêt. Elle était sans force
contre la mélancolie qui l'envahissait ; tout lui paraissait
futile ou odieux, ce repas qu'elle finissait, ce châle dont elle
sentait la chaleur autour de son cou et sur ses épaules, tous
les soins qu'elle prenait pour entretenir une vie misérable.
« A quoi bon vivre ? pensait-elle, si jamais je ne dois être
heureuse, si tous les jours doivent m'apporter de nouveaux
ennuis. » Et elle se jugea ridicule d'avoir eu de l'espoir et
fait des projets.

Toute énergie morale lui faisait défaut en ce moment ; elle
était résignée à tout, elle eût été vingt fois plus loin qu'on ne
le lui demandait s'il l'avait fallu, sans songer à protester ; elle
n'était plus capable de résister à cette femme assise en face
d'elle et qui lui répétait avec une douce et tranquille
obstination ce qu'elle devait faire et dire.

La pluie ne cessait pas ; toutefois, Emily voulut partir sans attendre plus longtemps, malgré les faibles protestations de sa mère qui fit mine de la retenir.

Elle épingla son châle sur sa poitrine et, ouvrant son parapluie, traversa la pelouse en courant ; bientôt elle dépassa la grille et fut sur la route. On eût dit à la voir courir qu'elle s'enfuyait de Mont-Cinère.

Le chemin qui menait à Rockly, où habitaient les Stevens, n'était pas très long, mais outre qu'il descendait fort rapidement, il était mal entretenu et s'effondrait en plusieurs endroits. Les jours de pluie, la terre devenait liquide autour des grosses pierres dont il était hérissé ; il fallait alors marcher sur les talus qui le bordaient à droite et à gauche, dans l'herbe glissante et les ronces. C'était ce qu'Emily redoutait, lorsqu'elle était obligée de parcourir ce chemin un jour de mauvais temps, mais aujourd'hui il lui semblait sans importance qu'elle eût de l'eau dans ses chaussures et que ses bas fussent déchirés par les épines ; elle y prenait même une sorte de plaisir, ce plaisir qui consiste à s'abandonner complètement à son sort sans rien faire pour échapper aux vexations dont il s'accompagne.

Il y avait près de deux ans qu'elle n'avait vu les Stevens. C'étaient des cultivateurs que son père avait employés autrefois et à qui il avait vendu le lopin de terre sur lequel ils vivaient. On les voyait assez souvent dans les foires ou dans les villages où ils allaient vendre leurs légumes, mais en général, ils restaient chez eux et n'entretenaient de relations amicales avec personne. Ils étaient deux : Frank Stevens et sa femme. Du vivant de Stephen Fletcher, Stevens avait été employé à Mont-Cinère en qualité de jardinier, mais depuis le mort de son mari Mrs. Fletcher avait saisi le prétexte d'un différend survenu à propos d'argent pour se passer du jeune homme. Une ou deux fois encore, il se présenta à Mont-Cinère pour offrir des fruits et des légumes, puis, voyant qu'on ne lui achetait rien ou presque rien, il avait cessé de venir. Mrs. Fletcher le jugeait sévèrement et disait de lui qu'il n'avait pas le regard d'un honnête homme, mais elle ajoutait qu'elle désirait vivre en bonne intelligence avec ses voisins et qu'elle n'hésiterait pas à rendre service aux Stevens le jour où ils le lui demanderaient ; et comme si à force d'avoir répété cela devant sa fille, elle les eût mis dans l'obligation de se montrer reconnaissants, elle allait quelquefois chez eux et leur empruntait des instruments de jardinage, des paniers. Cette femme, d'ordinaire si timide, poussait l'audace jusqu'à leur prendre des tiges de rhubarbe et des épis de maïs dont elle leur proposait un prix si dérisoire qu'ils lui laissaient son butin pour rien, avec une insolente générosité. Un jour, enfin, il y eut un échange de paroles un peu vives à propos d'une serpe prêtée, mais non rendue, et Mrs. Fletcher décida de ne plus remettre les pieds à Rockly. Depuis ce temps elle ne revit plus les Stevens ; elle craignait surtout la violence de la femme qui l'avait appelée vieille avare, et l'avait menacée du tribunal pour rentrer en possession de sa serpe.

Emily ignorait tout de ce différend dont sa mère n'avait eu garde de lui parler. Elle se doutait cependant que les Stevens n'aimaient pas Mrs. Fletcher et d'après ce qu'elle avait entendu dire aux domestiques, elle les croyait jaloux de la richesse qu'ils lui supposaient. Aussi eut-elle un moment d'irrésolution en se dirigeant vers Rockly. Il était extrêmement probable que les Stevens ne prêteraient pas leur voiture. Ne serait-il donc pas plus simple de retourner à Mont-Cinère et de dire qu'ils avaient refusé ? Mais elle avait une aversion naturelle pour le mensonge et n'entretint pas longtemps cette idée.

Elle trouva la grille ouverte et traversa le jardin sans que personne vînt à sa rencontre ; mais, comme elle montait les marches du porche, un vieil épagneul trottina vers elle en aboyant. Au même instant, une voix rêche appela le chien de l'intérieur de la maison et la porte s'ouvrit brusquement. Emily vit paraître un jeune homme de grande taille, avec une petite tête ronde plantée sur un cou puissant, et des bras énormes. Une sorte de toison brune recouvrait son front jusqu'aux sourcils et ajoutait une ombre à ses yeux qu'il avait fort noirs et fort enfoncés. Un nez large et carré, des joues pleines, des lèvres rebordées et rouges lui donnaient un air de vigueur et de santé, mais le regard était indécis, avec quelque chose de déplaisant dans l'expression. Il était vêtu d'un pantalon de coutil et d'une chemise ouverte qui laissait voir sa poitrine.

— Je viens de la part de Mrs. Fletcher, dit Emily rapidement.

— Entrez, mademoiselle, fit le jeune homme.

Elle entra. La pièce était basse et étroite, éclairée par deux petites fenêtres à guillotine. Dans la cheminée de briques, une grosse bûche brûlait péniblement sur un lit de cendres. Une longue table de cuisine était poussée contre le mur. Entre le sol de terre battue et le plafond noirci flottait une fumée grise qui provenait de la cheminée et empoisonnait l'air.

Ils s'assirent l'un en face de l'autre, près du feu.

— Ma mère a un service à vous demander, commença Emily. Pouvez-vous lui prêter votre carriole mardi ?

Frank baissa la tête ; il hésitait à répondre et se frottait les mains par un geste lent, d'un air d'embarras.

— Voyez-vous, dit-il enfin d'une voix radoucie qui contrastait avec son aspect un peu rude, nous nous servons de la carriole deux fois la semaine : mardi et samedi, pour aller au marché.

Emily crut tout de suite à un mensonge, et elle en méprisa le jeune homme. Du reste, elle n'aimait pas le ton poli qu'il prenait pour lui parler, parce qu'il ne lui semblait pas naturel ; elle se souvint des préventions de Mrs. Fletcher à l'égard de leur ancien jardinier et se demanda si sa mère n'avait pas raison.

— C'est justement mardi qu'il nous la faut, dit-elle.

— Si Mrs. Fletcher voulait un autre jour...

— Non, mardi, insista Emily, heureuse à la pensée que Mrs. Fletcher n'aurait pas sa carriole ; et elle épingla son châle qu'elle avait ouvert.

— Attendez, s'écria Frank, croyant qu'elle s'apprêtait à partir. Où Mrs. Fletcher veut-elle aller mardi ?

— A Wilmington.

— Pour la vente ? J'y vais aussi. Pourquoi n'irions-nous pas ensemble, elle et moi ? Cela conviendrait-il ?

Emily fit signe que oui.

Peu à peu, elle s'était habituée à l'odeur de la fumée et se plaisait, presque, dans la chaleur de cette pièce. Elle entendait la pluie battre les vitres avec un bruit sourd qui paraissait diminuer. Furtivement, elle regardait autour d'elle et remarquait de petites choses qui l'étonnaient et l'intéressaient. Tout témoignait d'habitudes de désordre. Par terre, des bottes de légumes étaient jetées en tas près de plusieurs outils de jardinage. Des bouteilles vides s'accumulaient dans un coin. Le papier du mur était décoloré et couvert de taches. Et elle comparait dans son esprit cette négligence aux soins rigoureux que prenait sa mère pour entretenir sa maison ; elle pensa à la salle à manger de Mont-Cinère : les meubles en étaient brossés tous les jours, le parquet frotté à outrance luisait avec des reflets de métal. Mais dans cette grande pièce inhospitalière, il n'y avait jamais de feu près duquel on pût s'asseoir et lire ; et elle jeta un regard d'envie sur la bûche qui se consumait lentement à ses pieds.

Elle se leva pourtant. Frank l'accompagna jusqu'à la porte. Depuis un instant, il l'observait du coin de l'œil et semblait chercher quelque chose à lui dire sans parvenir à trouver ses mots.

« Mademoiselle, fit-il tout d'un coup, comme ils étaient sur le porche et qu'elle allait descendre les marches, je suis bien heureux de vous avoir vue aujourd'hui. Je comptais aller à Mont-Cinère ce mois-ci, du reste.

La jeune fille s'arrêta.

« Moi aussi, j'ai un service à demander à Mrs. Fletcher, continua-t-il en baissant les yeux. Mais après trois ans, il est difficile...

— Quoi donc ? fit Emily.

— Mais oui, mademoiselle ; c'est à cause de cette serpe, vous savez, Mrs. Fletcher n'était pas contente. C'est ma femme qui la lui a réclamée.

Il ajouta presque aussitôt :

« Mrs. Fletcher peut la garder, cette serpe, du reste.

Elle ne comprit pas, et dit rapidement :

— Vous pourrez parler vous-même à ma mère lorsque vous viendrez, mardi.

Mais il la retint de nouveau :

— Dites-lui que ma femme est couchée, voulez-vous, demanda-t-il d'une voix humble. Elle ne peut pas travailler. » Et il ajouta en baissant le ton comme pour s'excuser de ce qu'il allait dire : « Elle va avoir un enfant.

La jeune fille détourna la vue ; ces mots dont elle entendait mal le sens la gênaient sans qu'elle sût pourquoi, et elle rougit. Peut-être était-ce la mine honteuse de Frank. Elle répéta : « Un enfant ? » Et elle fut sur le point de demander : « Mais de quoi est-elle malade ? »

La pluie tombait moins fort. Il y eut un moment de silence.

— Si vous pouvez lui parler pour nous, dit Frank timidement.

Elle planta sur lui ses yeux noirs, irritée par cet air craintif qu'il prenait pour lui parler, et répondit durement :

— Vous lui expliquerez vous-même, ce sera mieux.

Puis elle ouvrit son parapluie et s'éloigna d'un pas rapide. Elle était déjà sur la route lorsqu'elle entendit Frank qui lui criait du porche :

— Vous ne voulez pas que je vous reconduise en carriole ?

Elle agita un bras pour dire non et reprit son chemin vers Mont-Cinère.

Tout d'abord la route lui parut moins longue. Il pleuvait

encore un peu, mais elle n'y faisait pas attention, marchait vite et parlait toute seule dans l'agitation où cette visite l'avait mise. Elle s'imaginait racontant à sa grand-mère son entrevue avec Stevens, mimant ses attitudes, contrefaisant sa façon d'articuler les mots. Elle s'échauffait à ce récit qu'elle grossissait involontairement, quand elle se rappela que Mrs. Elliot était en colère contre elle et qu'il n'était pas probable qu'elle la vît, au moins pendant un certain temps. Brusquement, elle s'arrêta au milieu de la route. Jamais elle ne s'était sentie aussi triste.

XII

Elle revint à Mont-Cinère inquiète et découragée, et sa mère qu'elle croisa dans l'antichambre lui parut plus déplaisante que de coutume, à cause de son air tranquille. Il semblait à Emily que d'un seul coup sa vie avait changé de face, au point d'être intolérable après avoir été simplement ennuyeuse. La fatigue et l'anxiété lui donnèrent une sensation d'écœurement. D'où lui venaient ces subits et violents dégoûts ? Elle l'ignorait. « C'est peut-être que je deviens grande, se répétait-elle, et que je ne peux plus me contenter de cette manière de vivre. » Elle eut envie de crier à sa mère : « Oh ! ne me demandez rien ! Pas de questions ! Laissez-moi. »

— Eh bien, Emily, dit Mrs. Fletcher en se frottant les mains, quelles nouvelles ?

— Frank Stevens passera vous chercher mardi dans sa voiture, répondit la jeune fille d'une voix sourde.

— Ah ! », s'écria Mrs. Fletcher avec un accent de triomphe ; et elle s'arrêta pour poser une question. Mais Emily passa rapidement devant elle et gagna l'escalier. « Mardi ? répéta sa mère. Ici ?

— Oui, fit la jeune fille qui montait presque en courant.

— Où vas-tu ? cria Mrs. Fletcher, mécontente de la voir partir si vite.

— Changer mes vêtements : ils sont trempés.

Elle voulait être seule. Si elle l'avait pu, elle se serait enfuie pour ne jamais revoir sa mère. Elle sentait son cœur battre d'une de ces colères soudaines qui l'effrayaient elle-même. Lorsqu'elle atteignit sa chambre, elle s'y précipita et, refermant la porte à clef derrière elle, se jeta sur son lit. Elle resta ainsi quelques minutes, enveloppée dans son long châle humide qu'elle n'avait pas songé à enlever, tremblante de froid et d'émotion. Dans le trouble où était son esprit, une seule pensée la dominait et elle disait à mi-voix, le visage tourné contre le mur :

« Je voudrais mourir, je voudrais mourir.

Elle se leva enfin, mais un vertige la saisit et, se laissant glisser au pied de son lit, elle tomba à genoux. Un bourdonnement emplissait ses oreilles. Elle inclina son visage sur la couverture et, la tête dans les mains, elle essaya de s'arracher à ses pensées lugubres et de réciter des prières ; cependant ses lèvres articulaient les paroles sans qu'elle parvînt à en suivre le sens. Alors, désespérée, elle se mit à gémir :

« Je suis mauvaise ; mon Dieu, changez-moi.

Lorsqu'elle se releva, le jour s'obscurcissait, et elle jeta les yeux autour d'elle avec l'espèce d'effarement des personnes qui se réveillent ; elle avait peine à mouvoir les mains et se rendit compte qu'elle avait dormi.

Comme elle se regardait au miroir, elle ne put retenir un cri : son visage était blanc et de longues mèches collées sur son front lui donnaient un aspect sauvage ; ses prunelles agrandies semblaient plus noires et plus brillantes. Un frémissement la traversa et elle pensa avec terreur : « Je vais être malade. »

Elle se dévêtit le plus vite qu'elle put et mit une robe de laine noire qu'elle portait en hiver. Ses pieds étaient glacés et elle ne parvenait pas à les réchauffer. Elle chaussa ses pantoufles et frotta ses cheveux mouillés d'une serviette. La crainte d'une maladie lui serrait le cœur. Sortant d'un tiroir un vieux châle, elle en fit une sorte de capuchon qu'elle épingla sur sa poitrine. Puis elle alluma la bougie et, s'asseyant à la table, ouvrit sa Bible et se mit à lire.

Elle lut des psaumes. Chaque phrase lui paraissait écrite pour elle, la pénétrait et lui apportait un apaisement douloureux, en lui faisant comprendre que la résignation à un ordre de choses établi est presque toujours préférable à la révolte et qu'une œuvre de colère n'est jamais bonne. Au bout de quelque temps, sa vue se brouilla et des larmes coulèrent le long de ses joues. Machinalement, elle toucha les objets autour d'elle, retourna des feuilles de son livre, et avec une allumette, elle se mit à arrêter les gouttes de cire qui tombaient dans le bougeoir, comme si cet amusement pouvait faire diversion à la tristesse qui la dévorait.

Un peu plus tard elle entendit sa mère qui l'appelait, et descendit. Il était l'heure du dîner, mais, quoi qu'elle fît pour se contraindre, elle ne put manger une bouchée. Elle grelottait sans arrêt. Mrs. Fletcher la considérait avec une angoisse où il entrait une bonne part d'irritation et lui demanda d'une voix impatiente :

— Qu'as-tu encore ? Tu ne vas pas être malade, eh ?

Elle voulut la forcer à prendre une assiettée de potage ; la crainte de voir gaspiller la nourriture lui donnait un accent de fermeté bien différent du ton doux et timide qu'elle avait d'ordinaire.

« Mange, répétait-elle, je le veux.

Mais Emily secouait la tête avec obstination. Elle dut monter se coucher avant la fin du repas. Sa mère n'osa la retenir ; elle offrit même de l'aider, car le tremblement dont la jeune fille était agitée lui faisait peur.

« Tu iras bien demain, lui dit-elle en l'accompagnant, n'est-ce pas ? N'est-ce pas ?

Emily se coucha aussitôt. Elle avait étalé ses vêtements sur le lit pour avoir plus chaud et s'endormit assez vite, mais des rêves pénibles l'éveillèrent en sursaut plusieurs fois dans le courant de la nuit.

Une vision plus effrayante que les autres lui fit pousser des gémissements. Elle rêva qu'elle était à Rockly, toute seule dans la pièce où elle avait été reçue l'après-midi même. La pluie battait les vitres avec une violence extraordinaire. Emily regardait autour d'elle et reconnaissait dans une lumière de crépuscule la cheminée, les chaises, un hoyau appuyé au mur, et tout à coup elle vit sa mère étendue à ses pieds ; son visage était tourné contre le sol, ses petites mains grasses à moitié fermées semblaient faire le geste de saisir. Emily la contempla un instant sans oser faire un mouvement. Enfin, comme on se rappelle les événements lointains, avec lenteur et difficulté, elle se rappela qu'elle l'avait tuée à coups de serpe. Affolée, elle parcourut la pièce avec précipitation, cherchant quelque chose dont elle pût recouvrir le corps. Enfin elle trouva, pendue au mur derrière une porte, une sorte de longue houppelande brune qu'elle décrocha et jeta en toute hâte sur le cadavre. On frappa ; elle eut juste le temps de s'asseoir à la table et de crier : « Entrez ! » Alors la porte s'ouvrit toute grande comme si le vent et la pluie l'avaient forcée, et Stevens apparut sur le seuil. Des rigoles d'eau coulaient dans les plis de ses vêtements. Il paraissait gêné et regardait à ses pieds, mais presque aussitôt il fit quelques pas en avant et dit :

— J'aurais voulu parler à Mrs. Fletcher. C'est à cause de cette serpe, mademoiselle.

Emily ne répondit pas. Elle essayait de détourner les yeux de la houppelande brune et n'y parvenait pas ; elle entendait le bruit rauque de sa propre respiration ; il lui sembla que des heures entières passaient. Finalement, le jeune homme se dirigea vers le cadavre et en arracha la houppelande. Avec un hurlement d'effroi, Emily s'élança vers la porte et traversa le jardin en courant à toutes jambes, gagna la route où ses pieds enfoncèrent dans une boue affreuse comme dans un sable mouvant. Des gens venaient derrière elle ; ils couraient aussi, mais plus vite qu'elle, dans un moment ils la rattraperaient ;

combien étaient-ils ? L'un d'eux criait quelque chose, mais le vent empêchait d'entendre ; il cria plus fort et sa voix était comme une plainte ; ce n'était peut-être pas une voix d'homme. La jeune fille fit un dernier effort, grimpa sur le talus et se mit à courir de plus belle, mais la voix la poursuivait, elle gémissait ; c'était la voix de sa mère et elle criait :

— La serpe ! La serpe !

Emily s'éveilla en nage ; d'une main tremblante de terreur elle chercha la bougie et les allumettes et ne put se calmer que lorsque la lumière brilla sur la table. Elle s'assit alors dans son lit et se tint longtemps immobile, le visage contre les genoux, repassant dans sa mémoire les hideuses circonstances de son cauchemar. Au petit jour seulement, elle se décida à éteindre la bougie et à se rendormir.

XIII

Le lendemain, elle dut se faire violence pour se lever. Elle ne pouvait remuer ses membres sans qu'une douleur aiguë lui arrachât des plaintes. Un tremblement continuel l'agitait tout entière et faisait claquer ses dents ; en revanche, ses joues étaient en feu et ses yeux brillaient d'un éclat plus vif que de coutume. Elle descendit pourtant.

Sa mère qui s'attendait à la voir guérie ne se contint pas d'inquiétude.

— Qu'as-tu ? demandait-elle d'une voix tremblante d'irritation. Vas-tu être malade pour ajouter encore à mes soucis ?» Et comme la jeune fille répondait qu'elle avait froid, elle lui fit mettre un châle par-dessus celui qu'elle portait déjà, et une cape qui avait appartenu à Stephen Fletcher. Enfin, elle parut frappée d'une idée excellente : « Monte chez ta grand-mère, lui dit-elle. Elle a du feu dans sa chambre ; tu y seras mieux qu'ici.

Emily accepta avec plaisir. Elle n'aurait pas été d'elle-même rendre visite à Mrs. Elliot, dans la crainte d'être mal reçue, mais elle était heureuse d'y être contrainte et elle monta sans tarder. Toutefois, elle hésita un instant à la porte et appela timidement ; elle n'obtint pas de réponse.

Elle entra et s'assit au chevet de sa grand-mère. La vieille femme était assoupie, mais elle s'éveilla aussitôt et sourit en voyant sa petite-fille.

— Brave enfant, dit-elle ; et elle lui prit les mains affectueusement. Généreuse enfant, tu oublies bien vite les torts des autres. J'ai pensé à toi hier après-midi, j'aurais voulu t'avoir près de moi. N'as-tu pas eu peur de me voir en colère ? Ce n'est rien, c'est parce que je suis malade, tu sais. Je suis vive, mais je t'aime bien, Emily.

Elle demanda subitement :

« Tu n'as rien raconté à ta mère ?

Emily secoua la tête.

« Qu'est-ce qu'il y a ? », s'écria Mrs. Elliot qui s'aperçut qu'elle frissonnait ; et elle saisit un pan de la cape qu'elle n'avait pas encore remarquée. « Qu'est-ce que tu portes là ?

La jeune fille se mit alors à lui faire le récit de sa visite à Rockly et de sa promenade forcée sous une pluie battante. Elle ajouta courtement qu'elle n'avait pas dormi de la nuit ou qu'elle n'avait fermé les yeux que pour faire des cauchemars. A mesure qu'elle parlait, elle voyait le visage de Mrs. Elliot s'empourprer d'indignation : la vieille femme en voulait à sa fille d'exposer Emily aux insolences possibles des Stevens, et d'une voix rude elle déclara que Mrs. Fletcher manquait d'amour-propre. Lorsque Emily lui décrivit son retour à Mont-Cinère dans la boue des chemins, elle éclata :

« Te voilà malade ! s'écria-t-elle dans un transport de colère, et par la faute de cette femme et de son odieuse avarice. Elle n'avait qu'à prendre le chemin de fer ; mais non ! il aurait fallu dépenser de l'argent. (Elle fit une mine sombre et soucieuse comme celle de sa fille lorsqu'il s'agissait de dollars.) Regarde le feu qu'elle me donne, à moi qui suis malade, et qui suis sa mère, reprit-elle. Un feu de pauvres, deux bûches qui fument sur un peu de braise.

Emily se pencha et vit en effet un feu tel que l'avait décrit sa grand-mère. Les bûches noircies s'éteignaient doucement en exhalant une fumée grisâtre.

« Elle se ferait hacher plutôt que de mettre un fagot de

90

plus dans cette cheminée, continua Mrs. Elliot. Dieu sait cependant quelles provisions de bois elle a dans sa cave. Oh! mon enfant, il n'y a pas de cœur plus dur que celui d'une avare. Aucune affection ne compte plus pour ta mère.

Elle s'arrêta un instant et dit brusquement :

« Sais-tu qu'elle est venue ici hier après-midi?

— Dans cette chambre? demanda Emily fort surprise.

— Oui, dans cette chambre, répéta Mrs. Elliot, avec un sourire qui découvrit ses dents. Après ton départ pour Rockly, je me suis sentie malade, j'ai dû appeler; elle est venue.

— Mais qu'aviez-vous donc, grand-mère?

— Ce n'était rien, Emily ; un grand mal de tête, mais j'ai dû appeler et ta mère est venue ici. Sais-tu, il y a près d'un an qu'elle n'était entrée dans ma chambre. Je la trouve changée.

Elle regarda Emily et secoua la tête.

« Oui, reprit-elle. Elle a autour de la bouche des rides qu'elle n'avait pas. (Elle accompagna ces mots d'un geste du doigt.) De vraies rides de vieille femme avare. Puis, son teint est brouillé. Tu ne m'avais pas dit qu'elle était devenue presque jaune.

— Elle ne sort jamais, dit la jeune fille.

— Oh! mais qu'elle a donc vieilli, continua Mrs. Elliot avec véhémence, et comme l'âge l'a rendue méchante! As-tu remarqué la manière dont elle pose son regard sur vous? Elle ne m'a presque rien dit, mais je la sentais pleine de rancune et de haine. Que de choses elle doit renfermer en elle-même! Est-ce qu'elle te parle beaucoup?

— Non, grand-mère.

— Elle ne te parle jamais de moi?

— Non.

— Elle n'en pense pas moins, c'est sûr. Si tu avais vu l'expression de son visage lorsque je lui ai dit que j'avais froid et qu'il fallait mettre des bûches sur le feu! Mon Dieu, mon enfant, sais-tu une chose?

Elle baissa la voix et murmura d'un ton mystérieux :
« Je n'aimerais pas qu'elle me préparât mes potions, si j'avais à en prendre.

Emily tressaillit et ouvrit de grands yeux :
— Que dites-vous là, grand-mère ?

Mrs. Elliot secoua la tête de nouveau ; des mèches de cheveux s'échappèrent de son bonnet et tremblèrent sur ses joues.

— Je dis ce que je pense, ma petite fille », répondit-elle avec un sourire de tristesse ; et elle reprit presque aussitôt : « J'oubliais de te dire qu'elle a parlé de toi.

En prononçant ces mots, elle regarda la jeune fille, mais Emily demeura immobile et n'ouvrit pas la bouche. Sans doute le ton de Mrs. Elliot lui faisait-il craindre une scène comme celle qu'elles avaient eue la veille.

« Elle a dit, poursuivit sa grand-mère avec vivacité, que de nouvelles dépenses l'obligeraient certainement à renvoyer la cuisinière et à compter sur toi pour faire avec elle tout le travail de la maison.

Elle se tut un instant comme pour juger de l'effet de ses paroles. Une légère rougeur monta aux joues d'Emily.

« Je l'ai parfaitement bien entendue, fit Mrs. Elliot en élevant un peu la voix. Elle était accroupie devant la cheminée, en train de poser les bûches et elle grondait entre ses dents. Si elle m'avait parlé en face, je crois que je l'aurais moins méprisée, moins détestée ; mais, vois-tu, elle n'osait pas, elle est si lâche...

Tout d'un coup, elle se dressa dans son lit et tendit le poing vers la porte en criant :

« Mauvaise femme ! Que Dieu la punisse ! » Son front et ses pommettes devenaient pourpres ; elle saisit la main de sa petite-fille qui la regardait avec terreur et lui dit en la secouant : « Elle veut se défaire de moi. Elle dit que je lui prends son argent.

L'émotion lui fit perdre le souffle ; elle considéra Emily

avec des yeux pleins de colère et de désespoir à la fois ; des larmes tremblaient au bord de ses cils et ses lèvres s'entrouvrirent sans qu'elle pût proférer un son.

— Elle ne dit rien, grand-mère, balbutia Emily. Elle ne vous touchera pas, je vous le promets.

— Laisse donc, murmura Mrs. Elliot d'une voix entrecoupée. Elle veut m'empoisonner.

Brusquement, elle abandonna la main de sa petite-fille et, cachant son visage dans ses draps, elle éclata en sanglots.

XIV

Mrs. Fletcher ignorait tout de ces conversations et de ces scènes entre sa mère et sa fille, et elle était loin de se douter qu'elle y occupait une place aussi importante. Parfois, il est vrai, elle se demandait de quoi pouvaient s'entretenir Emily et Mrs. Elliot, mais sa curiosité sur ce point n'était pas très vive et elle la contentait elle-même en se disant : « Sans doute, ma mère lui apprend son catéchisme, ou elle lui fait lire la Bible. » Car elle se remettait entièrement à Mrs. Elliot du soin d'instruire Emily et se souciait fort peu de savoir au juste en quoi consistait son programme d'éducation. « Elle lui apprend ce qu'elle m'a appris, pensait-elle aussi quelquefois, et c'est assez. »

De cette façon, elle était entièrement maîtresse de son temps et se donnait sans réserve aux mille petites choses dont sa vie était faite. Avant le jour, elle était debout et réveillait elle-même la cuisinière, une vieille négresse qui avait appartenu aux Fletcher depuis sa naissance et que la guerre avait libérée sans qu'elle voulût abandonner ses maîtres. De son vivant, Stephen Fletcher ne l'avait jamais payée, mais il lui parlait d'un ton affectueux qu'il n'avait pour personne d'autre et la traitait avec douceur. Mrs. Fletcher, elle, se bornait à la nourrir et à la laisser dormir sur une paillasse dans un réduit ; il était rare qu'elle lui dît un mot qui ne fût pas un ordre, et encore n'était-ce que d'une voix que la timidité rendait brève et désagréable.

Dès cinq heures et demie, les deux femmes étaient au travail, l'une cuisant le pain, l'autre, Mrs. Fletcher, balayant et époussetant les meubles. Cette activité se prolongeait jusqu'à six heures et demie. Un peu plus tard, Emily descendait à la salle à manger où elle trouvait tout en ordre et le déjeuner sur la table, sa tâche quotidienne se bornant à nettoyer sa chambre et à exécuter les travaux de couture que sa mère lui assignait tous les matins.

Le reste de la journée s'écoulait rapidement pour Mrs. Fletcher : outre qu'elle assumait toutes les charges de la femme de chambre qu'elle avait renvoyée, elle se fixait de petites besognes qui, presque toujours, la tenaient en haleine jusqu'au soir. C'est ainsi qu'elle ne se lassait pas d'examiner toutes les pièces de la maison pour s'assurer que rien ne manquait, que rien n'était cassé ; elle comptait et recomptait les bibelots de toutes sortes que son mari avait rapportés de ses voyages ; elle leur avait donné à chacun une place fixe dont ils ne devaient jamais bouger. Depuis quelques années, en effet, une extraordinaire méfiance prenait possession de cette femme. Mrs. Fletcher prêtait volontiers des intentions cupides à toutes les personnes qui habitaient Mont-Cinère ou qui s'en approchaient. Presque tous les jours, elle montait subrepticement au réduit de la cuisinière et inspectait avec soin sa misérable paillasse. Sa grande crainte était que la négresse ne s'emparât de menus objets et ne les dissimulât dans l'épaisseur de sa couche ; elle tâtait donc le matelas en tous sens. Elle n'hésitait pas non plus à fouiller les hardes de la vieille servante, pour voir si elle n'y avait pas caché des pièces de monnaie. Par mesure de prudence également, elle inscrivait sur de petits carrés de papier la liste des choses de la maison qui lui paraissaient le plus précieuses ; elle glissait ensuite ces espèces d'inventaires entre les feuillets de sa Bible, et plusieurs fois par semaine elle les repassait et les vérifiait avec une attention jalouse. Ce n'était pas qu'elle aimât ces objets pour la beauté ou l'agrément qu'elle aurait pu trouver en eux, mais elle en considérait la valeur et se disait qu'un jour viendrait, peut-être, où elle serait bien aise de pouvoir en tirer un peu d'argent.

Car une imagination naturellement portée à la mélancolie lui faisait prévoir un avenir de misère et elle vivait dans une appréhension continuelle des temps futurs. Rien ne parvenait à assoupir en elle cette inquiétude douloureuse ; quelquefois même, sans raison apparente, ses craintes redoublaient et devenaient plus précises. Elle vivait alors dans l'angoisse et ne parlait que de vendre Mont-Cinère ou de recourir à de nouvelles économies pour sauver les restes de sa petite fortune. Des soupçons de plus en plus nombreux s'installaient dans son esprit et l'empêchaient de dormir. Au milieu de la nuit, elle se levait et descendait pour s'assurer encore une fois que toutes les portes et les fenêtres étaient bien fermées et, timide comme elle était, parcourait la maison, la bougie à la main, pour voir si des voleurs ne s'y cachaient point.

Pendant longtemps, elle fut torturée par une crainte assez étrange. Lorsque tout le monde dormait à Mont-Cinère, elle sautait à bas de son lit et se rendait sur la pointe des pieds à la porte de la petite pièce où couchait la cuisinière ; et là, elle écoutait la respiration de la vieille femme qu'elle accusait mentalement de vouloir quitter la maison avec l'argenterie dans ses poches. Un vol de ce genre lui paraissait si facile et elle se répétait souvent : « Si j'y ai pensé, elle a pu y penser également. » Aussi ne se recouchait-elle pas avant d'être descendue à la salle à manger et d'y avoir fait sommairement le compte des cuillers et des fourchettes qu'elle ficelait par paquets de dix pour rendre sa vérification plus facile ; elle les enfermait à double tour dans la desserte et portait la clef pendue à son cou, mais ces précautions mêmes l'affolaient, et elle ne pouvait s'empêcher de se dire : « Pour que je les garde avec tant de soin, il faut vraiment qu'il y ait quelque danger ; mon instinct ne me trompe pas. » Et, dans le silence de la nuit, elle méditait sur l'attitude de la cuisinière pendant toute la journée. Elle trouvait, par exemple, qu'elle avait été plus taciturne qu'à l'ordinaire ; deux fois elle était venue lui parler dans la salle à manger, ce qu'elle ne faisait jamais. Son imagination excitée lui présentait alors la vieille négresse crochetant la porte de la desserte et s'enfuyant de Mont-Cinère avec toute l'argenterie dans son tablier, pendant qu'elle, la maîtresse de tout ce bien, se tournait et se retournait dans son lit en se demandant stupidement si, oui ou non, il fallait redescendre à la salle à manger.

Enfin, un hiver, elle n'y tint plus. Elle se rappela qu'elle avait vendu autrefois de petits objets qui avaient appartenu à son mari et décida d'en faire autant pour l'argenterie ; mais comme elle craignait que cette mesure ne fût la cause de scènes désagréables entre elle et sa fille, elle eut recours à une ruse et annonça que les couverts d'argent ne serviraient plus que les jours où l'on recevrait du monde, ce qui ne s'était pas produit, du reste, depuis des années et du temps de son mari. Puis elle les serra et les remplaça aussitôt par des couverts d'un métal plus vil. Des mois passèrent et Emily avait à peu près oublié qu'il y avait jamais eu des couverts d'argent à Mont-Cinère, quand un jour elle s'en ressouvint et, poussée par le désir d'examiner ce qui devait lui appartenir plus tard, elle voulut ouvrir la porte du buffet. Par extraordinaire, la clef était dans la serrure. La jeune fille tira dehors le grand coffre de citronnier orné d'une plaque de cuivre et en souleva le couvercle, mais ce fut en vain qu'elle fouilla ses profondeurs tapissées de drap vert ; Mrs. Fletcher avait tout vendu.

Sa mère avait accompli son projet dans le plus grand secret et avec un vague sentiment d'inquiétude qui ne la quitta pas pendant fort longtemps. Elle ne pouvait penser à ce qu'elle avait fait sans se donner à elle-même les raisons de sa

conduite. Elle finit par se persuader qu'elle avait agi sage-
ment et retrouva un peu de sa tranquillité, mais elle se garda
bien d'en parler à sa fille ; le courage lui manquait. Cependant, elle aurait voulu qu'Emily fût mise au courant ; et elle
aurait voulu également qu'elle l'approuvât. Elle replaça donc
la clef dans la porte du buffet et de temps en temps fit
allusion à l'argenterie, à son caractère d'inutilité, à la somme
assez considérable qu'elle représentait et dont elle-même
avait grand besoin pour entretenir Mont-Cinère sans entamer
son capital.

Lorsqu'elle vit que le coffre était vide, Emily crut d'abord
à un vol, mais elle n'y crut pas longtemps et devina la vérité.
Elle en méprisa sa mère et pleura un bien qu'elle aimait
d'autant plus qu'elle en était privée, puis elle maîtrisa sa
colère et se contraignit au silence. Chez Mrs. Fletcher, qui ne
parvenait pas à découvrir si sa fille connaissait ou ne
connaissait pas le sort de l'argenterie, l'inquiétude faisait
place au dépit et à la rancune. Elle s'aigrit en pensant que la
paix de son cœur dépendait d'une parole d'Emily et qu'Emily
restait muette ; et pendant quelques jours, elle lui en voulut
et ne put penser qu'aux torts de sa fille envers elle. Mais
lorsque enfin la scène à la fois redoutée et désirée éclata,
après le premier mouvement de colère et d'indignation, le
cœur de Mrs. Fletcher s'allégea. Son esprit mobile ne
demandait pas mieux que d'oublier et reprit facilement le
cours normal de ses réflexions.

Il lui semblait toujours que sa tâche commençait à peine et
que toutes les économies qu'elle avait faites jusque-là ne
comptaient pas. Cette idée se présentait à elle avec une
obstination impérieuse et elle se répétait continuellement :
« Tout est à faire. » Cependant elle trouvait une joie étrange
aux soins qui la travaillaient, elle se plaisait dans son
inquiétude. Elle aimait à se dire que, grâce à sa sollicitude,
une catastrophe, une ruine totale seraient évitées peut-être,
mais elle n'écartait pas la possibilité de cette ruine et de cette

catastrophe, et elle s'arrêtait à ces idées funestes avec une sorte de volupté. Alors, stimulée par la crainte, elle se remettait à faire ses comptes et à méditer les chances qu'elle avait de trouver de l'argent pour faire face à ses dépenses sans toucher à la somme déposée à la banque de Wilmington. Dans tout ce qu'elle voyait autour d'elle, elle ne considérait plus que la valeur marchande. Le matin, quelquefois, avant même de réveiller la cuisinière, elle se promenait de pièce en pièce et attachait un regard profond sur les meubles et les bibelots ; ou bien elle s'asseyait dans un fauteuil et, croisant les mains sur son ventre, elle s'abandonnait à ses calculs qu'elle recommençait sans fin. Plus d'une fois elle se prit à regretter qu'il ne fût plus possible de vendre ses domestiques et elle supputait tristement la somme d'argent que lui eût rapportée Joséphine, l'ancienne esclave de son mari.

Elle ne parlait plus à personne, sauf à sa fille aux heures des repas, et menait une vie de plus en plus renfermée. Il en résultait une extrême répugnance à l'action et elle en arrivait à ne plus vouloir s'occuper de l'exécution matérielle des projets qu'elle élaborait dans sa solitude. L'âge aggravait en elle une timidité naturelle. Souvent, lorsqu'elle avait à donner des ordres à la cuisinière, elle balbutiait ignoblement et s'irritait contre cette vieille femme qui la forçait à répéter ce qu'elle avait dit. On la prenait presque toujours au dépourvu en lui posant une question tout à coup ; elle se sentait incapable de répondre sans avoir réfléchi quelque temps et souffrait tellement de cette lenteur de son esprit qu'elle évitait avec soin les conversations les plus banales. C'était surtout cela qui l'empêchait d'aller voir sa mère dont elle craignait la méchanceté et les saillies.

Un jour cependant, alors qu'elle était en train de coudre à la salle à manger, elle entendit un cri venu de la chambre de Mrs. Elliot. La surprise et la frayeur lui firent lâcher l'ouvrage qu'elle tenait en main, et elle écouta. Son cœur battait fort. Elle retint sa respiration. La maison était plongée dans le silence ; seule la pluie frappait les vitres avec un bruit continu. Alors, pour la première fois, Mrs. Fletcher sentit se glisser en elle la terreur de sa solitude. La cuisinière était au village, Emily chez les Stevens ; elle restait donc toute seule à Mont-Cinère avec une vieille femme alitée. Qui pouvait empêcher un vagabond de pénétrer dans la maison ? Que ferait-elle si on l'attaquait ? Et elle pensa aussitôt au jeune Stevens avec son regard fuyant et ses poings énormes. Des images de meurtre se présentèrent à elle. Elle se leva brusquement et porta les mains à sa bouche. Peut-être sa mère avait-elle appelé à l'aide contre un assassin ? Et sans savoir ce qu'elle devait faire, elle resta debout, appuyée au dos de son fauteuil. Enfin, comme elle n'entendait rien, elle alla jusqu'à la porte qui donnait dans l'antichambre puis, s'arrêtant, elle se demanda si elle ne s'était pas trompée. Le silence la rassura un peu. Elle monta jusqu'à la chambre de sa mère et frappa timidement sans obtenir de réponse. Tout à coup, prise de nouvelles frayeurs, elle ouvrit avec force et se précipita dans la chambre.

Mrs. Elliot était étendue sur le dos, en travers de son lit. Son bonnet avait glissé de sa tête et ses cheveux gris s'épandaient sur sa figure. Le désordre de ses couvertures attestait la violence des mouvements qu'elle avait dû faire, mais à présent elle était immobile et respirait avec un bruit qui s'étranglait dans sa gorge. Mrs. Fletcher s'approcha d'elle. D'un geste craintif, elle écarta les mèches de cheveux et découvrit un visage hagard aux yeux grands ouverts.

Dès que Mrs. Elliot put prononcer quelques mots, elle demanda où était Emily. Mrs. Fletcher qui remportait une grande bassine d'eau chaude lui expliqua d'une voix tremblante d'émotion que la jeune fille était sortie. La vieille femme dit alors quelques paroles que sa langue épaissie rendait inintelligibles. Son visage était plus calme, mais ses traits conservaient une fixité qui leur donnait un air de stupeur. Au bout d'un moment, elle appela sa fille qui remettait des objets en place dans le cabinet de toilette et articula d'une voix rauque : « J'ai froid. »

Mrs. Fletcher fit le geste de ramener sur les pieds de sa mère la couverture que celle-ci avait rejetée loin d'elle, mais Mrs. Elliot lui dit d'un ton autoritaire : « Non, fais du feu. » Et elle répéta avec impatience : « J'ai froid. »

Tout d'abord, Mrs. Fletcher ne répondit pas ; elle posa les deux mains sur le bois du lit et parut gênée.

— Eh bien ? », demanda sa mère à plusieurs reprises ; et elle agita les mains sur ses draps comme un enfant.

Mrs. Fletcher baissa les yeux et se rendit de nouveau dans le cabinet de toilette où elle se tint une minute, pour gagner du temps. La demande de sa mère la contrariait beaucoup ; d'ordinaire on n'allumait le feu dans la chambre de Mrs. Elliot que les premiers jours de novembre ; elle-même s'en passait tout l'hiver. Elle déplaça des bouteilles sur un rayon, poussa une chaise, fit du bruit pour que sa mère la crût occupée. En vain elle cherchait une excuse pour ne pas faire ce qu'on lui demandait. Enfin, elle rentra brusquement dans la chambre et se dirigea d'un pas rapide vers la porte, dans l'espoir qu'elle réussirait à sortir avant que Mrs. Elliot pût lui reparler de son feu, mais elle n'avait pas fait trois pas que la vieille femme s'écria d'une voix colère :

« Va chercher du bois tout de suite. J'ai froid.

Un quart d'heure plus tard, Mrs. Fletcher revint avec des bûches et de la bourrée. D'un coup de pied elle referma la porte et maugréa quelque chose entre ses dents. « Que dis-tu ? », demanda Mrs. Elliot. Elle ne répondit rien et, retroussant sa jupe, s'accroupit devant l'âtre et disposa le bois en travers des chenets. Puis elle se releva et fit descendre la trappe avec fracas. Du regard elle chercha la boîte d'allumettes qu'elle avait apportée avec elle et posée sur un meuble. Elle évitait de tourner les yeux vers sa mère et se sentait tellement indignée de ce qu'elle nommait intérieurement les exigences de cette vieille femme qu'elle en oubliait presque son appréhension d'une dispute avec elle et se retenait pour ne pas l'insulter.

Enfin elle trouva les allumettes et mit le feu aux bourrées. Elle s'assit alors dans un fauteuil et du revers de la main écarta des mèches qui lui retombaient sur les yeux ; puis elle se mit à regarder autour d'elle et considéra cette chambre qu'elle ne voyait presque jamais. Les meubles en étaient brossés avec soin, les rideaux propres et bien tirés. Elle reconnut là la main de sa fille et presque aussitôt, par un mouvement habituel de son esprit qui retrouvait son calme, elle se mit à évaluer les petits bibelots qui ornaient la cheminée.

« Que dis-tu ? », demanda de nouveau Mrs. Elliot qui l'entendait murmurer. Mrs. Fletcher tressaillit.

— Moi ? fit-elle. Rien, je ne parlais pas. » Et comme le feu commençait à prendre, elle releva la trappe et sans ajouter un mot quitta son fauteuil et sortit.

De retour à la salle à manger, elle s'assit près de la fenêtre. Mécontente et humiliée, elle eut quelque peine à reprendre sa couture et marmottait entre ses dents tout en fouillant dans son panier à ouvrage. Jusque-là, elle était parvenue à oublier sa mère et se croyait maîtresse à Mont-Cinère, mais depuis une heure la présence de cette femme la gênait horriblement. Et cédant à un mouvement de colère, elle s'exclama tout haut :

« Que fait-elle en ce monde ? A quoi sert-elle ?

La brutalité de ces réflexions la fit rougir et elle reporta sa pensée sur les meubles que son mari avait réunis dans la chambre qu'il avait occupée de son vivant. Mrs. Elliot les avait fait recouvrir d'une peluche verte en accord avec les rideaux et les tapis de la pièce ; l'ensemble avait un air de richesse dont Mrs. Fletcher restait frappée. S'il fallait procéder à une vente, n'aurait-on pas un bon prix de ces chaises et de ces fauteuils ? Bien entendu, ils étaient tout à fait à elle, puisqu'elle avait payé les notes du tapissier. Mais pouvait-il être question de s'en défaire avant qu'ils ne fussent devenus inutiles ? Involontairement, elle souhaita l'événement qui produirait cet état de choses.

Peu à peu, elle devint plus calme. Elle avait fini son travail et se promenait dans la maison en se frottant les mains lorsque Emily revint de Rockly. Dans la pénombre de l'antichambre, elle ne remarqua pas que la jeune fille était blême et qu'elle tremblait, mais un moment plus tard elle fut obligée de se rendre compte qu'Emily était malade et conçut aussitôt de douloureuses inquiétudes. Elle se répétait avec un effroi dont quelque chose se lisait sur sa face : « Voilà, elle est malade. Il va falloir appeler un médecin. »

Elle se coucha tard et dormit mal. Plusieurs fois, elle se releva et pria pour la guérison de sa fille. Elle imagina des remèdes, fit effort pour se ressouvenir de vieilles recettes contre la toux, contre les refroidissements. Chaque fois qu'elle se demandait s'il fallait vraiment faire appel à un médecin, il y avait en elle quelque chose de violent et d'obstiné qui écartait cette idée. Elle en voulait à sa fille de lui donner de tels ennuis et se rappelait avec impatience son visage sans couleur et le frémissement qui traversait ses épaules. N'aurait-elle pas dû attendre que la pluie cessât pour sortir ? Qui pouvait dire si la stupidité d'Emily n'allait pas entraîner de nouvelles dépenses ? Ne suffisait-il pas d'une malade dans la maison ?

En repassant les divers incidents de la journée, elle pensa au feu qui sans doute allait brûler désormais tous les jours dans la chambre de sa mère et résolut d'en faire profiter la jeune fille. Emily resterait le plus possible dans la compagnie de Mrs. Elliot. Ce projet lui parut excellent et elle le retourna longuement dans son esprit, jusqu'au moment où elle s'endormit.

Elle ne put se défendre d'une vive frayeur, le lendemain

matin, en considérant la mine défaite et l'air malheureux de sa fille. Elle avait espéré qu'elle guérirait pendant la nuit et elle la revoyait dans un état plus lamentable encore que la veille. Cette déception la vexa et lui vint une envie subite de maltraiter Emily, mais elle se contint et, l'ayant d'abord enveloppée de manteaux, elle lui proposa tout à coup de passer la journée chez sa grand-mère, comme si elle venait d'y songer. Elle eut tant de plaisir à la voir accepter qu'elle en oublia un moment ses appréhensions. Cependant, son inquiétude la reprit peu après. Elle se contraignit à coudre, mais ce travail machinal ne l'empêchait pas de réfléchir et semblait même l'y inciter. De temps en temps, elle se disait à voix basse, d'un ton énergique qui trahissait l'empire que cette pensée exerçait sur elle : « Il ne faut pas qu'un médecin entre ici. »

XV

Le spectacle de sa grand-mère, sanglotant à l'idée que Mrs. Fletcher cherchait peut-être à l'empoisonner, emplit Emily d'une horreur subite, mais elle se domina et résolut, cette fois, de ne pas abandonner la vieille femme. Elle attendit que son premier mouvement de désespoir fût passé et la consola de son mieux ; ce n'était pas très difficile ; il y avait chez Mrs. Elliot une mobilité d'humeur presque enfantine et qui s'accusait avec l'âge et la maladie. En entendant les protestations de fidélité de sa petite-fille, elle essuya ses yeux sur son drap et bientôt se mit à sourire.

— J'ai confiance en toi, dit-elle. Si je n'avais pas confiance en quelqu'un, est-ce que je pourrais vivre ?

Deux heures plus tard, Joséphine, la cuisinière, apporta un grand plateau chargé de plats et d'assiettes et le posa sur une table qu'elle installa au chevet de Mrs. Elliot.

— Madame désire que vous déjeuniez ici, dit-elle à Emily.

Emily ne mangea pas beaucoup, mais elle se ressentait déjà des bons effets de la chaleur qui régnait dans la chambre, et goûtait vivement le plaisir d'un changement apporté à ses habitudes ; elle était enchantée de ne pas prendre son repas avec sa mère. Mrs. Elliot, qui cherchait à paraître aimable, lui posa vingt questions sur sa santé ; elle essayait de l'amuser et faisait quelquefois de grosses plaisanteries puériles qui amenaient un sourire sur le visage de la jeune fille ; alors, Mrs. Elliot riait très fort et lui serrait la main vigoureusement.

Elles continuèrent leur conversation après déjeuner. Le feu, entretenu sans cesse par les soins d'Emily, mettait une sorte de gaieté dans cette pièce d'ordinaire un peu triste comme l'étaient devenues toutes les pièces de Mont-Cinère, et portait les deux femmes à se parler avec plus d'affection que de coutume, et sans cette arrière-pensée de prudence qu'elles avaient encore parfois. Emily revenait constamment à ses projets d'avenir. Elle en parlait ouvertement à sa grand-mère et, fort souvent, il lui arrivait de commencer une phrase par ces mots : « Quand je serai plus âgée... », ou bien, sans réfléchir à la portée de ce qu'elle disait : « Quand je serai maîtresse à Mont-Cinère... » Ces expressions semblaient plaire à Mrs. Elliot qui encourageait sa petite-fille du regard et murmurait en souriant : « Eh bien, que feras-tu ? » Et lorsque Emily avait fini le tableau de Mont-Cinère sous sa domination, la vieille femme le reprenait avec complaisance et y ajoutait des touches nombreuses qui indiquaient de sa part une longue méditation sur le même sujet.

— Nous serons heureuses, Emily, disait-elle. Je me porterai mieux, et tu verras qu'un jour, je me lèverai. Je me promènerai alors dans toute cette maison, je verrai les pièces qui ont besoin d'être mises à neuf. Mais me permettras-tu de t'aider de mes conseils ?

— Grand-mère !

— Bon. Le salon sera rouvert.

— Nous ôterons les housses des fauteuils.

— Le papier sera changé, les rideaux également ; je suis persuadée que tout cela est en mauvais état. Il y aura quatre domestiques comme du temps de ton père, plus un jardinier

106

et un cocher. Ma petite-fille, on ne reconnaîtra plus Mont-Cinère. Ce sera ta maison.

— Oui, oui, s'écria Emily avec un mouvement de joie puérile, comme si ces choses eussent été sur le point de se réaliser.

Elle rapprocha son fauteuil du lit de Mrs. Elliot et, joignant les mains sur ses genoux, attacha sur sa grand-mère un regard brillant de plaisir. Ses yeux fiévreux donnaient une sorte d'éclat à sa figure amaigrie et elle se mit à parler à son tour avec une animation qu'elle ne réprimait plus.

« Dans chaque pièce, il y aura de grands paniers pleins de bûches, dit-elle, comme autrefois dans la salle à manger, et le feu brûlera aussi longtemps qu'il nous plaira. Vous aurez deux belles lampes dans votre chambre, nous achèterons aussi un nouveau tapis. Peut-être pourrons-nous faire installer le gaz...

Rapidement, mais sans rien omettre, elle énuméra les changements et les améliorations qu'elle se proposait de faire à Mont-Cinère. Son regard aigu n'avait pas perdu un seul détail de l'aspect misérable qu'avait pris la maison depuis la mort de Stephen Fletcher, et sa mémoire retenait jalousement toutes les petites mesures d'économie de sa mère. Ce n'était pas qu'elle souffrît beaucoup des mille restrictions que Mrs. Fletcher jugeait nécessaires ; elle s'en accommodait avec facilité, étant fort sobre de nature. Mais un irrésistible instinct la poussait à s'opposer à la volonté de sa mère et à s'efforcer de détruire son œuvre.

Un autre souci lui tenait au cœur. Elle craignait que Mrs. Fletcher ne vendît des tableaux ou des meubles lorsqu'elle aurait besoin d'argent.

« Grand-mère, dit-elle tout à coup, en s'interrompant au milieu d'une phrase, n'avez-vous pas dit que Mont-Cinère serait à moi ?

Elle tremblait un peu en prononçant ces mots et serrait les mains au point de chasser le sang de ses ongles.

— Mais sans aucun doute, Emily.

La jeune fille réfléchit un instant.

— Comment donc puis-je empêcher maman de se défaire de ce que contient la maison ? Elle a vendu l'argenterie, d'autres choses encore. Est-ce que cela n'était pas à moi aussi ? Est-ce que tout ce qui se trouve ici ne m'appartient pas déjà, puisque je dois hériter un jour de Mont-Cinère en entier ?

— Bien sûr, s'écria Mrs. Elliot avec véhémence. Rien n'est plus évident. Ne comprends-tu pas que cette femme te vole ?

Elle se releva un peu dans son lit et s'accoudant sur l'oreiller passa un bras autour du cou d'Emily et lui dit :

« T'ai-je fait dire que Mont-Cinère était à toi ? Tu l'as vu par toi-même, tu es intelligente, Emily. Sois forte aussi, ne te laisse pas faire, ne sois pas une victime. Je t'aiderai de mes conseils ; jamais tu ne connaîtras ta mère comme je la connais ; elle est faible, mais là où son avarice est en jeu, elle ne cède pas.

Sa voix monta tout d'un coup et devint stridente ; une violente colère bouleversa ses traits.

« Elle est comme une bête et sa proie, cria-t-elle, elle et son argent, son argent, son argent !

On eût dit qu'elle voulait imiter le grognement d'un chien à qui l'on veut prendre son os ; elle lâcha sa petite-fille et porta les mains à la tête avec un geste de théâtre.

« Combien de temps te laisseras-tu mener par cette femme ? continua-t-elle. Chaque jour que tu perds est un jour qu'elle gagne. Bientôt tu ne seras plus rien, tu n'oseras même plus lui parler.

Elle saisit sa petite-fille par le poignet et la secoua.

« Tu ne comprends pas ? Il faut lui résister, il faut être brave, lui faire savoir que la maison est à toi. Ah ! si j'avais ton âge, moi qui la connais, qui sais qu'elle n'a jamais eu rien de bon en elle... Sais-tu ce que je ferais ?

Elle vit l'inquiétude sur le visage d'Emily et s'arrêta.
« Allons, reprit-elle d'un ton plus calme, je m'emporte et
je te fais peur, mais tu n'es qu'une enfant.
Et l'attirant sur sa poitrine, elle l'embrassa.

Il fut décidé que cette nuit-là, Emily dormirait dans la chambre de sa grand-mère, peut-être aussi les nuits suivantes, si elle n'allait pas mieux. C'était un petit événement dans la vie de la jeune fille, et elle accepta avec plaisir comme elle acceptait tout ce qui pouvait rompre la monotonie de son emploi du temps quotidien. Joséphine l'aida à faire son lit sur un canapé qu'elles poussèrent ensuite contre le mur de telle façon qu'il fallait escalader le dossier de ce meuble pour se coucher. Cela fit rire Emily qui voulut tout de suite faire l'essai de son lit et s'y trouva fort bien.

Vers la fin de l'après-midi, elle approcha son fauteuil de la cheminée et se mit à lire, mais au bout d'un moment le livre s'échappa de ses mains et retomba sur ses genoux ; elle ne parvenait pas à suivre le texte qu'elle avait sous les yeux et son esprit, inquiet tout d'un coup, se jeta dans de longues et confuses rêveries. Depuis quelques heures, elle ne faisait que penser à son avenir et se posait sans cesse la même question : « Que vais-je devenir ? » Était-ce un pressentiment ? Et elle se troublait et s'énervait à l'idée que peut-être un malheur, une grande catastrophe l'attendaient et qu'elle ne pouvait rien pour changer ni même connaître le cours de sa destinée. Mentalement elle se compara à un aveugle cheminant au milieu de gens qui lui crieraient : « Attention ! Vous marchez vers un précipice. » Ou : « Vous approchez du bord de la falaise », et qui néanmoins continuerait d'aller vers sa perte, faute d'y voir. Elle s'imaginait, en effet, qu'une voix intérieure l'avertissait d'un danger très proche et s'efforçait de la sauver, mais que ne parlait-elle plus clairement ?

Sa grand-mère dormait et elle entendait sa respiration égale et bruyante. Emily se rappela le visage altéré et les yeux brillants qu'elle avait eus en lui parlant de sa mère ; ce souvenir lui fut pénible et pour la première fois elle se demanda : « Mais pourquoi la déteste-t-elle ? »

La journée s'acheva sans que la jeune fille reprît sa conversation avec Mrs. Elliot, et toutes les deux mangèrent leur repas en silence. Du reste, la vieille femme s'était réveillée d'humeur assez taciturne et ne fit aucun effort pour parler. Un peu après dîner, elle se plaignit d'un grand mal de tête et s'endormit ; il n'était pas encore neuf heures.

Emily voulut poursuivre auprès du feu mourant la lecture qu'elle n'avait pu achever et elle reprit sa place dans son fauteuil, mais elle eut beau lire et relire la page, les phrases ne faisaient aucun sens. Alors, elle ferma son livre et, pour se distraire, elle écouta les bruits de la maison qu'elle connaissait bien, mais qu'elle n'avait jamais entendus, à cette heure, de l'endroit où elle se tenait. Elle entendit successivement les bruits de vaisselle annonçant que la cuisinière mettait la desserte en ordre ; puis le pas de sa mère qui se rendait de pièce en pièce pour voir si les portes et les fenêtres avaient été fermées avec soin. Enfin, le silence s'établit dans toute la maison.

Un long quart d'heure passa. La jeune fille regardait le feu et du bout de son tisonnier retournait la braise ou rassemblait en petits tas les derniers fragments de bûche qui se consumaient rapidement ; bientôt tout cela ne fut plus qu'une masse de cendres rouges dont beaucoup pâlissaient déjà. Elle pensa : « Je resterai ici jusqu'à ce que le feu soit complètement éteint. » Mais quelque chose qu'elle ne s'avouait pas la retenait dans son fauteuil ; elle avait peur dans cette chambre. Le vent dont elle entendait la voix confuse la faisait tressaillir. Des craintes superstitieuses la saisissaient et elle n'osait se retourner ni faire un mouvement.

Elle se leva, pourtant, lorsqu'elle entendit sonner dix heures à la pendule de la salle à manger. Depuis longtemps, le feu était éteint et il commençait à faire froid. Elle se déshabilla en récitant ses prières pour dominer sa frayeur, mais la même pensée se présentait à son esprit malgré ses efforts pour la chasser : « C'est dans cette chambre que mon père est mort. » Elle ôtait ses vêtements avec de petits gestes rapides, sans baisser les yeux ni détacher son regard de la porte, comme si elle eût craint de la voir céder sous la poussée d'un être surnaturel.

Elle ouvrit la fenêtre, souffla la lampe, et d'un bond elle fut dans son lit. Le cœur battant, elle tourna son visage contre le mur et ramena le drap par-dessus sa tête ; il lui sembla qu'ainsi elle était en sûreté, et bientôt, sans qu'elle s'en aperçût, elle s'endormit.

Elle fut réveillée en sursaut d'un sommeil inquiet, traversé de mauvais rêves. L'obscurité était profonde. Elle sentit que son corps était moite et se redressa dans son lit, écartant de ses mains les mèches de cheveux que la sueur avait collées à son front ; des frissons la parcoururent. Elle entendit sa grand-mère qui marmottait quelque chose dans un cauchemar et comprit que c'était ce vague bruit de paroles qui l'avait éveillée.

Elle se renfonça dans ses couvertures et pour se défendre de la terreur qui l'envahissait, elle essaya de se rappeler les paroles d'un psaume qu'elle avait appris, mais sa mémoire s'y refusa. Affolée, elle se mit à réciter tout haut la prière dominicale, quand une sorte de hurlement étouffé lui serra le cœur. Elle devina qu'un rêve épouvantait sa grand-mère et voulut l'appeler ; ce fut en vain, sa voix restait dans sa gorge.

Elle dut attendre, écouter la respiration courte et difficile de Mrs. Elliot qui gémissait. Pendant des minutes qui lui parurent interminables, Emily demeura immobile, les doigts crispés sur le bras du canapé, les jambes repliées sous elle, retenant son souffle pour mieux entendre ce pénible murmure qui la glaçait de crainte. Enfin, elle perçut le bruit de couvertures que des mains furieuses agitaient et jetaient en tas sur le plancher, et presque aussitôt un long cri rauque déchira ses oreilles : « Tue-la ! hurlait la vieille femme dans son rêve. Elle veut m'empoisonner ! Tue-la donc ! »

Après ces mots, la jeune fille n'entendit plus rien. Il lui sembla que quelque chose d'infiniment puissant luttait avec elle, et, s'affaissant tout à coup dans son lit, elle perdit le sentiment de ce qui se passait.

Lorsqu'elle revint à elle, un filet de lumière rayait le tapis qui s'étendait entre le capané et le fauteuil où elle avait essayé de lire. Sa première pensée fut qu'elle sortait d'un hideux cauchemar et elle se retournait vers le mur pour s'endormir de nouveau quand elle se rappela le cri furieux de sa grand-mère ; ce fut un souvenir si net et si impérieux qu'elle ne put douter qu'il se rapportât à un événement réel, et elle se mit à trembler comme si elle venait de l'entendre une seconde fois. Elle porta son regard vers la partie de la chambre où dormait Mrs. Elliot, mais le lit n'était qu'une grande masse d'ombre et elle ne put rien distinguer. Elle écouta et n'entendit que le son oppressé de son propre souffle. Alors, frappée d'une épouvante qui la fit agir malgré elle, elle bondit hors du canapé et courut vers le lit de sa grand-mère.

La vieille femme était couchée la face dans son oreiller. Un drap s'enroulait autour de ses jambes, les couvertures étaient toutes à terre. Les épaules se soulevaient lentement sous l'effort d'une respiration contrainte.

Emily dut s'appuyer à une colonne du lit et elle pensa avec horreur qu'elle avait vu son père pour la dernière fois, étendu sur la même couche et dans la même position ; on eût dit que par une imitation affreuse, Mrs. Elliot reproduisait dans son attitude quelque chose des derniers moments de cet homme.

Il se passa deux ou trois minutes avant que la jeune fille pût mettre un peu d'ordre dans les pensées qui se pressaient en elle. Elle chercha du regard la déchirure de la chemise depuis le cou jusqu'à l'épaule et s'étonna de ne pas l'y trouver. Un instant, bien qu'elle la vît respirer, elle crut que Mrs. Elliot était morte ; tout se brouillait dans son esprit.

Soudain, elle se raidit contre le dégoût et la peur et, ramassant à pleins bras les couvertures qui gisaient à ses pieds, elle les jeta sur les jambes de sa grand-mère et en recouvrit son corps.

Elle attendit un peu, puis elle posa la main sur le bras de la vieille femme dans l'espoir de la réveiller, mais Mrs. Elliot ne bougea pas. Alors, elle perdit la tête et se mit à genoux sur le lit. Dans son trouble, elle pleura et se mit à la supplier de lui répondre et de la rassurer ; à la fin, elle la prit par l'épaule et la força de se retourner sur le dos.

Elle tremblait si fort qu'elle fut obligée de s'arrêter. Mrs. Elliot était étendue devant elle, la figure cachée par sa chevelure en désordre ; son souffle vigoureux faisait voler une mèche qui descendait jusque sur ses lèvres. Cela était si déplaisant et ridicule, d'une manière si lugubre qu'Emily détourna la vue. Comme un automate, elle ramassa un livre qui avait glissé à terre de dessous le traversin, et sous une couverture retrouva le bonnet tout fripé dont Mrs. Elliot avait déchiré un ruban, sans doute en arrachant cette coiffure de sa tête.

Elle sentit que le cœur allait lui manquer, mais elle prit sur elle-même et, du bout des doigts, elle écarta les cheveux qui s'épandaient en tous sens sur le front et les joues de sa grand-mère ; elle découvrit ainsi un visage aux chairs gonflées et rougies qui l'effraya et qu'elle eut peine à reconnaître dans la pénombre. Elle recula ; ce corps inerte, cette lumière indécise de l'aube, cette chambre, tout lui parut subitement d'une monstrueuse et tragique laideur ; ses genoux pliaient, elle crut qu'elle allait tomber, et prise d'une sorte de panique, elle se jeta vers la porte.

Elle sortit. En s'appuyant aux murs, elle gagna la première marche de l'escalier et s'assit. L'idée lui vint de passer le reste de la nuit dans sa chambre, mais elle hésita à la pensée de traverser dans l'ombre des pièces silencieuses. D'autre part, il lui semblait que pour rien au monde elle ne fût rentrée chez Mrs. Elliot.

Il faisait un froid cruel ; Emily frissonna et serra ses pieds nus dans ses mains pour les réchauffer. De temps en temps, elle entendait les branches des sapins que le vent agitait et qui frôlaient la muraille avec un bruit de mains palpant le bois. Plusieurs fois, elle dit tout haut pour se rassurer : « Je resterai ici jusqu'à ce qu'il fasse grand jour. Ici, je n'ai pas peur comme dans cette chambre. »

De longues minutes passèrent. La pendule sonna un quart dans la salle à manger. La jeune fille se blottit contre le mur et essaya de dormir, mais le froid et la crainte de l'obscurité l'en empêchèrent ; il n'y avait pas de fenêtre dans l'escalier et il aurait fallu une lampe pour y voir.

Depuis qu'elle était assise, elle ne pouvait faire un mouvement, même d'étendre le bras, sans ressentir de vives douleurs dans les articulations. Le froid la faisait trop souffrir, cependant, et elle n'y tint plus ; elle agrippa un barreau et se leva comme elle put.

Le plancher craqua horriblement sous ses pieds ; ce bruit l'effraya et elle attendit quelque temps avant d'oser faire un pas. Enfin, elle descendit à la salle à manger. Il était près de cinq heures et demie et le jour pénétrait par les fentes des volets. Emily ouvrit une fenêtre et respira. Le ciel était gris et l'on voyait encore les étoiles entre les branches des arbres. Elle resta là un moment, écoutant le chant des coqs dans la vallée.

XVII

A quelques jours de là, Frank Stevens vint, comme il était convenu, dans sa carriole. Mrs. Fletcher l'attendait avec impatience, son chapeau sur la tête et une valise à la main. Il eut à peine arrêté son cheval qu'elle se hissa près du jeune homme, sur la planche qui servait de siège. La cuisinière, qui était venue sur le porche, tendit la valise, et ils partirent. Emily observa cette petite scène de la fenêtre de sa chambre. C'était une nature soupçonneuse, et la valise qu'elle avait vue à sa mère lui parut de mauvais augure. Elle se rappela que Mrs. Fletcher avait voulu monter dans la voiture en la tenant à la main, mais qu'au même instant la cuisinière la lui avait prise, pour la lui donner ensuite, lorsque sa maîtresse se fut installée sur la banquette. Pourquoi? Cette valise était donc bien lourde? Elle n'était pas vide, peut-être, et dans ce cas, que pouvait-elle contenir? Emily supposa le pire et, fort agitée, quitta sa chambre.

Sans réfléchir à ce que cette idée avait d'improbable, elle crut que Mrs. Fletcher avait emporté des objets précieux avec elle, à l'effet de procéder à un nouvel écoulement des biens de la famille, et elle se demanda, tout effarée, ce qu'elle avait pu choisir.

Elle descendit en toute hâte dans la salle à manger, ouvrit les portes de la desserte, compta et recompta les gobelets et les plats d'argent que l'on y serrait, mais il n'en manquait pas un. Cette première vérification l'apaisa un peu et elle se dit alors que si sa mère avait quelque chose à vendre, elle n'irait certainement pas à Little Georgetown (où Stevens devait la conduire), qui n'était qu'un village, mais à Washington, ou tout au moins à la ville de Manassas. Néanmoins, ses craintes avaient été trop vives pour l'abandonner aussitôt et elle décida de continuer ses recherches.

Il était trois heures. Elle calcula que sa mère ne reviendrait pas avant cinq heures et demie, et fit lentement le tour de toutes les pièces du rez-de-chaussée. Son attention se portait en particulier sur les petits tableaux dont son père avait recouvert les murs. C'étaient de fort mauvaises peintures, mais, aux yeux de la jeune fille, elles possédaient une valeur inestimable par le fait qu'elles lui appartiendraient un jour, et elle soupçonnait sa mère de les convoiter pour les vendre. Un regard suffisait pour voir s'il en manquait ou non, car elles avaient été accrochées selon les lois d'une rigoureuse symétrie ; mais Emily ne se contenta pas d'un examen aussi rapide et, s'approchant des murs, elle palpa la tenture de ses mains ; elle s'assura ainsi que des clous n'avaient pas été arrachés pour dissimuler le larcin d'une miniature, par exemple, et ne s'en tint pas au témoignage incertain de sa mémoire.

Elle s'arrêta devant un tableau plus grand, placé entre les deux croisées du salon et le considéra avec orgueil. Oubliant un instant ce qui la poussait à faire le compte des menus objets dispersés dans la maison, elle se laissa aller à la douceur des sentiments que cette peinture éveillait en elle. Selon Emily, c'était la plus belle chose que l'on pût voir à Mont-Cinère et il fallait qu'on lui attribuât une valeur importante, car le cadre en était d'une richesse exceptionnelle : il était d'ébène rehaussé d'un épais feuillage de cuivre et l'on reconnaissait aisément des branches d'olivier mêlées à des branches de chêne. La peinture elle-même représentait une scène d'un caractère mythologique. Sur un char traîné par des chevaux cabrés, on voyait une femme vêtue d'étoffes aux couleurs tendres qui se gonflaient et déroulaient leurs plis dans la brise. Derrière venait une petite troupe de personnages, hommes et femmes, se tenant par la main comme dans une figure de danse. Tous avaient un aspect de noble sérénité qui rehaussait la beauté merveilleuse de leurs visages. Ils étaient habillés de tuniques courtes, roses, bleues et orangées, retenues à la taille par des ceintures lâches ; ce que l'on voyait de leurs bras et de leurs jambes permettait de juger des parfaites proportions de leurs corps.

Autrefois, Emily se défendait de regarder ce tableau dont la vue la gênait, sans qu'elle sût, au juste, pourquoi, et si par hasard ses yeux le rencontraient, elle se sentait travaillée de remords et s'accusait de sa distraction comme d'un péché ; mais, peu à peu, elle s'était défaite de ces scrupules et maintenant elle examinait hardiment cette œuvre d'art avec un plaisir et une curiosité que l'habitude ne diminuait point. Souvent, elle avait cherché le nom de l'artiste au bas de la toile, mais il n'y était pas ; seule, une petite plaque de cuivre prise dans le feuillage du cadre portait ce mot : *L'Aurore*.

Elle resta quelques minutes en contemplation, ne se lassant pas de remarquer les détails de costume que le peintre avait si habilement reproduits, les attaches des sandales, les guirlandes de fleurs dont les chevelures des femmes étaient alourdies, les agrafes d'or enrichies de pierres étincelantes. Son regard se portait ensuite sur les traits mêmes de ces hommes et de ces femmes et, avec une émotion étrange, elle admirait leurs yeux vifs et leurs joues roses. A ce moment, elle se souvint du jeune Stevens, et elle ne put s'empêcher de murmurer avec un ton de véhémence : « Ah ! non, il n'est pas beau ! »

Elle reprit son inspection, ouvrit les vitrines, examina les bibelots que son père y avait placés. Puis elle monta à la chambre de sa mère. C'était une pièce située assez loin du reste de la maison. Elle contenait peu de meubles et ses murs crépis à la chaux, sans ornements d'aucune sorte, lui don-

naient un aspect monacal. Un lit à colonnes dont on avait
supprimé les pentes et les courtines occupait l'espace entre
les deux fenêtres ; la couverture en était de grosse laine
comme celles que l'on donne aux soldats, et l'oreiller n'avait
pas de taie. Un secrétaire en bois de violette, une chaise à
fond de paille et une armoire de noyer complétaient cet
ameublement.

Il était très rare qu'Emily eût l'occasion de venir dans cette
chambre et, à vrai dire, il fallait que sa mère fût absente de
Mont-Cinère pour qu'elle osât y pénétrer. Elle regarda autour d'elle avec intérêt et se félicita de la bonne idée qu'elle
avait eue de visiter cette partie de la maison qu'elle connaissait moins bien. Elle courut à la fenêtre pour comparer la vue
qu'on en avait à celle de sa chambre ; rien ne donne une
impression plus singulière que de contempler un paysage
familier en un endroit d'où l'on n'est pas accoutumé de le
voir. La jeune fille demeura longtemps dans l'embrasure de
la fenêtre, toute à l'attrait de ce qu'elle découvrait : il lui
semblait que les montagnes dont elle avait dans l'esprit une
image fort précise avaient légèrement modifié leurs formes ;
un bois qu'elle apercevait à peine de sa chambre lui
apparaissait maintenant dans toute son étendue, un nouveau
pic se montrait, elle découvrait un groupe de maisons. Un
instant, elle se perdit dans ses réflexions, puis se redressant
tout à coup, elle frappa de la main sur le mur et dit tout haut :
« Cette chambre aussi est à moi. »

Elle s'assura très vite que les murs n'avaient jamais porté
de tableaux ; seul un portrait du général Lee était accroché
au-dessus du secrétaire, mais c'était une simple photographie. Ensuite, elle ouvrit l'armoire ; elle la trouva à peu près
vide : un chapeau garni de crêpe était posé sur une planche à
côté de deux couvertures pliées ; un châle et une douillette
noire étaient pendus à un crochet ; enfin, empaquetée dans
un vieux journal qui datait de la guerre, une étoffe de
mousseline blanche était serrée au fond du meuble. Elle

referma la porte et s'assit devant le secrétaire. Plusieurs tiroirs étaient fermés à clef, et quoi qu'elle fît, elle ne put les ouvrir ; en vain, elle essaya de faire jouer les serrures au moyen de petites clefs qu'elle portait sur elle, elle eut même l'idée d'en agacer les pênes avec une épingle à cheveux, mais elle ne réussit qu'à perdre patience et, de dépit, elle martela du poing ce meuble qui lui résistait.

Elle se rendait fort bien compte que si sa mère avait emporté de sa chambre des objets qu'elle se proposait de vendre, il était impossible de s'en apercevoir, à moins de savoir exactement ce que contenait cette chambre avant le départ de Mrs. Fletcher, et cela, Emily ne le savait pas. Elle eut la franchise de se l'avouer : elle n'était assise devant le secrétaire de Mrs. Fletcher que dans le but d'apprendre sur elle, si elle le pouvait, des choses qu'elle ignorait encore et qui l'éclaireraient sur les mystérieux projets de sa mère. Peut-être trouverait-elle des billets ou des lettres ; peut-être encore, et son imagination s'échauffait à de telles idées, trouverait-elle des reçus, des listes d'objets vendus ou à vendre. Mais le meuble ne lui livrait rien, et elle songea avec amertume qu'il méritait bien son nom de secrétaire.

Les autres tiroirs étaient vides ou ne contenaient que des lettres fort anciennes et de peu d'intérêt. La jeune fille croisa les bras et regarda devant elle. Sur le haut du secrétaire étaient posés un bougeoir de cuivre dont la bougie était encore intacte, et une petite Bible à reliure de cuir souple qu'Emily connaissait bien pour l'avoir souvent vue entre les mains de sa mère. Elle la prit machinalement et l'ouvrit à la page de garde où elle lut cette inscription : « Kate, voici ce que j'ai de plus précieux au monde, et je te le donne. Grace Ferguson, Athens, Georgia, oct. 12, 1866. » L'écriture était appliquée, avec une recherche d'élégance qui se trahissait surtout dans un paraphe maladroit. Emily examina ces quelques mots de très près, en baissant la tête sur la page ; un sourire vint plisser ses joues. « Dire qu'elle a pu être jeune ! », murmura-t-elle. Elle ferma la Bible et, appuyant sur la tranche, fit rapidement glisser les pages sous son pouce ; un carré de papier s'échappa du livre et tomba aux pieds de la jeune fille qui le ramassa aussitôt et se mit à le lire avec avidité. Tout de suite, elle reconnut l'écriture de Mrs. Fletcher, mais les lettres étaient minuscules et tassées les unes sur les autres, et elle eut de grandes difficultés à les déchiffrer. Lorsqu'elle fut venue à bout de cette tâche, elle réfléchit une minute, puis elle feuilleta de nouveau la Bible avec plus de soin et trouva deux autres papiers du même genre : c'étaient les listes de Mrs. Fletcher.

Emily n'hésita pas longtemps sur le sens qu'il fallait leur donner et sur l'intention que sa mère avait eue en les dressant. Elle comprit d'autant mieux de quoi il s'agissait, que certains objets de plus de valeur que les autres étaient soulignés ou marqués d'une croix dans la marge. Cette découverte la bouleversa et, pendant un moment, elle demeura à sa place, lisant et relisant les papiers qu'elle tenait dans ses mains tremblantes, mais incapable de réfléchir à ce qu'elle avait à faire. La colère et l'indignation lui conseillaient de garder les listes et de les montrer à Mrs. Fletcher en lui demandant ce qu'elles voulaient dire, afin de jouir du trouble où cette question ne manquerait pas de la jeter, mais elle abandonna très vite un projet qui ne servirait, en somme, qu'à provoquer une scène et d'où elle ne tirerait aucun avantage. Enfin, comme elle n'arrivait pas à se résoudre sur la conduite qu'elle devait suivre, elle se résigna à faire hâtivement une copie des listes et à remettre les originaux là où elle les avait trouvés, jugeant qu'il fallait agir avec prudence.

Mrs. Fletcher arriva un peu plus tard que sa fille ne l'avait prévu. Emily se tenait sur le porche lorsque la voiture apparut en vue de la maison. Il avait plu en cours de route et la capote de cuir noir était relevée et couverte de grandes gerbes de boue.

— Aide-moi ! cria Mrs. Fletcher à la jeune fille lorsque la voiture se fut arrêtée.

Elle descendit avec mille précautions, se cramponnant à la banquette d'un air peureux et cherchant la marche du bout du pied, pendant que Frank la tenait par un bras et qu'Emily lui offrait la main. Enfin, elle atteignit le sol et le frappa des deux pieds, comme pour marquer son plaisir de le sentir sous elle. Stevens lui tendit la valise qu'elle reçut dans ses bras, puis il fit faire demi-tour à son cheval fumant et s'éloigna au grand trot après avoir salué.

Elles allèrent directement à la salle à manger. Mrs. Fletcher posa la valise sur la table et en défit aussitôt la boucle. Elle paraissait heureuse de son voyage et se mit à parler avec une animation qu'elle n'avait presque jamais ; on sentait que le grand air et les petits événements de la journée avaient stimulé son énergie et la disposaient à la bonne humeur. Son visage était tout rose et elle n'avait pas encore enlevé son chapeau, tant elle avait hâte d'examiner ses achats.

La valise, pleine à craquer, s'ouvrit presque d'elle-même. Successivement, Mrs. Fletcher en tira un grand châle de laine grise, un long manteau d'étoffe sombre, puis une robe de drap noir qu'elle déplia avec ostentation.

« Eh bien, dit-elle à sa fille d'un air de triomphe, est-ce que je n'avais pas raison ? Tout cela n'est-il pas en bon état ?

Emily, qui se tenait debout près de la table, regardait les vêtements sans partager l'enthousiasme de sa mère.

— Il faudrait les voir au grand jour, dit-elle brièvement.

Mrs. Fletcher ne fit pas attention à ces paroles et endossa le manteau dont elle fit connaître le prix.

— Ce n'est rien, remarqua-t-elle, c'est donné. A Washington, je l'aurais payé deux fois plus cher.

— Mais c'est un manteau d'homme ! s'écria Emily en

voyant de grandes poches et une martingale boutonnée. Il tombe tout droit comme une capote de soldat.

Mrs. Fletcher devint rouge.

— Hein ? Qu'est-ce que cela fait ? demanda-t-elle. C'est très bien pour l'hiver.

Puis elle se troubla et dit tout à coup :

« Non, ce n'est pas un manteau d'homme.

— Mais si, reprit Emily d'une voix plus douce, en s'approchant de sa mère.» Et elle toucha un des grands revers qui terminaient les manches. « Voyez, dit-elle, jamais une femme n'a porté des manches comme celles-ci.

Soudain, elle se baissa et fronça les sourcils en examinant la manche.

« Oh ! maman, fit-elle d'un air égayé, approchez-vous un peu de la lumière. Regardez.

Elle montra du doigt un endroit où l'étoffe paraissait plus claire.

« On dirait qu'on a arraché un galon.

— Où ça ? s'écria Mrs. Fletcher qui devenait furieuse.

— Mais là, maman, on voit encore les points. C'est un vieux manteau de l'armée confédérée qu'on vous a vendu ! Elle rit.

— Ce n'est pas vrai ! », dit Mrs. Fletcher en retirant brusquement son bras. Elle enleva le manteau avec humeur et le plia sur le dos d'un fauteuil.

Le dîner fut silencieux. De temps en temps, Emily jetait un coup d'œil vers les vêtements que sa mère avait posés dans un coin de la pièce et gardait un silence plein de mépris. Mrs. Fletcher se sentait humiliée et tâchait de ne pas rencontrer le regard de sa fille ; elles se dirent bonsoir un peu plus tôt que de coutume.

Lorsque Emily fut dans sa chambre, elle tourna la clef dans la serrure et alluma la bougie. Aussitôt, elle se mit à parler à mi-voix, accompagnant ce monologue de petits gestes de la tête et de la main, comme si elle se fût adressée à une personne qu'elle voulait convaincre. Cette légère agitation faisait affluer le sang à ses pommettes et lui donnait un air singulier qui contrastait avec le visage immobile et fermé qu'elle avait eu tout à l'heure en présence de Mrs. Fletcher. Quelquefois, un accès de toux l'interrompait au milieu d'une phrase et amenait sur ses traits une expression de souffrance ; elle s'asseyait alors sur son lit et se courbait en deux jusqu'à ce que la crise fût passée.

Au bout d'un quart d'heure, elle entendit le pas mesuré de sa mère qui montait l'escalier, et elle souffla sa bougie. Les pas se dirigeaient vers sa chambre et s'arrêtèrent à sa porte. Quelques secondes s'écoulèrent.

— Tu as éteint ? demanda la voix de Mrs. Fletcher.

— Oui.

Les pas s'éloignèrent après un moment pendant lequel Emily devina que sa mère regardait par le trou de la serrure. Lorsqu'elle n'entendit plus rien, la jeune fille ferma sans bruit les volets de la fenêtre, tira les rideaux qu'elle épingla par précaution, et ralluma sa bougie. Puis elle s'assit à la table et, sortant les copies qu'elle avait faites le même après-midi, elle les examina longuement, le regard tendu, elle les tournait et les retournait entre ses doigts. Enfin, elle les étala devant elle et joignit les mains dans une attitude méditative. La lumière portait en plein sur son visage ; parfois, un tremblement de la flamme faisait mouvoir des ombres sur ses traits dont il accentuait le relief disgracieux, le nez long et cassé, descendant sur une bouche aux lèvres minces, et ces joues hâves où des rides se creusaient déjà. Ses cheveux mêlés retombaient sur son front et ajoutaient à son aspect étrange et vieillot.

Elle demeura longtemps immobile, les yeux fixés sur ses papiers, quand un nouvel accès de toux la tira de ses pensées et elle se leva pour se déshabiller. Tout à coup, elle parut frappée d'une idée subite ; elle se rassit aussitôt et, prenant une feuille de papier dans le tiroir de la table, elle se mit à écrire les mots suivants : *Comment je tiendrai ma maison.* Elle s'arrêta, barra ce qu'elle avait écrit et recommença avec plus d'hésitation : *Comment je vivrai à Mont-Cinère.* Mais ces mots lui déplurent comme les premiers et, froissant le papier, elle prit une autre feuille et réfléchit un long moment. Enfin elle écrivit lentement en haut de la page :

A MLLE EMILY FLETCHER, MONT-CINÈRE,
FAUQUIER COUNTY, VIRGINIA

Elle considéra cette adresse et au-dessous, d'une main qui s'attardait de plus en plus, elle mit une date : le 25 janvier 1888 ; presque aussitôt, elle biffa ce dernier nombre qu'elle remplaça par 1892. Avec plus d'assurance, elle écrivit alors : *Ma chère Emily,* et d'un seul jet la lettre suivante :

Ma chère Emily, oui vraiment, vous avez sujet d'être heureuse. Une si belle maison, si noblement située ! Songez qu'il est bien difficile de ne pas vous envier, vous, maîtresse de Mont-Cinère. Le matin, dès votre réveil, votre regard se pose sur des meubles que vous aimez et qui vous appartiennent. Ne vous dites-vous pas : « Ces tableaux sont à moi, cette commode, ces deux fauteuils, tout ce qui est dans cette chambre, et non seulement ce qui est dans cette chambre, mais dans toute la maison, et cette maison même, et le parc qui l'entoure... »?
Comparez, je vous prie, votre sort et le mien. Vous connaissez ma vie, vous savez que je suis entièrement dans la dépendance de mon père. Y a-t-il rien chez nous dont je puisse dire : « Ceci est à moi, cette boîte, ce livre, ce crayon, cette épingle... »? Et qui donc empêchera mon père, s'il le veut, de me prendre jusqu'à la bouffette que je porte dans mes cheveux ? Je n'ai rien, rien, rien. S'il lui plaît de vendre nos

meubles, de les briser à coups de hache, de mettre le feu à la maison, qui donc oserait lui dire qu'il n'en a pas le droit ? Il est seul propriétaire de tous ces biens, il peut en disposer selon sa fantaisie.

Et maintenant, je vous imagine, heureuse fille ! assise devant un grand feu de bûches dans la salle à manger. Dehors, il pleut ou il neige. Vous vous reposez dans ce grand fauteuil à capitons qui fait mes délices, lorsque je viens vous voir ; vous lisez, ou si vous ne lisez pas, vous laissez aller votre esprit à des projets d'avenir, peut-être à d'agréables retours vers un triste passé qui ne reviendra jamais. Ah ! puissiez-vous dans ces moments de calme bonheur vous souvenir parfois de votre amie.

Elle gribouilla un nom quelconque, retourna la feuille et au verso, écrivit une réponse à cette lettre imaginaire :

Ma chère Grace, soyez certaine que je me rends compte des faveurs que le Ciel m'a faites. Je suis heureuse, oui, très heureuse. Je suis libre, libre, libre. Mont-Cinère est à moi et vous avez raison : c'est une joie sans égale que de se promener de pièce en pièce et de pouvoir se dire : « Ici, encore, je suis chez moi, toute cette énorme maison est à moi seule et personne ne peut le contester. » Vous savez que, du temps de ma mère, je n'aurais pas pu en dire de même ; j'étais un peu dans votre cas, et cependant ce que vous m'écrivez ne me semble pas juste. Sans doute, la maison que vous habitez appartient à votre père, mais n'est-elle pas à vous aussi ? S'il mettait le feu à sa propriété, que feriez-vous, s'il vous plaît ? Où iriez-vous vivre ? N'est-il pas responsable de votre bonheur ? ou s'il ne voulait pas l'être, il ne devait pas avoir d'enfant. Il me semble que cela est trop clair pour que vous en doutiez et c'est, du reste, la pensée qui m'a moi-même soutenue pendant de longues années de lutte. Non, non, ma chère Grace, il n'est rien dans votre maison dont vous ne puissiez dire : « Ceci est à nous, en attendant le jour où je serai la seule maîtresse de ces lieux, comme Emily Fletcher à Mont-Cinère ; alors tout sera à moi. » Soyez forte, courageuse, ne *vous laissez pas dépouiller, défendez votre bien, vous en jouirez doublement plus tard.*

Elle signa. Cette lettre lui causa une satisfaction très vive et elle devint rouge de plaisir en écrivant les mots qui la terminaient ; elle relut les deux pages et, pliant la feuille en quatre, la glissa dans sa Bible. Quelques minutes plus tard, elle était couchée, mais elle fut longtemps sans pouvoir s'apaiser et entendit sonner onze heures avant de s'endormir.

XVIII

A quelques jours de là, la température baissa rapidement et une petite neige fine se mit à tomber. Contre les fenêtres de Mont-Cinère les branches alourdies des sapins étaient immobiles. Plus un son n'arrivait de la campagne silencieuse.

— Voilà l'hiver, prononça Mrs. Fletcher d'une voix attristée.

Elle était debout sur le porche, vêtue de la capote qu'elle avait achetée à la vente et s'appuyait légèrement sur un grand balai de bruyères.

— Est-ce que nous n'allons pas avoir de feu dans la salle à manger ? », demanda Emily qui se tenait dans l'embrasure de la porte. Mrs. Fletcher se retrouva vers sa fille.

— Si tu as froid, il faut coudre dans la chambre de ta grand-mère », répondit-elle, et elle commença de balayer la neige dont le vent avait recouvert le porche pendant la nuit. Emily toussa.

— Et toi, maman ?, reprit-elle après un instant.

Mrs. Fletcher balayait d'un air appliqué ; le froid avivait son teint et elle soufflait un peu.

— Oh ! moi », fit-elle. Et elle parut chercher quelque chose à répondre, mais elle se contenta de hausser les épaules. Elle finit de nettoyer le porche et secoua son balai pour en faire tomber la neige.

« Rentre donc, dit-elle à sa fille qui la regardait faire. Tu vas encore être malade comme la semaine dernière, si tu restes ici.

Emily monta à la chambre de Mrs. Elliot. Elle trouva sa grand-mère assise dans son lit, la tête renversée sur une pile d'oreillers. De longues mèches couvraient ses joues et retombaient dans son cou dont on voyait les formes puissantes. Dès qu'Emily eut poussé la porte, la vieille femme se mit à lui parler d'un ton plus animé que d'ordinaire.

— Je n'ai pas dormi de la nuit, dit-elle aussitôt. Qui donc marchait ainsi dans la maison ? Le bruit venait du côté de la chambre de ta mère. Es-tu sûre qu'elle ne s'est pas levée ?

— Je n'ai rien entendu », dit Emily brièvement ; et elle alla s'asseoir près du feu, un livre à la main. Elle n'avait pas envie de poursuivre cette conversation avec sa grand-mère.

Depuis la nuit qu'elle avait passée dans cette même chambre, elle se sentait plus malheureuse et plus tourmentée que de coutume. Sans cesse revenait à son esprit l'idée que sa grand-mère allait mourir. Mais loin d'exciter en elle un mouvement d'affection vers la personne qu'elle croyait en danger, cette crainte produisait un effet tout contraire, et, malgré tous ses efforts pour lutter contre un sentiment dont elle avait honte, Emily ne pouvait se défendre d'une sorte de dégoût de tout ce qui touchait sa grand-mère. Par un scrupule de conscience toutefois, elle se contraignait maintenant à passer le plus clair de sa journée dans cette chambre qu'elle trouvait sinistre et où elle ressentait plus vivement qu'ailleurs l'effroi et la répulsion de la mort.

Cependant, Mrs. Elliot continua :

— Ce n'est pas la première fois que j'entends ta mère se promener dans la maison. Souvent elle vient par ici, et bien après onze heures. Qu'elle ne s'avise pas d'entrer chez moi ; Dieu seul peut savoir quelles pensées elle mène dans son cerveau de folle. Mais je saurai bien me défendre.

Ces dernières paroles furent prononcées d'une voix si singulière et si sauvage, qu'Emily se retourna, en proie à une inquiétude soudaine. Elle regarda sa grand-mère et lui dit avec sévérité :

— Vous vous faites de ma mère toutes sortes d'idées fausses. Jamais elle n'a songé à vous faire de mal.

— Ah ! mon enfant, dit Mrs. Elliot, avec des pleurs dans la voix, sois patiente, sois bonne pour moi. Je suis seule, à la merci de ma fille qui ne m'aime pas. Je la connais mieux que toi, Emily, ajouta-t-elle en voyant la jeune fille faire un geste d'ennui, je l'ai élevée. Elle est malicieuse et rancunière, elle garde sept ans une pierre dans sa poche pour en frapper son ennemi. Es-tu certaine de ne pas avoir entendu de bruit d'aucune sorte cette nuit ? Mais me le dirais-tu, seulement, et n'es-tu pas aussi contre moi ?

— Personne n'est contre vous, grand-mère.

— Tu n'as pas entendu quelqu'un descendre l'escalier ?

— Je n'ai rien entendu.

— Moi, j'ai entendu qu'on s'arrêtait devant ma porte, reprit Mrs. Elliot d'une voix qui tremblait légèrement. » Elle attacha son regard sur sa petite-fille. « Ce n'était ni ta mère ni Joséphine ?

— Mais pourquoi se promèneraient-elles la nuit ? », demanda Emily en fermant son livre avec humeur. Elle prit le tisonnier et remua la braise sous les bûches. « Elles ne sont pas somnambules.

— Ah ! bon, c'était donc toi, dit Mrs. Elliot, du ton d'une personne qui veut se rassurer.

— Pas du tout.

— Mais il faut bien que ce soit l'une de vous trois, s'écria la vieille femme en levant les bras. Ou alors, j'aurais peur...

— Ah ! de quoi ? », fit Emily qui vint brusquement au pied du lit ; son visage était pâle et ses yeux s'agrandissaient. Mrs. Elliot joignit les mains et dit à voix basse :

— J'aurais peur que ce fût une âme que la mort n'eût pas

libérée. Cette maison est vieille, elle a passé par les mains de beaucoup de gens.

La jeune fille regarda autour d'elle comme si un vertige la prenait et se laissa tomber sur le lit :

— C'était peut-être ma mère, après tout, dit-elle d'une voix altérée.

— Il faut le lui demander, reprit vivement Mrs. Elliot. Tu me rapporteras sa réponse. Observe bien ses traits quand tu la questionneras ; elle est incapable de dire un mensonge sans se trahir aussitôt. Je croirai toujours qu'elle me veut du mal. Oh ! tu ne l'as pas entendue comme moi, le jour où elle est venue ranimer le feu dans cette chambre ; elle marmonnait ; tu aurais eu peur, ma petite-fille. Je te le dis pour ton bien, surveille-la. Du reste, tu sais...

Elle s'arrêta pour se frapper le front du doigt, puis elle poursuivit d'une voix plus basse et sur le ton d'une vive excitation :

« Mon enfant, prends garde à la ruse d'une folle. Dans ces esprits en désordre, la dernière faculté atteinte est celle de dissimuler, d'arriver aux fins les plus difficiles et les plus terribles à force de patience et d'obstination, sous les dehors d'une attitude placide, d'un visage innocent. Écoute-moi, dit-elle en voyant que sa petite-fille détournait la tête. Songe qu'elle ne sera en repos que lorsque nous aurons toutes les deux quitté Mont-Cinère, qu'elle en sera la maîtresse et qu'elle pourra en vendre le contenu, pièce par pièce, pour ne pas toucher à son capital. Est-ce que ce n'est pas là l'idée d'une folle ? Sais-tu que ton père lui a légué de quoi vivre vingt ans à son aise ? Cette somme est à la banque de Wilmington, mais plutôt que d'en faire usage, elle vendrait son lit et coucherait sur le sol. Or, ses dépenses personnelles, elle les a réduites à presque rien ; il n'y a donc que toi et moi qui lui soyons à charge, et sans nous...

— Mon Dieu, grand-mère, s'écria Emily que ce raisonnement frappait comme si elle n'avait jamais songé à toutes ces choses. Comment savez-vous cela ?

— Elle est ma fille, dit la vieille femme en insistant sur ces mots. Oh ! je la connais bien, reprit-elle passionnément. Est-ce que je ne l'ai pas élevée, et n'ai-je pas vu ses instincts se développer en elle ? Écoute-moi. Pendant la guerre, à l'époque où nous avons perdu toute notre fortune, il a fallu vivre comme l'on pouvait. Tout le monde était dans le même cas. Nous retournions nos vieux vêtements et comme tout le métal était réquisitionné par le gouvernement, nous nous en passions ; sais-tu que l'on faisait des agrafes avec des épines ?

— Vraiment ? dit Emily que ces détails amusaient.

— Certes ; et des boutons avec des noyaux de fruits. Ah ! tu aurais dû voir ta mère ! Elle n'avait pas tout à fait ton âge ; comme elle était fière de faire durer ses chaussures et son linge plus longtemps que les autres ! Le jour de la prise d'Atlanta par les troupes de Sherman, alors que tout le monde déplorait que la guerre finît si tristement pour nous, elle est venue à moi avec cet air joyeux et timide que tu dois lui voir quelquefois, et elle m'a dit... devine.

— Je ne sais pas.

— Elle m'a dit en me montrant sa robe trop courte et tout usée : « Vois donc, maman, cette robe m'aura duré toute la guerre ! »

Elle se tut un instant et hocha la tête, les yeux fixés sur Emily.

« Plus tard, poursuivit-elle, mon fils, ton oncle Harry, a regagné un peu de notre argent, bien peu, mais enfin nous avons pu vivre plus largement que pendant la guerre. Parfois même, j'arrivais à faire cadeau de quelques dollars à Kate, pour qu'elle s'achetât de petites choses, des affiquets. Le croirais-tu ? Elle ne savait pas comment dépenser cet argent.

— Mais qu'en faisait-elle donc ?

Mrs. Elliot ouvrit la main et la referma lentement.

— Elle le gardait, dit-elle, comme maintenant. Elle le cachait dans ses tiroirs, et elle sortait, habillée comme une pauvresse ; on eût dit qu'elle n'avait pas d'amour-propre. Je l'ai vue pleurer, un jour, parce qu'elle était obligée de se défaire d'une jupe qu'elle avait portée pendant plusieurs années et dont l'étoffe était amincie par endroits au point de laisser voir le jupon. C'était l'année de son mariage, et je l'avais forcée à s'acheter une robe neuve. Elle pleura, mon enfant.

Elle s'arrêta pour reprendre haleine et considéra la jeune fille qui paraissait absorbée par ses réflexions ; puis elle reprit :

« Eh bien, cela n'a fait qu'empirer depuis la mort de son mari. Elle a perdu la tête en se voyant maîtresse d'une grande maison où elle était libre d'agir à sa guise. Maintenant, elle n'a qu'une idée, qui est de se débarrasser de nous. Et qu'est-ce qui l'en empêcherait ? Elle me déteste ; elle souhaite, elle demande ma mort dans ses prières, j'en suis sûre. Quant à toi...

— Grand-mère ! s'écria Emily en faisant un geste comme pour la faire taire.

— E... elle te déteste, dit la vieille femme que l'émotion faisait bégayer, elle veut t'éloigner de la maison. Tu verras, elle te mettra dehors si tu ne l'en empêches pas.

Emily se leva tout d'un coup et alla s'asseoir dans son fauteuil. Alors, Mrs. Elliot se redressa dans son lit et se mit à dire d'une voix rauque et hachée :

« Si, si, je te dis que tu le verras. Elle veut ta mort à toi aussi !

Ces mots firent sursauter la jeune fille ; elle quitta son fauteuil et revint auprès du lit.

— Ce n'est pas vrai ! cria-t-elle, le visage blême. Elle n'oserait pas, elle n'oserait pas.

Et, poussée par quelque chose d'irrésistible, elle continua :
« Vous la craignez parce que vous êtes malade, mais moi je
suis jeune et bien portante, je n'ai pas peur de ma mère. Je
ferai ce que je voudrai ici, je serai maîtresse de Mont-Cinère
plus tard, vous verrez.

Elle tremblait un peu en disant ces paroles. Mrs. Elliot la
regarda sans répondre, avec un air craintif qui émut sa petite-
fille.

« Vous n'avez rien à craindre, grand-mère, dit-elle sur un
ton radouci.

Mrs. Elliot inclina la tête et prononça d'une voix hésitante :

— Tant qu'elle sera la maîtresse ici, je craindrai pour ma
vie.

Emily haussa les épaules et, approchant une chaise, elle
s'assit au chevet de la malade.

— Grand-mère, fit-elle, ne suis-je pas là pour vous
défendre ?

Il y eut un moment de silence. Les yeux de Mrs. Elliot
devenaient humides. Elle dit enfin, en refoulant des larmes :

— Emily, j'ai peur de mourir.

— Peur de mourir ! s'écria Emily, n'êtes-vous pas chrétienne ?

— Ah ! tu ne comprends pas, gémit Mrs. Elliot en agitant
les mains, et son visage prit une expression de désespoir. Tu
ne sais pas ce que c'est que... que le prix de la vie, la joie
de... de vivre.

Emily demeura silencieuse ; elle regardait sa grand-mère
avec un mélange de gêne et de compassion, et ne trouva pas
en elle le courage de lui parler.

« Non, tu ne sais pas, continua la vieille femme. Tu n'es
pas de celles qui aiment cette vie. Et dire que cette femme
veut abréger encore le temps qui me reste sur terre.

— C'est un péché de parler ainsi, dit Emily vivement.

Mrs. Elliot ne répondit pas tout de suite ; un sourire effleura ses traits.

— Un péché, répéta-t-elle d'une voix morne. Qu'est-ce que cela veut dire ? Elle veut me tuer ; comment appelles-tu cela ?

Emily feignit de ne pas voir la main que lui tendait sa grand-mère. Elle se leva et remit sa chaise en place, résolue à ne pas répondre.

« Ah ! cela ne te fait rien, marmonna Mrs. Elliot en se laissant retomber sur ses oreillers, il ne s'agit pas de toi, n'est-ce pas ? ou du moins, tu le crois. Et cependant, si chaque nuit tu te réveillais dans la crainte de ne pas voir le jour, comme moi ! Tu n'as pas d'âme, mon enfant, tu es comme elle.

Emily s'assit près du feu sans dire un mot. Elle plaça une autre bûche sur les chenets et ranima les flammes avec le soufflet ; puis elle ouvrit son livre, mais elle était attentive à ce que disait sa grand-mère. Enfin, elle l'entendit qui soupirait à plusieurs reprises, comme si elle désespérait de toucher le cœur de sa petite-fille.

La neige tombait sans relâche, éclairant la chambre d'un reflet blafard. Seul, le crépitement du bois rompait un silence profond. Emily voulut reprendre sa lecture, mais une phrase qu'elle lut au hasard lui parut ridicule, tant la pensée de l'auteur était loin de celles dont elle-même était occupée à présent. Aussi laissa-t-elle son livre, et s'accoudant au bras du fauteuil, elle se mit à regarder le feu.

La voix de sa grand-mère la tira brusquement de la méditation où elle était plongée depuis quelques minutes.

« Es-tu là ? demanda Mrs. Elliot.

Emily se leva et fit quelques pas vers le lit.

— Que voulez-vous ? dit-elle.

— Viens plus près », dit Mrs. Elliot sur un ton de grande douceur, et lorsque Emily eut obéi, elle la regarda dans les yeux : « Tu ne m'embrasses plus depuis quelques jours », lui dit-elle, et elle prit la main de sa petite-fille et la tint entre les siennes.

Avec le sentiment d'un dégoût presque insurmontable, Emily se pencha sur elle et toucha légèrement son front de ses lèvres.

XIX

Un après-midi de novembre, la cuisinière vint annoncer à Mrs. Fletcher que le pasteur de Glencoe désirait lui parler et l'attendait au salon. A Mont-Cinère, les visites étaient fort rares, et celle-là était inattendue. Mrs. Fletcher ne put se défendre d'une certaine inquiétude. Que voulait cet homme ? Elle finit par demander à sa fille d'aller le voir.

Moins timide et surtout plus curieuse que Mrs. Fletcher, Emily entra au salon d'un air décidé et alla droit au visiteur qu'elle salua de sa voix brève. Elle vit alors un grand vieillard à l'air hautain. Comme il courbait la tête pour lui rendre son salut, de longues boucles blanches qu'il portait en arrière de ses oreilles tombèrent sur ses épaules et frôlèrent ses joues. Il avait le visage long, le front dégagé, les traits coupants et réguliers, et des yeux d'un bleu très clair qui les faisait paraître durs. Un foulard de soie noire enroulé autour de son col accentuait la pâleur de son teint que le froid avivait aux pommettes. Il était vêtu de gros drap bleu et tenait dans son poing un bâton de frêne.

— Je ne suis pas connu de vous, madame, dit-il aussitôt. Votre nom, que j'ai lu dans les registres de ma paroisse, m'est plus familier que votre visage. Je suis ministre à Glencoe.

— Monsieur, je vois que c'est à ma mère que vous voulez parler, répondit Emily.

137

Ils s'assirent.

— Êtes-vous donc la fille de Mrs. Fletcher? demanda le pasteur sans paraître étonné de son erreur. Je vous avais prise pour elle, mais ma remarque ne perd rien de son sens et s'applique également à vous. Vous vous retranchez de notre communion.

— C'est involontairement, monsieur, répliqua la jeune fille sur un ton plus froid. Nous vivons assez loin de votre église pour qu'on nous excuse de ne pas y paraître souvent.

Le pasteur lui lança un regard plein de sévérité et lui demanda sans la quitter des yeux :

— Lisez-vous la Bible?

— Assidûment, tous les jours.

Elle croisa les bras sous son châle et le regarda en face ; ce visage rude, ces manières abruptes ne lui déplaisaient point et, dès qu'elle s'en rendit compte, sa colère tomba. Elle eut le sentiment confus qu'elle avait devant elle la seule personne au monde à qui elle aurait pu, à présent, demander conseil. Jamais elle n'avait entendu parler comme parlait cet homme.

— Croyez-vous que je sois venu ici pour discuter avec vous? Je connais toutes les réponses que vous pouvez me faire.

Il se carra dans son fauteuil et dit tout à coup :

« J'ai besoin d'argent pour mon église. M'en donnerez-vous?

— Personnellement, je n'ai rien, fit Emily. Je vis aux dépens de ma mère. Elle seule pourra donc vous répondre.

— Quel âge avez-vous? demanda-t-il.

— J'aurai seize ans au mois de juin.

Il leva les sourcils et murmura quelque chose qu'elle n'entendit pas bien ; et comme elle quittait son fauteuil pour aller chercher sa mère :

— Attendez, lui dit-il, répondez-moi. Avez-vous beaucoup de travail? A quoi employez-vous vos journées?

Emily s'arrêta.

— Je couds, répondit-elle, je lis. Je m'occupe aussi de ma grand-mère qui est malade.

— Est-ce tout ?

— Oui.

Il tira sa montre.

— Soyez assez bonne pour appeler votre mère. Mon temps est limité.

Emily alla rejoindre sa mère dans sa chambre. Mrs. Fletcher était assise près de la fenêtre et paraissait réfléchir.

— Eh bien, maman, s'écria la jeune fille. Il vous attend.

Mrs. Fletcher lui jeta un regard implorant.

— Dis-lui que je ne peux pas venir, mon enfant. Je n'ai pas envie de le voir.

— Il est résolu à ne pas partir sans vous avoir vue, dit Emily d'un ton ferme. Il fallait lui dire que vous n'y étiez pas.

— Tu ne m'aideras donc pas, gémit Mrs. Fletcher. Mais je suis bien naïve de m'adresser à toi pour me tirer d'affaire.

Elle se leva et, prenant un peigne sur la cheminée, remit un peu d'ordre dans ses cheveux qu'elle portait avec négligence.

« Je vais donc être obligée de descendre, soupira-t-elle en se peignant, et que vais-je lui dire ? Ai-je l'habitude des gens d'Église ? Que t'a-t-il dit, à toi ?

— Oh ! ce que disent tous les pasteurs, maman, répondit Emily, que nous n'allions jamais à l'église.

Elle jouissait de l'embarras de sa mère et la regardait d'un air narquois.

— Cela ne le regarde pas, dit Mrs. Fletcher. Ma vie spirituelle ne regarde personne.

Elle posa le peigne avec humeur et se dirigea vers la porte. Tout à coup, elle s'arrêta et répéta avec véhémence :

« Ah ! je n'ai pas envie de le voir. Qu'il s'en aille. C'est décidé, ajouta-t-elle en se tournant vers sa fille, je ne le verrai pas.

La crainte d'affronter une personne qu'elle ne connaissait pas lui donna un semblant de fermeté lorsqu'elle prononça ces paroles, mais elle se rendit compte aussitôt de la futilité de ce qu'elle venait de dire, car si le courage lui manquait pour parler à l'ecclésiastique, elle n'aurait pas osé le faire renvoyer de sa maison sans le voir. Elle descendit en protestant, suivie de sa fille que cette visite amusait et qui n'aurait eu garde d'en manquer la fin.

En entrant au salon, elles virent le pasteur assis à la table ronde ; il était en train d'écrire au crayon un billet qu'il serra dans sa poche. D'un mouvement énergique, il se dressa en pied et inclina la tête sans prononcer une parole ; son regard aigu s'attacha sur Mrs. Fletcher avec une expression à la fois pleine de hauteur et de curiosité. Elle s'arrêta à quelques pas de lui, une main appuyée au dos d'un fauteuil, comme si une faiblesse subite l'eût obligée à se soutenir. Emily qui venait de refermer la porte croisa les bras sous son châle et regarda en silence les acteurs de cette scène muette.

« Monsieur, dit enfin Mrs. Fletcher, voulez-vous vous asseoir ?

Il resta debout.

— Je suis bien, madame, je vous remercie, mais il me reste fort peu de temps. Vous savez qui je suis. Je m'appelle Sedgwick et je suis pasteur à Glencoe. Vous êtes de ma paroisse, nominalement tout au moins, n'est-ce pas ?

— Oui, monsieur, dit Mrs. Fletcher.

Elle s'était assise et, les mains jointes sur ses genoux, regardait l'ecclésiastique ; depuis longtemps, elle ne s'était sentie aussi mal à son aise.

— Vous ne me connaissez pas, sans doute ?, demanda Sedgwick.

Mrs. Fletcher secoua la tête.

— Je connaissais le révérend White, qui était avant vous, dit-elle d'une voix faible.

— Vous ne venez jamais à l'église ?

— Non.

— Puis-je croire que vous êtes, cependant, un membre

MONT-CINÈRE

vivant de l'Église méthodiste dont j'ai la charge au village de Glencoe ?

Mrs. Fletcher poussa un soupir.

— Monsieur, dit-elle, j'essaierai d'y aller plus souvent.

— Bien. Aujourd'hui, je viens donc vous voir un peu comme Esdras visitait ses frères d'Israël. Notre église a de lourdes charges que vous devez nous aider à supporter. Le terrain sur lequel l'édifice est bâti n'est pas encore dégrevé ; nous devons à la ville. D'autre part, l'entretien du chauffage nécessite des frais considérables. Vous m'entendez, madame ?

— Oui, monsieur.

— N'oubliez pas que nous avons nos pauvres, nos missions ; joignez-y plusieurs sociétés de propagande à encourager. Vous savez cela, madame ?

— Oui, monsieur.

— J'en conclus que vous ne refuserez pas de m'aider.

Il sortit de sa poche une petite carte qu'il tendit à Mrs. Fletcher.

« Trois indications à donner : votre nom, l'adresse de votre banque, et la somme que vous désirez faire remettre à l'église. Cette carte étant remplie, je la mets dans une enveloppe, sans en prendre connaissance, pour la transmettre à une personne de confiance ; celle-ci ouvre l'enveloppe, fait parvenir la carte à la banque. A la fin du mois, on m'envoie la somme indiquée sans faire mention du donateur. Tout le monde est au secret et, de toutes les personnes mêlées à cette affaire, je suis la plus ignorante. Comprenez-vous ? La guerre a trop éprouvé les familles du Sud pour qu'on puisse mettre des limites à la discrétion.

Mrs. Fletcher s'était levée dès les premiers mots de ce petit discours et, redressant la tête, elle regarda Sedgwick avec des yeux où la surprise avait fait place à l'inquiétude.

— Monsieur, dit-elle lorsqu'il eut fini, je ne touche pas à mon compte en banque.

Elle jeta un coup d'œil plein de méfiance sur la carte que le vieillard lui tendait, mais ne la prit pas. L'ecclésiastique demeura un instant interdit.

— Allons, madame, s'écria-t-il tout d'un coup d'une voix bourrue, ne trahissez pas l'humanité !

Mrs. Fletcher s'appuya contre son fauteuil et dit en rougissant un peu :

— Monsieur, je regrette.

Le sang monta au visage de Sedgwick et il mordit ses lèvres ; cependant, il ne renonça pas.

— Prenez cette carte et vous l'examinerez plus à loisir, dit-il en essayant de la lui mettre dans la main.

Elle fit un geste de refus et s'écarta légèrement.

Alors, il remit la carte dans sa poche et saisit son chapeau et son bâton qu'il avait posés sur la table. On voyait sous les mèches blanches la peau des tempes et du front qui était devenue toute rose. Mrs. Fletcher, qui s'était rassise, se leva de nouveau de l'air d'une personne qui ne sait plus où elle en est. Partagée entre l'effroi de voir quelqu'un s'en prendre à son argent et le regret d'avoir offensé un vieillard dont l'aspect lui en imposait beaucoup, elle ouvrit plusieurs fois la bouche sans pouvoir prononcer une seule parole. Sedgwick se tourna brusquement vers elle :

« Madame, lui dit-il à brûle-pourpoint, souvenez-vous que vous êtes responsable de tous les pauvres que vous auriez pu secourir, et je ne suis ici que pour vous le rappeler et pour vous sauver. Vous n'emporterez pas partout votre argent avec vous.

Mrs. Fletcher ne répondit pas et le suivit jusqu'à la porte du salon. Comme il passait près d'Emily, il s'arrêta et dit à la jeune fille :

« Mademoiselle, vous pouvez m'aider beaucoup en travaillant pour les pauvres.

— En quoi consiste ce travail ? demanda Emily du ton le plus calme.

— Vous m'avez dit que vous cousiez.

— Oui, monsieur, dit Emily.

— Oui, elle coud très bien, dit presque en même temps sa mère.

— Si vous passez à l'ouvroir de Wilmington, on vous remettra de ma part une certaine quantité de toile avec les instructions nécessaires. Consentez-vous à nous donner un peu de votre temps ?

— Oui, monsieur.

— Wilmington, ce n'est pas loin, remarqua Mrs. Fletcher.

— Il faudra y aller chaque semaine, reprit Sedgwick. En travaillant assidûment une heure par jour, vous viendrez à bout de votre tâche sans difficulté. Voici le mot que vous remettrez à la directrice de l'ouvroir.

Elle prit le billet qu'il lui tendait et dit en le serrant dans une poche.

— Je ferai de mon mieux.

— C'est tout ce que je vous demande, répliqua Sedgwick et, après avoir salué gravement, il traversa l'antichambre d'un pas rapide et sortit.

Cette scène, qui n'avait duré que quelques minutes, jeta Mrs. Fletcher dans une sorte de stupéfaction, et elle répéta plusieurs fois, lorsqu'elle se trouva seule avec sa fille :

— Eh bien, je ne m'attendais pas à une visite pareille.

Elle ne semblait pas pouvoir trouver autre chose qui exprimât ce qu'elle ressentait ; toute rouge encore, elle se promena dans le salon, pendant qu'Emily examinait le contenu de son billet ; enfin, elle s'arrêta près de la fenêtre et se mit à regarder l'allée principale que Sedgwick avait prise pour quitter Mont-Cinère. Au bout d'un moment, elle dit tout haut :

« Il n'aurait pas dû me parler comme il l'a fait. »

Emily releva la tête et vit sa mère qui lui tournait le dos. Le ton de Mrs. Fletcher avait quelque chose de contraint qui surprit la jeune fille.

— Qu'y a-t-il, maman ? demanda-t-elle de sa place.

— Je suis chrétienne comme une autre, continua Mrs. Fletcher sans bouger. L'église est trop loin, est-ce ma faute ? Et puis, cet argent. Est-ce que je peux toucher à mon compte en banque ?

— Il fallait dire cela, fit Emily.

Il y eut un silence. Mrs. Fletcher demeurait immobile et regardait toujours par la fenêtre ; enfin, elle répondit d'une voix tremblante et indistincte :

— Non, cela n'aurait servi à rien. Il m'aurait donné des raisons que...

— Quelles raisons ? demanda sa fille.

— Oh ! des raisons que je n'aurais pu comprendre, dit Mrs. Fletcher avec impatience, des raisons de pasteur.

Tout d'un coup, elle se retourna et s'écria comme si des sentiments longtemps réprimés la forçaient enfin à parler :

« Est-ce que je ne suis pas aussi bonne qu'une autre ? Je n'ai pas envie d'emporter mon argent avec moi dans ma tombe. Ce n'est pas pour moi que je le garde.

Des larmes en coulant sur ses joues avaient laissé des traces brillantes.

— Ne vous inquiétez pas de ce que pense cet homme, dit Emily qui ne pouvait souffrir de voir pleurer. Vous ne le reverrez sans doute jamais.

— Cela ne fait rien, reprit Mrs. Fletcher d'une voix où la colère mettait un tremblement. Je ne veux pas qu'on me croie différente des autres. J'ai de bons sentiments comme tout le monde.

De nouveau, elle se promena dans le salon, à petits pas, touchant les meubles d'un geste machinal et répétant cette phrase qui avait paru la frapper :

« J'ai de bons sentiments comme tout le monde. » Et elle

ajouta d'un air de conviction profonde : « Le Ciel m'est
témoin que je n'avais pas un *cent* à lui donner. »

Au bout d'un moment, elle releva ses manches et s'en fut
dans la cuisine.

XX

Dès qu'elle revit sa petite-fille, Mrs. Elliot ne manqua pas de lui demander le détail de cette visite ; Emily ne le lui donna pas de bonne grâce, car elle était soucieuse depuis le départ de Sedgwick, et elle aurait préféré s'asseoir près du feu et réfléchir aux mille projets que son esprit formait et abandonnait infatigablement. Aussi fit-elle ce qu'elle put pour écourter son récit. La vieille femme s'en aperçut.

— Tu vas trop vite, lui dit-elle en agitant les mains. Parle-moi comme tu le faisais autrefois. Il y a trois mois, j'aurais su exactement de quoi ton pasteur avait l'air.

— C'est vrai, répondit la jeune fille dont ces paroles avaient piqué la vanité. Et elle décrivit le révérend Sedgwick d'une manière qui enchanta Mrs. Elliot.

— Voilà un brave homme ! s'écria-t-elle lorsque Emily eut achevé le portrait. Il est certainement loyal et chrétien. C'est le type du pasteur comme j'en ai connu du temps de ma mère. Il paraît dur, sans doute, mais crois-moi, ne le perds pas de vue, il est de bon conseil, il te servira un jour... N'a-t-il pas parlé de revenir ?

— Non, grand-mère.

— Je veux le voir. En 1854, il y avait des Sedgwick à Savannah. C'est peut-être la même famille, mais ils n'étaient pas méthodistes.

Emily poursuivit son récit. Lorsqu'elle rapporta la conver-

146

sation entre Sedgwick et Mrs. Fletcher, Mrs. Elliot battit des mains.

« Une quête ! s'écria-t-elle, en s'esclaffant. Il était venu demander de l'argent ! De l'argent à Kate ! Oh ! je me serais levée si j'avais su, je serais descendue !

La jeune fille sourit. Pourtant elle ne put se défendre d'un mouvement de honte et rougit en voyant la vieille femme qui se tenait les côtes et jetait de grands éclats de rire. Elle se rappela le visage en larmes de sa mère et regretta d'avoir fait son récit de manière à provoquer une gaieté aussi lamentable. Mrs. Elliot s'aperçut du changement soudain dans les traits d'Emily et devint sérieuse à son tour.

« Eh bien, dit-elle avec brusquerie, est-ce que ça n'est pas drôle ? On dirait que tu es mécontente. Est-ce que je n'ai pas le droit de me moquer de cette idiote ? Quant à moi, je suis bien heureuse que tu l'aies enfin vue sous ce jour ridicule. Elle a parlé de son compte en banque, n'est-ce pas ! Ah ! c'est trop bête ! On meurt de faim et de froid à Mont-Cinère pour qu'à la banque de Wilmington le compte de Kate Fletcher ne diminue pas. Mais alors, à quoi sert donc l'argent si...

— Laissez-moi finir, grand-mère, interrompit Emily. Le pasteur est parti quelques minutes plus tard. Je crois qu'en tout il n'est pas resté un quart d'heure. Il semblait pressé. Si vous voulez le voir, je pourrai lui écrire en votre nom et la prochaine fois qu'il viendra par ici, il s'arrêtera à Mont-Cinère.

— Tu voudrais le revoir, Emily ?

— Oui, grand-mère, je le voudrais, dit Emily après une courte hésitation.

Mrs. Elliot regarda sa petite-fille d'un air de curiosité et se mit à sourire ; puis elle croisa les mains sur son ventre.

— Pourquoi ? demanda-t-elle au bout d'un moment de réflexion.

— J'ai plusieurs questions à lui poser, répliqua Emily sur un ton froid.

— Et pourquoi ne me les poses-tu pas, à moi ? insista Mrs. Elliot avec un accent de reproche. Un jour, tu m'as promis de te confier à ta grand-mère, de ne prendre conseil que d'elle. L'as-tu déjà oublié ?

— Je n'ai rien oublié, mais il s'agit de quelque chose de particulier.

— Ah ! va-t'en ! cria Mrs. Elliot tout à coup, avec un geste de dépit. Tu es fermée comme ta mère. A quoi bon attendre de vous un mouvement du cœur ?

Elle se reprit aussitôt et sourit d'un air forcé.

« Écoute. Tant pis. Ne me dis rien, puisque tu ne veux pas. Il faut lui écrire, en effet. Moi aussi, j'ai des raisons de désirer sa visite.

Elle s'arrêta et fit de la main un geste mystérieux comme pour imposer le silence ou recommander le secret.

« Moi aussi, j'ai quelque chose d'intéressant à lui demander. Il faut lui écrire au plus tôt, tout de suite.

— Comme vous voudrez, grand-mère, dit Emily en se levant ; et elle alla s'asseoir au secrétaire. Voulez-vous me dicter la lettre maintenant ?

— Hein ? Oui », répondit Mrs. Elliot. Elle réfléchit un instant pendant lequel Emily ébarba une plume avec des ciseaux, d'un air soucieux et impatient. Enfin, sa grand-mère commença de lui dicter :

« Monsieur, seule une cruelle maladie m'empêche de paraître à l'église où m'appelle ma foi. »

Elle répéta cette phrase à plusieurs reprises, sur un ton pénétré, cherchant ce qu'elle allait dire ensuite. Une grande contention durcissait ses traits ; elle passa la main sur son visage et murmura quelques paroles indistinctes. Tout à coup, elle reprit avec un bégaiement dans la voix :

« Mais peut-être la Providence qui me condamne à un sort très affligeant inspirera-t-elle à mon pasteur de… de venir me porter les consolations évangéliques… »

Elle s'arrêta de nouveau et redit cette dernière phrase d'une voix épaisse.

— C'est bien assez », dit Emily au bout de quelques minutes. Elle avait, pour son compte, ajouté à la lettre un *post-scriptum* ainsi conçu : « Monsieur, je vous écris au nom de Mrs. Elliot. Je suis sa petite-fille et c'est à moi que vous avez remis le billet destiné à la directrice de l'ouvroir. Je me permettrai moi aussi de vous demander un moment d'entretien le jour où vous viendrez à Mont-Cinère. J'ajoute que ma grand-mère est au plus mal et que vous ferez bien de venir le plus tôt qu'il vous sera possible. »

« C'est bien assez, répéta-t-elle en pliant la lettre. J'ai signé pour vous. Voulez-vous que je relise à haute voix ce que vous m'avez dicté ?

Et, sur la réponse affirmative de Mrs. Elliot, Emily récita la lettre qu'elle savait par cœur, en même temps qu'elle la glissait dans une enveloppe.

— N'est-ce pas un peu court ? demanda Mrs. Elliot. Donne-moi cette lettre.

— Impossible, fit Emily, l'enveloppe est cachetée.

Elle se pencha un peu vers le lit et agita l'enveloppe de façon à la montrer à sa grand-mère.

« Je l'enverrai demain, ajouta-t-elle en la serrant dans la poche de son tablier.

Puis, craignant tout à coup que Mrs. Elliot n'exigeât qu'elle lui remît la lettre, elle se leva brusquement et sortit sans écouter les supplications de la vieille femme qui ne voulait pas rester seule.

XXI

Le lendemain, Emily se leva de bonne heure et fit son lit avant le petit déjeuner. Il avait gelé pendant la nuit ; elle se mit un instant à la fenêtre et regarda l'herbe de la pelouse toute blanche sous le givre ; un vent glacial agitait les branches des sapins et s'engouffrait dans la cheminée dont il secouait la trappe.

Elle s'enveloppa de son châle et descendit. Sa mère était déjà dans la salle à manger et plaçait les assiettes sur la table ; elle eut un mouvement de surprise en voyant Emily.

— Pourquoi t'es-tu levée si tôt ? Il n'est pas sept heures.

— Je vais à Wilmington, répondit Emily brièvement.

— Ce matin ? Il fait trop froid.

— Non.

Elle s'assit dans le fauteuil à bascule et frotta l'une contre l'autre ses mains osseuses dont les articulations craquaient.

« Aurons-nous du feu ici, aujourd'hui ?, demanda-t-elle après un long silence.

Mrs. Fletcher cherchait des cuillers dans la desserte ; elle se retourna et prit un air stupide.

— Eh ? Si tu as froid, il faut aller coudre dans la chambre de...

— Je sais, fit Emily avec brusquerie ; elle donna au plancher un coup de talon qui mit son fauteuil en mouvement.

— Nous n'aurons pas de feu ici, dit Mrs. Fletcher, d'un ton offensé. Nous avons des économies à faire.

Elle ajouta :

« L'eau va bouillir dans un moment. Veux-tu lire les prières, s'il te plaît ?

Elles s'agenouillèrent l'une derrière l'autre, Mrs. Fletcher appuyée au bras du fauteuil, Emily toute droite dans son châle qu'elle avait serré à outrance autour de ses épaules. La jeune fille se mit à lire un psaume pendant que sa mère, le visage caché dans ses mains, inclinait la tête de plus en plus et poussait de longs soupirs. Elles se relevèrent comme Joséphine apportait le thé. Mrs. Fletcher mit ses bras sur les épaules d'Emily et effleura sa joue de la sienne.

« Quelle comédie ! pensait Emily. Est-ce là ce qu'elle appelle sa vie spirituelle ? Elle me déteste. »

Pas une parole ne fut échangée jusqu'à la fin du déjeuner ; Emily mit aussitôt son bonnet de drap noir et des gants de laine tricotée.

« Tu t'en vas tout de suite ? demanda sa mère qui endossait son manteau d'homme pour aller sur le porche. Il faudra te couvrir chaudement.

— J'ai mon châle, répondit Emily en nouant les brides de son bonnet.

Mrs. Fletcher réfléchit.

— Ce n'est pas assez, fit-elle d'un ton hésitant. Il faut en mettre un autre par-dessus celui-là.

— Lequel ?

Mrs. Fletcher passa dans l'antichambre et revint avec le châle noir qu'elle avait rapporté de la vente.

— Je te fais cadeau de ce châle, dit-elle, un peu rouge.

Emily eut un rire forcé.

— Je n'en veux pas.

— Comment ? s'écria Mrs. Fletcher qui dépliait le châle et demeura les bras étendus. Pourquoi ?

— Parce qu'il est sale », répondit la jeune fille ; et elle

gagna la porte et traversa l'antichambre avant que Mrs. Fletcher eût pu la retenir.

Mrs. Fletcher courut à la fenêtre au moment où Emily descendait du porche.

— Écoute ! cria-t-elle. Tu seras malade, prends mon manteau.

Elle fit le geste de l'enlever. Emily se retourna et jeta de grands éclats de rire en voyant le visage angoissé de sa mère ; une crise de toux interrompit cette explosion de gaieté.

— Voyez, dit-elle, d'une voix rauque en s'éloignant dans l'allée, lorsque vous m'habillerez comme il faut, je tousserai peut-être moins.

Et elle se mit à courir sur le sol qui résonnait avec un bruit dur.

Le vent s'était abattu et la journée s'annonçait belle. Le chemin que suivait la jeune fille serpentait entre deux hauts talus de terre rouge couronnés de buissons ; des champs hérissés de grosses pierres s'étendaient à droite et à gauche jusqu'au pied des montagnes dont on apercevait au loin les flancs déchirés et les crêtes neigeuses.

Emily marchait vite et se sentait agréablement stimulée par le froid. Il lui semblait de la dernière importance qu'elle vît Sedgwick au plus tôt. Depuis qu'il était venu à Mont-Cinère, elle ne faisait que penser à toutes sortes de questions qu'elle voulait lui poser. C'était à lui qu'elle demanderait conseil. Elle lui expliquerait tout, et bien certainement il la comprendrait ; elle agirait alors selon ses vues. Une immense et soudaine curiosité l'attirait vers cet homme dont elle ignorait à peu près tout et qui ne lui avait parlé que pour la reprendre et lui donner des ordres. Dans son cœur ignorant, un sentiment inconnu qui la troublait et la ravissait à la fois faisait qu'elle aspirait à lui obéir. Elle eût sans doute avoué qu'elle l'aimait, si le pasteur eût été un peu plus jeune, mais l'idée conventionnelle qu'elle se formait de l'amour n'admettait pas l'écart de cinquante ans qui existait entre l'âge de cet

152

homme et le sien. « S'il était mon père ! », pensait-elle. Avec une sorte d'élan plein de vénération, elle répétait son nom, les yeux humides, et souhaitait secrètement qu'il fût à l'ouvroir à l'heure même où elle s'y trouverait.

Elle se sentait heureuse en agitant ces pensées et marchait sans fatigue. Il y avait près de trois quarts d'heure qu'elle avait quitté Mont-Cinère, lorsqu'elle atteignit les premières maisons de Wilmington. Elle descendit la rue principale du village où retentissaient les cris des enfants qui jouaient à la glissade dans les ruisseaux gelés. Des gens allaient et venaient, enveloppés de châles et de foulards, les pieds dans d'énormes chaussons qui faisaient un étrange bruit sourd sur la chaussée pavée de briques. On voyait aux devantures de certaines boutiques des jouets disposés autour de petits sapins ; presque toutes étaient décorées de guirlandes et de couronnes de feuillage, en l'honneur de la fête de Thanksgiving qui tombait cette semaine.

Emily n'avait pas l'habitude de tant d'animation et en demeura frappée. Elle se promena quelques minutes de droite et de gauche, l'attention distraite à tout moment d'un objet à un autre. Les passants qu'elle regardait d'un œil curieux et surpris la saluaient de paroles goguenardes. Des gamins se mirent à la suivre, intrigués par sa mine. Elle s'en aperçut et, toute honteuse, se réfugia dans une épicerie où elle demanda qu'on lui indiquât son chemin.

L'ouvroir était situé non loin du village, en haut d'une petite crête boisée qui dominait la grand-rue. Des arbres cachaient à moitié une longue construction de bois clair, à toit rouge sombre, percée de trois grandes fenêtres que l'on avait ornées de festons de houx. Au-dessus de la porte se lisait une inscription en lettres gothiques, noires et rouges : *Ouvroir de la seconde église méthodiste.*

La jeune fille s'arrêta un instant pour retrouver son souffle, et s'étant assurée qu'elle n'avait pas perdu son billet, elle sonna résolument.

Elle attendit quelque temps. De l'intérieur de la maison venait un bruit confus de rires et de conversations qui troubla un peu Emily ; elle se demanda pourquoi l'on n'ouvrait pas et se préparait à sonner de nouveau, quand la porte s'entrebâilla.

— Qu'est-ce que c'est ? dit une voix. Vous ne pouvez pas entrer. Nous avons une fête à organiser.

Emily aperçut un visage de femme qui la regardait d'un air méfiant.

— C'est de la part du révérend Sedgwick, répondit-elle. Je dois parler à la directrice de l'ouvroir.

— C'est bon, dit la voix ; et la porte s'ouvrit un peu plus grande.

Emily entra aussitôt et se trouva dans une grande pièce vide, aux murs peints en gris clair. Une pancarte accrochée au-dessus de la porte reproduisait une citation du Livre des Proverbes : *Elle se procure de la laine et du lin, et travaille de sa main joyeuse... Sa lampe ne s'éteint pas pendant la nuit... Elle ouvre la main à l'indigent.* Des boîtes de toutes dimensions s'accumulaient dans un coin ; un feu était allumé dans une petite cheminée de brique.

« Je suis la directrice de l'ouvroir, dit la personne qui avait ouvert la porte, je regrette de vous recevoir dans cette pièce, ajouta-t-elle, mais nous voulons faire une surprise aux enfants pauvres de Wilmington et tout le reste de l'ouvroir doit être transformé.

Ces paroles furent prononcées d'une voix bourrue, mais non désagréable. La jeune fille tendit son billet sans répondre.

La directrice était une femme d'une trentaine d'années, forte et d'une taille assez haute. Elle était vêtue de drap noir et portait une collerette et des manchettes de toile blanche. Son visage sévère semblait en accord avec ce costume de puritaine, mais à l'examiner un peu, on discernait vite le réel de l'apparent dans l'expression mécontente de ses traits ;

154

l'habitude de froncer les sourcils avait creusé un pli à la racine du nez et ajoutait à l'air un peu méchant des yeux verts ; un front bas et une bouche lippue lui ôtaient toute prétention à la beauté. On sentait, en la regardant, qu'elle devait souffrir de sa laideur et que sa brusquerie tenait d'une grande timidité plutôt que d'un caractère naturellement maussade. Jolie, elle eût été plus douce. Cette seconde impression corrigeait la première.

« D'où êtes-vous ? demanda-t-elle, lorsqu'elle eut achevé sa lecture.

— De Mont-Cinère, à une heure d'ici.

— Voulez-vous que je vous lise ce billet ?

— Je l'ai lu.

— Vous l'avez lu ! Mais il ne vous était pas adressé.

— Il m'a été remis ouvert par le révérend Sedgwick. J'ai cru bon d'en prendre connaissance afin de savoir à quoi il m'engageait :

Le billet contenait ces mots :

A Mlle Prudence Easting

Mademoiselle, je vous prie de fournir à Mlle Fletcher, qui vous portera ce billet, le travail que vous jugerez bon de lui confier. Elle coud et semble disposer d'une grande quantité de temps. Donnez-lui des besognes assez simples pour commencer et tenez-moi au courant de la manière dont elle s'acquitte de sa tâche.

JOHN SEDGWICK

Prudence Easting replia le billet et le serra dans son corsage.

— Mademoiselle, reprit-elle après un moment de réflexion, je dois me conformer aux ordres du révérend Sedgwick. Pour m'assurer que vous êtes bonne couturière, cependant, il faut moins de temps qu'il ne l'imagine et il est inutile de vous donner des besognes trop simples si vous êtes capable d'en faire de difficiles. Voulez-vous me suivre ?

Elles se rendirent dans une petite pièce voisine et s'assirent l'une en face de l'autre à une longue table sur laquelle des paniers à ouvrage étaient disposés en ordre. Chaque panier était recouvert d'une toile blanche qui portait un numéro brodé en rouge. Miss Easting découvrit un panier et en tira une chemise qu'elle déplia.

« Veuillez me finir cet ourlet, fit-elle en donnant à Emily une aiguille et une bobine de fil.

La jeune fille ôta ses gants et souffla dans ses doigts.

« Vous avez froid ? demanda la directrice. Frottez-vous les mains une minute. En attendant, je vais vous poser quelques questions. Que faites-vous de votre temps à Mont-Cinère ?

— Je couds une partie de la journée. Je lis...

— Que lisez-vous ?

— Cela dépend. Une heure par jour, je lis la Bible. Je lis aussi des romans.

— Seigneur ! Quels romans ?

— Nous en avons de toutes sortes. Disraeli...

— Je ne connais pas cet auteur.

— Dernièrement, j'ai fini *les Derniers Jours de Pompéi*.

— Vous vous perdez, mademoiselle. Avez-vous lu beaucoup de livres de ce genre ?

— Beaucoup de romans ? Mais oui. Il y en a une grande quantité chez nous. Mon père...

— C'est incroyable. N'allez-vous jamais à l'église ?

— L'église est trop loin.

— Trop loin ! Est-ce que le Ciel n'est pas plus loin, et ne souhaitez-vous pas d'y aller ?

Emily devint rouge.

— Mais si, répondit-elle. Je remplis mes devoirs comme je peux.

Brusquement, elle demanda :

« Est-ce le révérend Sedgwick qui prêche à Glencoe ?

— Bien sûr ! s'exclama Prudence Easting. Ne l'avez-vous

jamais entendu prêcher ? Oh ! ceci est trop fort. C'est un saint, mademoiselle, il faut l'entendre.

Le sang lui monta au visage comme elle prononçait ces mots ; elle s'arrêta tout à coup.

« Voyons, reprit-elle d'un ton plus calme, laissez-moi voir comment vous faites un ourlet.

On eût certainement bien surpris la directrice en lui disant qu'elle était éprise du pasteur, mais c'est le fait de l'amour de savoir si bien se cacher que le cœur qu'il occupe ne connaît souvent rien de son existence. Volontiers, Miss Easting disait d'elle-même qu'elle était quelque chose comme la fille du pasteur, et l'on sait qu'Emily était toute prête à voir une sorte de père en cet homme qu'elle n'osait aimer. Telles sont les petites hypocrisies de ce sentiment si fort, et généralement si peu connu.

Emily prit la chemise et se mit à coudre aussitôt. Elle aurait voulu passer la journée entière avec la directrice, tant elle se sentait de plaisir à parler à une femme qui n'était ni sa mère ni sa grand-mère, et qui, de plus, semblait s'intéresser à elle. Prudence Easting la regarda faire, puis elle l'arrêta au bout de quelques points.

« Bien, dit-elle, je vais vous donner quelques vêtements que l'on a taillés et qu'il faut coudre.

Elle se leva et se dirigea vers une grande armoire qu'elle dut débarrasser d'une lourde chaîne de feuillage.

« Je ne pensais pas l'ouvrir avant la fin de la semaine, fit-elle, tout doit être décoré dans cette pièce comme dans les autres. Des festons de laurier et des couronnes de houx, attachés par des rubans de soie rouge. N'aurez-vous pas quelque chose de semblable à Mont-Cinère ? demanda-t-elle en fouillant dans l'armoire.

— Sûrement non.

— Ah ! », fit la directrice qui revint vers la table, les bras chargés de linge. Et elle ajouta en riant : « Au moins, vous mangerez de la dinde ?

— De la dinde ! s'écria la jeune fille ; elle ne put s'empêcher de rire. Oh ! non.

La directrice la regarda comme si elle croyait qu'elle se moquait d'elle. Elle fronça les sourcils et posa les chemises devant elle.

— Voici. Je vous en confie cinq, dit-elle, une pour chaque jour de la semaine, moins dimanche, naturellement, et demain, puisque c'est fête. Je vais vous en faire un paquet auquel je joindrai un livre. Avez-vous lu *le Livre des martyrs*, de Fox ?

Emily secoua la tête.

« Non ! s'exclama la directrice. Je vous le prêterai, mais vous en aurez soin. Il appartient à la bibliothèque de l'école. Et maintenant, dit-elle en souriant, me permettrez-vous de vous demander votre âge ? C'est pour les livres ; on n'en prête pas aux jeunes filles de moins de vingt ans. Mais vous certainement... Enfin, je vous pose la question parce qu'elle est d'usage.

— Moins de vingt ans ! dit Emily. Mais je n'en ai pas seize.

— Comment ? », demanda la directrice en se penchant par-dessus la table ; et elle regarda Emily sans pouvoir dire un mot. Enfin, elle murmura : « Oh ! mademoiselle... mon enfant, je ne vous croyais pas si jeune.

— C'est que je suis laide, dit Emily, je le sais bien.

Prudence Easting fit un geste comme pour se récrier et s'assit. Elle rougit légèrement et dit d'une voix plus douce :

— Ne faites pas attention à des vanités. Dieu nous a créés comme Il lui a plu, et pour notre plus grand bien.

Elle reprit au bout d'un assez long silence :

« Je vais vous faire votre paquet. Vous me le rapporterez la semaine prochaine ; si vous venez l'après-midi, nous aurons plus de temps pour nous parler. Cela vous ferait-il plaisir ?

— Mais oui, mademoiselle », fit Emily en relevant la tête ; et comme elle regardait les grosses joues rondes et les yeux

158

subitement tristes de Prudence Easting, elle eut envie de lui tendre les mains.

Pendant que la directrice enveloppait les chemises dans de la serpillière, Emily remit ses gants et affermit avec soin l'épingle de son châle ; tout à coup, elle demanda :

« Le révérend Sedgwick ne vient jamais ici ?

— Il vient deux fois par mois, le 1er et le 15. Quelquefois, il vient pour les fêtes. Vous désirez lui parler ?

— Oui, mademoiselle.

— Venez donc mercredi au lieu de jeudi. Oh ! vous aurez plaisir à le voir, c'est l'homme le plus simple du monde ; il comprend tout.

Elle ficela le paquet et ajouta :

« Vous avez quelque chose à lui demander, sans doute, quelque conseil...

— Oui.

Elles se turent. Enfin, la directrice se leva et tendit le paquet à la jeune fille.

— Voilà, dit-elle. N'oubliez pas de me rapporter ma ficelle et ma serpillière. Votre livre maintenant.

De nouveau, elle alla au fond de la pièce et se remit à fouiller dans l'armoire. Après un instant, elle revint vers Emily, les yeux baissés sur un livre qu'elle tenait entre les mains.

« Puisque vous êtes trop jeune pour signer une carte, je suis responsable de ce livre, expliqua-t-elle. Souvenez-vous-en.

Elle fit le tour de la table et prit familièrement le bras d'Emily.

« Voyez, dit-elle, comme elles se dirigeaient vers la porte, il suffit de quelques minutes pour que nous devenions de bonnes amies.

En prononçant ces mots, elle regarda Emily en face et se mit à rire d'un air un peu forcé.

159

« Je vois bien que je vous appellerai Emily. Pourquoi ne pas commencer aujourd'hui ?

— Si vous voulez, répondit Emily de sa voix brève qu'elle ne parvenait pas à adoucir.

— Cela vous déplaît ?

— Pas du tout, je vous assure.

Elles étaient devant la porte. La directrice soupira une ou deux fois et baissa la tête. C'était une grosse fille et son corsage paraissait la gêner car elle respirait bruyamment. Enfin, elle se redressa et prit l'expression sévère qu'elle avait au début.

— Au revoir, Emily.

La jeune fille serra la main grasse et ronde qu'elle lui tendait.

— A mercredi, mademoiselle.

XXII

Il était près de midi lorsque Emily aperçut les sapins de Mont-Cinère en haut de la colline ; elle s'arrêta à la boîte aux lettres qui se trouvait à l'entrée du parc et trouva un billet qui lui était adressé. L'écriture en était maladroite et annonçait une personne assez ignorante qui, pourtant, devait s'être appliquée à sa tâche. Elle l'ouvrit ; il contenait ces mots :

Mademoiselle, je suis dans une détresse qui ne peut pas vous trouver indifférente. Ma femme est morte, voici quatre jours, me laissant une petite fille. Sans doute, n'a-t-elle pas eu les soins nécessaires, mais ces soins se paient et nous n'avons pas un cent à la maison. L'hiver est dur ; il n'y a rien à vendre, par conséquent rien à manger. Mrs. Fletcher, que j'ai vue le jour de la vente, avait promis de nous aider dans la mesure du possible (ce sont là ses paroles). L'a-t-elle oublié, et ne pourriez-vous lui parler de nous ? Si vous entendez dire que l'on a besoin d'un jardinier ou d'un cultivateur, songez à moi qui suis sans travail et qui m'en remets aujourd'hui à votre bon cœur.

FRANK W. STEVENS

Emily glissa ce mot entre les pages de son livre et reprit son chemin.

Elle trouva sa mère en train de coudre avec ces gestes lents

161

et soigneux qu'elle avait toujours. Il faisait un froid cruel dans la salle à manger, bien que la porte de la cuisine fût ouverte, et Mrs. Fletcher avait gardé son manteau à grands revers. Lorsqu'elle vit Emily, elle leva sur elle un regard calme et ne dit rien.

— Il fait bien plus froid ici que dehors, vous savez, fit la jeune fille en ôtant ses gants et son bonnet, vous devriez prendre un peu d'exercice.

Mrs. Fletcher ne répondit pas et continua de tirer son aiguille avec régularité.

« Tenez, maman, dit tout à coup Emily en lui mettant sur les genoux le billet qu'elle avait reçu. Lisez ce que Frank Stevens m'écrit.

— Frank Stevens ! s'écria Mrs. Fletcher ; elle laissa tomber son ouvrage et déplia le billet. C'est encore à cause de sa serpe, sans doute, gémit-elle. Je n'aime pas ce garçon, il n'a pas le regard honnête.

Elle fronça les sourcils et fit effort pour lire le billet qui tremblait dans ses mains.

« Ah ! je ne peux pas lire cette écriture, dit-elle enfin avec impatience.

Emily prit le billet qu'elle se mit à lire à haute voix, mais Mrs. Fletcher l'écoutait avec une expression d'inquiétude et lui fit recommencer cette lecture, en disant qu'elle allait trop vite et qu'elle ne pouvait comprendre. La jeune fille relut alors le billet en entier, d'une voix lente et distincte, s'arrêtant après chaque phrase pour en observer l'effet sur le visage de sa mère. Les mains croisées sur les genoux, Mrs. Fletcher semblait atterrée ; à la fin, elle se leva et fit quelques pas dans la pièce en gémissant.

« Morte ! répétait-elle. Il n'y a pas une semaine qu'il me parlait de cette malheureuse ; elle vivait alors. Pauvres gens ! pauvres gens !

— Qu'allez-vous faire pour eux ? », demanda Emily qui

replia le billet sans quitter des yeux Mrs. Fletcher. Celle-ci la regarda comme si elle ne comprenait pas.

— Ah! laisse-moi, dit-elle avec accablement. Tout cela est trop triste. Il y a trop de malheurs en ce monde.

Elle fit encore quelques pas et se laissa tomber dans le fauteuil à capitons.

« Quel malheur! dit-elle en secouant la tête.

— Oui, quel malheur, répéta sa fille sèchement. Et qu'allez-vous faire pour eux?

— Eh? Moi? fit Mrs. Fletcher.

— Mais oui, insista Emily en élevant le ton. Je suppose que vous allez leur donner des vêtements, de l'argent.

Mrs. Fletcher se retourna vers sa fille.

— De l'argent! s'exclama-t-elle. Es-tu folle? Ai-je de l'argent? Ai-je l'air d'une personne qui a de l'argent?

Elle plaqua ses mains sur sa poitrine d'un geste dramatique, comme pour attirer l'attention sur ses misérables vêtements de serge usée.

— Assurément, dit Emily, vous avez de l'argent en banque.

— Mon compte en banque? bredouilla Mrs. Fletcher qui devint blême, je n'y touche pas. Qu'as-tu donc à me parler de cela? ajouta-t-elle en se levant. Qui t'a dit que j'avais un compte en banque?

— Mais vous-même! », fit Emily; et elle éclata de rire. « N'avez-vous pas dit au pasteur que vous ne touchiez pas à votre compte en banque?

— C'est vrai, dit Mrs. Fletcher d'un air troublé, j'ai dit cela.

Elle s'assit de nouveau et, appuyant des deux mains sur les bras du fauteuil, elle murmura :

« Il fallait répondre quelque chose.

— Vous avez dit la vérité au pasteur, reprit Emily d'une voix calme. Je sais très bien que vous avez un compte à Wilmington. Pourquoi voudriez-vous le cacher?

163

Ces paroles firent tressaillir Mrs. Fletcher qui détourna la tête et ne répondit pas ; ses doigts s'enfonçaient dans les capitons du fauteuil, comme pour en arracher l'étoffe. Une inquiétude si forte était répandue sur ses traits qu'à toute autre personne que sa fille elle eût sans doute fait pitié.

« Est-ce que je songe à vous voler, maman ? demanda Emily après un instant de silence. Est-ce de cela que vous avez peur ?

— Laisse-moi », dit Mrs. Fletcher avec effort ; elle respirait péniblement et son souffle semblait lui déchirer la gorge. Tout à coup, elle se leva et fit un geste dans la direction de sa fille. « Oui, laisse-moi tranquille ! cria-t-elle. Va chez ta grand-mère.

Elle tremblait visiblement en prononçant ces mots et demeura la bouche entrouverte pour dire autre chose, sans pouvoir articuler un son ; des larmes brillaient dans ses yeux ; elle frappa du pied.

« C'est elle qui t'a dit cela, prononça-t-elle enfin d'une voix qui se brisait. Elle me déteste, et toi aussi. Ah ! mon Dieu !

Brusquement, elle se cacha le visage dans les mains.

Emily regarda sa mère avec mépris ; elle était assise sur le sofa et n'avait pas bougé depuis le commencement de cette scène.

— Vous nous le rendez bien, répondit-elle.

On eût dit qu'elle prenait plaisir à l'angoisse et à la confusion de sa mère ; elle sourit et demanda :

« Pourquoi grand-mère ne me dirait-elle pas où se trouve votre banque ? Est-ce là une preuve qu'elle vous déteste ?

Mrs. Fletcher haussa les épaules sans répondre ; elle s'assit près de la fenêtre et reprit son travail après s'être mouchée, mais ses mains tremblaient, et elle ne trouvait pas son aiguille. Il y eut un silence. Emily considérait sa mère d'un air de triomphe et, croisant les bras sous son châle, elle s'étendit à moitié sur le sofa.

« Vous êtes libre d'agir comme il vous plaira, en ce qui

concerne votre argent », dit-elle. Et elle ajouta plus doucement : « Cela ne regarde que vous. Mais il faut laisser la
maison comme elle était du temps de papa.
Elle espérait que sa mère lui répondrait, mais Mrs. Fletcher paraissait n'avoir pas entendu et demeurait les yeux
baissés sur sa couture qu'elle tournait et retournait dans tous
les sens. Au bout de quelques minutes, Emily prit son paquet
et sortit de la salle à manger.

XXIII

La jeune fille mit tant de zèle à exécuter le travail qu'on lui avait confié qu'elle le termina le samedi qui suivit sa visite à l'ouvroir de Wilmington. Cependant, pour s'acquitter aussi vite de sa tâche, elle dut négliger les menus ouvrages que sa mère ne manquait pas de lui donner chaque semaine.

Mais il semblait que Mrs. Fletcher, d'ordinaire si attentive, ne songeât pas à lui faire d'observations. Depuis la scène qu'elle avait eue avec sa fille, elle était plus distraite et plus soucieuse qu'elle ne l'avait jamais été, ne parlant plus du tout, et ne regardant les gens que du coin de l'œil lorsqu'elle devinait qu'on ne l'observait pas. Enveloppée dans son manteau d'homme, elle restait assise à la fenêtre de la salle à manger et cette femme, si exacte à remplir les petits devoirs qu'elle s'imposait elle-même, laissait quelquefois passer une grande heure, les mains posées sur ses genoux, le dos rond, dans l'attitude d'une personne excédée. A tout moment, des soupirs gonflaient sa poitrine et elle hochait la tête avec une mine lugubre.

Souvent, pour se réchauffer, elle était contrainte de se promener dans la salle à manger, les mains enfoncées dans ses manches. Soit que l'âge la rendît plus délicate ou que la température fût plus inclémente que de coutume, elle souffrait du froid beaucoup plus que les années précédentes, mais elle s'obstinait à ne pas allumer le feu au rez-de-chaussée, et se bornait à laisser ouverte la porte de la cuisine. Pourtant, un après-midi qu'il gelait très fort, elle n'y tint plus. Il ne pouvait être question de coudre dans une pièce sans feu. Elle avait essayé de marcher rapidement d'un bout à l'autre de la salle à manger en soufflant dans ses doigts, mais des douleurs dans les jambes lui avaient fait cesser cet exercice. Après avoir hésité quelque temps, elle décida d'aller s'asseoir devant le fourneau de la cuisine, bien que cette idée lui répugnât, car elle était toujours extrêmement gênée en présence de Joséphine.

La vieille négresse était en train d'éplucher ses légumes et leva les yeux d'un air étonné en voyant entrer sa maîtresse. Mrs. Fletcher sourit timidement et s'assit sur une chaise, quand l'écœurante odeur de l'évier saisit son odorat ; elle s'efforça en vain de dissimuler une grimace et se retira aussitôt.

Elle revint dans la salle à manger. Un instant, elle demeura dans un état d'incertitude fort pénible ; elle calcula qu'un feu lui coûterait près de vingt *cents* et recula devant cette dépense ; d'autre part, la perspective d'une heure ou deux passées dans la chambre de sa mère lui paraissait insupportable. Pourtant, elle souffrait trop ; ses dents claquaient. Elle se prit la tête à deux mains et réfléchit. Elle savait ce qui l'attendait chez Mrs. Elliot : des railleries, peut-être des insultes ; mais tout cela n'était-il pas préférable à une perte d'argent ? Elle fit donc un effort sur elle-même et gravit l'escalier en poussant à mi-voix des exclamations douloureuses.

Arrivée à la porte, elle se demanda si elle frapperait ou si elle entrerait doucement, sans prévenir. Il lui fallut quelque temps pour se décider ; l'émotion la tenait à la gorge et elle fit mentalement une prière pour que sa mère fût endormie lorsqu'elle pénétrerait dans sa chambre. Elle entra.

Mrs. Elliot ne dormait pas. Étendue dans son lit, elle

regardait devant elle et s'amusait à enrouler autour de son doigt une longue mèche qui lui tombait sur l'épaule. Il y avait deux grands mois que Mrs. Fletcher ne l'avait vue et, quoique en ce moment son dessein fût de gagner au plus vite un coin de la chambre où elle pourrait s'asseoir sans être aperçue, elle s'arrêta tout près du lit, malgré elle, et sans pouvoir détacher ses yeux du visage de sa mère. Ce n'était pas que ce visage eût beaucoup changé, c'était autre chose d'indéfinissable et de plus saisissant qu'une altération matérielle. Une expression hagarde passait sur les traits de Mrs. Elliot et, par moments, faisait place à un air absorbé. La bouche était légèrement entrouverte ; les doigts, agités d'un mouvement inlassable, tiraient sans cesse sur les cheveux en désordre.

Au bout d'un instant, la vieille femme tourna la tête vers sa fille et posa sur elle un regard vide. Mrs. Fletcher eut un haut-le-corps et retint sa respiration ; mais Mrs. Elliot ne lui dit rien ; elle semblait ne pas la voir.

Cependant, au bruit qu'avait fait la porte, Emily s'était levée de son fauteuil et contemplait cette petite scène avec un intérêt mêlé de surprise. Lorsqu'elle vit que Mrs. Fletcher ne bougeait pas de l'endroit où elle se tenait, elle ne put s'empêcher de rire doucement, en protégeant sa bouche de la main.

— Eh bien, maman, dit-elle, à mi-voix, n'ayez pas peur ; elle ne vous fera pas de mal.

Mrs. Fletcher parut sortir d'un rêve ; elle se ressaisit et traversant la chambre vint s'asseoir dans le fauteuil que sa fille venait de quitter. Une sorte de stupeur lui faisait ouvrir de grands yeux ; elle murmura : « Ta grand-mère... » et s'arrêta.

Emily croisa les bras sous son châle.

« Qu'est-ce qu'il y a ? demanda-t-elle d'un ton calme.

Mrs. Fletcher leva les mains.

— Je ne l'avais jamais vue si mal.

— Aussi ne venez-vous jamais la voir, répliqua Emily avec un sourire moqueur.

Sa mère s'enfonça dans le fauteuil et présenta les pieds à la flamme ; tout à coup, elle chuchota :

— J'espère que tu ne fais pas brûler le feu comme cela toute la journée. » Et elle retira ses pieds.

— Elle est très malade, et il faut qu'elle ait chaud, dit Emily qui haussa les épaules d'un air d'impatience ; elle s'assit sur une chaise en face de sa mère, et reprit son ouvrage qu'elle avait laissé un instant ; c'était la dernière des cinq chemises.

— Depuis combien de temps est-elle comme cela ? demanda Mrs. Fletcher après un silence.

— Elle va plus mal depuis cinq ou six jours.

Mrs. Fletcher se pencha vers sa fille et lui dit tout bas :

— Tu es sûre qu'elle ne nous entend pas, Emily ?

— Si, répondit Emily, mais elle pense à autre chose ; elle ne fait pas attention à nous.

— Tu ne crois pas qu'elle va mourir ? demanda Mrs. Fletcher d'une voix à peine perceptible.

Emily ne répondit pas ; elle pensait souvent à la mort éventuelle de sa grand-mère, mais, sans qu'elle sût pourquoi, les mots que venait de prononcer Mrs. Fletcher lui paraissaient étranges et abominables, et elle en éprouva une sorte d'effroi. Elle se courba sur son ouvrage et continua de coudre en silence.

Sa mère la regardait furtivement ; plusieurs fois Mrs. Fletcher parut sur le point de dire quelque chose, mais elle se ravisait toujours. Enfin, elle se pencha de nouveau vers sa fille en lui faisant un signe du doigt, pour la prier d'écouter.

« Tu prends soin d'elle, Emily ?

La jeune fille inclina la tête sans dire un mot ; quelques minutes passèrent. Mrs. Fletcher ouvrit son manteau et, se baissant un peu, elle étendit les mains dans la direction du feu. Les sourcils froncés, elle semblait méditer une nouvelle question, quand la voix de Mrs. Elliot la fit tressaillir.

— Emily, appela la vieille femme, es-tu là ?

— Oui, grand-mère.

— Que fais-tu ? Pourquoi ne viens-tu pas t'asseoir près de moi ?

— Je couds ; je me suis placée près de la fenêtre pour mieux y voir.

On entendit Mrs. Elliot qui se tournait et se retournait dans son lit en poussant des soupirs d'impatience. Après un moment, elle dit avec effort :

— Je suis mal. Il fait trop chaud ici.

Mrs. Fletcher qui se pelotonnait dans son fauteuil leva sur sa fille un regard plein de reproches.

— Restez tranquille, grand-mère, répondit Emily sans interrompre sa couture. Essayez de dormir un peu.

— Dormir ? répéta Mrs. Elliot d'une voix indécise, comme si elle ne comprenait pas le sens de ce mot. Quelle heure est-il ? Allons-nous déjeuner bientôt ?

— Il est près de quatre heures, grand-mère.

— Quatre heures ! Il faut donc que j'aie dormi.

— Sans doute, fit la jeune fille sèchement.

Il y eut un long silence pendant lequel Mrs. Fletcher s'efforça en vain d'attirer l'attention d'Emily et de lui faire entendre par signes qu'elle ne devait pas dire qu'elle était avec elle dans la chambre. Mais Emily feignait de ne pas s'apercevoir de ce petit manège ou, si elle relevait les yeux, de ne pas comprendre de quoi il s'agissait ; jamais sa mère ne lui avait paru aussi ridicule et méprisable.

— Emily, dit Mrs. Elliot au bout de quelque temps, je voudrais voir le pasteur qui est venu l'autre jour. J'ai quelque chose d'important à lui dire.

La jeune fille garda le silence.

« Pourquoi ne dis-tu rien ? reprit Mrs. Elliot d'un ton

fiévreux. C'est de toi que je parlerai. Est-ce que cela ne t'intéresse pas ?

Emily parut surprise.

— Vous lui parlerez de moi ? fit-elle.

— Certainement, je lui parlerai de toi et de ton avenir. Je sais que je ne vivrai plus longtemps, Emily. Un jour viendra où tu n'auras personne pour te protéger.

— Ne craignez rien, grand-mère, répondit Emily en continuant sa couture ; je saurai me défendre toute seule si on essaie de me nuire.

Mrs. Elliot soupira profondément à plusieurs reprises ; puis elle demanda :

— Tu es sûre que ta mère ne s'est pas levée la nuit dernière ?

Emily regarda Mrs. Fletcher qui l'interrogeait des yeux.

— Je n'ai rien entendu, répondit-elle.

— Tu serais certainement punie si tu me cachais quelque chose, poursuivit la vieille femme. Elle s'en prendra un jour à toi comme elle s'en prend à moi. Combien de fois te l'aurai-je dit ?

A ces mots, une inquiétude horrible se répandit sur le visage de Mrs. Fletcher. Emily la regarda d'un air ironique et répondit d'une voix plus douce.

— Vous vous trompez, grand-mère. Jamais maman n'a songé à vous faire de mal.

— Tu ne la connaîtras donc jamais ? s'écria Mrs. Elliot avec un accent exaspéré. J'ai dormi tout à l'heure ; sais-tu ce que j'ai rêvé ? Mes rêves ne me trompent pas. J'ai vu ta mère tout près de mon lit, elle se tenait debout et me regardait dormir. Il me semblait que je n'avais qu'à étendre la main pour toucher le long manteau noir dont elle était vêtue. Si tu savais quelle expression elle avait en me regardant ! Quelle joie elle aurait eue à me voir mourir !

Mrs. Fletcher se cacha le visage dans les mains.

« Mes rêves ne me trompent pas, répéta Mrs. Elliot, et je

sais ce que celui-ci veut dire. Le Ciel me l'envoie pour me mettre en garde contre elle. Elle cherche une occasion de se défaire de moi.

Emily se mit à rire de ces paroles comme d'une bonne plaisanterie, mais elle ne quittait pas des yeux sa mère qui se courbait jusqu'à toucher ses genoux de son front.

Le jour baissait rapidement. La jeune fille posa son ouvrage et alluma une des lampes de la cheminée ; puis elle reprit sa chemise et continua de coudre. Mrs. Elliot s'était tue et au bout de quelques minutes elle s'assoupit. Dans le silence, on entendait le bruit rauque de sa respiration oppressée.

En relevant la tête, Mrs. Fletcher rencontra le regard de sa fille qui l'observait ; elle se renversa dans son fauteuil et ferma les yeux ; le sang s'était retiré de ses joues et ses lèvres serrées trahissaient le violent effort qu'elle faisait sur elle-même pour contenir un sentiment douloureux. Il s'écoula quelque temps avant qu'elle pût se lever et traverser la chambre pour gagner la porte ; lorsqu'elle parvint au lit où Mrs. Elliot dormait d'un sommeil agité, entrecoupé de paroles confuses, elle détourna la vue et sortit avec précipitation.

Dans l'escalier, elle crut que ses jambes allaient se dérober sous elle ; ses mains saisirent la rampe et elle descendit pas à pas comme un enfant, la tête inclinée sur sa poitrine, le visage à demi caché par le collet du manteau ; elle fronçait les sourcils de toutes ses forces, comme pour contraindre à couler de ses yeux les larmes qui tremblaient au fond de ses paupières.

Elle se traîna jusqu'à la salle à manger et s'assit dans son fauteuil. Son cœur, travaillé d'une émotion qu'elle n'avait jamais connue, battait à se rompre et résonnait sourdement à ses oreilles ; elle eut une étrange sensation d'étourdissement ; une seule pensée occupait son esprit et dominait son trouble :

« Il faut que tout cela finisse. » Et elle se répétait ces mots à mi-voix.

Cette agitation intérieure dura peu. Elle pleura silencieusement, puis quelques minutes suffirent pour qu'elle se remît de sa surprise et de son effroi, mais elle réfléchit longuement à l'état dans lequel elle venait de trouver sa mère et aux singulières paroles qu'elle lui avait entendu prononcer. « Ce sont les propos d'une folle », pensa-t-elle, et cette explication la réconforta.

L'arrivée de Joséphine, qui entrait pour mettre la table, la tira de ses réflexions. Elle se leva, alluma une lampe et voulut reprendre son ouvrage en attendant l'heure du dîner, mais le froid qu'elle avait oublié un instant l'empêcha de se servir de ses doigts.

Lorsque sa fille descendit, un peu plus tard, elle vit Mrs. Fletcher debout, près de la table, les mains posées sur le globe de la lampe dont la lumière blafarde éclairait son visage soucieux et vieilli.

XXIV

Les quelques jours qui suivirent sa visite à l'ouvroir avaient paru interminables à Emily. Elle passait son temps à la fenêtre dans l'espoir de voir revenir le pasteur de Glencoe. Parfois, lorsque sa grand-mère était endormie, elle s'asseyait au secrétaire et écrivait à l'ecclésiastique des lettres qu'elle déchirait ensuite, à moins qu'elle ne les glissât dans sa Bible. Ou bien, accroupie sur le tapis, devant le feu, elle se livrait à des méditations sans fin sur ce qu'elle allait lui dire et imaginait de longues conversations entre elle et lui. Ce jeu lui semblait plus divertissant que n'importe quelle occupation, à présent qu'elle n'avait plus de chemises à coudre pour Miss Easting. Infatigablement, elle recommençait dans son esprit l'entretien qui devait avoir lieu ; elle en variait le début, supposant tantôt que le révérend Sedgwick serait sombre, tantôt que son humeur serait joyeuse. Elle se demandait s'il y avait des moments où il plaisantait, ou s'il était toujours tel qu'elle l'avait vu lorsqu'il était venu à Mont-Cinère ; et elle inclinait à croire que cette dernière hypothèse était la bonne. « Il faut que je lui parle gravement, pensait-elle ; de toute façon cela lui fera plaisir. »

Le samedi après-midi, désespérant de le voir venir, elle décida de se rendre à l'église le lendemain matin, malgré la longueur du chemin et les difficultés qu'offrait le trajet de Mont-Cinère à Glencoe dans la saison la plus inclémente de l'année. Il faisait un froid intense et la terre durcie et gelée semblait glisser sous les pieds. Mrs. Fletcher, qui faisait chaque jour quelques pas dehors pour le bien de sa santé, ne se risquait plus au jardin sans se munir d'une canne, et on la voyait marchant autour de la maison avec une lenteur prudente, la main appuyée au mur. Mrs. Elliot geignait et réclamait son châle chaque fois qu'on entrouvrait sa fenêtre. Jamais on n'avait souffert d'une température aussi rigoureuse. Le matin, Emily et Mrs. Fletcher mangeaient leur petit déjeuner à la cuisine, et il n'était plus question des mauvaises odeurs qu'on y respirait quelquefois. L'âtre de la salle à manger restait vide et la trappe baissée jusqu'à terre.

Pour éviter une discussion, Emily n'instruisit pas sa mère de son projet et sortit sans bruit dimanche matin, pendant que Mrs. Fletcher s'installait sur une chaise dans la cuisine et se chauffait les mains au fourneau. Elle courut jusqu'à la grille et s'engagea dans le petit chemin encaissé qu'elle avait pris un jour pour aller voir les Stevens. Sous son châle, elle serrait sa Bible qu'elle avait emportée, à défaut d'un livre de prières. Le froid la faisait claquer des dents et elle sentait une morsure à ses oreilles, bien qu'elle eût rabattu son bonnet sur ses joues au moyen d'un ruban de velours noir attaché sous son menton. De temps en temps, elle s'arrêtait pour souffler et tousser, courbée en deux et piétinant sur place avec une expression douloureuse qui lui donnait l'air d'une vieille femme. Lorsqu'elle passa devant Rockly, elle s'adossa un instant à un arbre, comme le jour de sa visite, et regarda la maison. Une des fenêtres était fermée. Un filet de fumée blanche montait tout droit de la cheminée. Elle pensa : « Au moins, ils ont du feu », et continua sa route.

Une heure plus tard, elle atteignit Glencoe et se dirigea immédiatement vers l'église. C'était une construction de bois peinte en rouge sombre, en haut d'une sorte de terre-plein qui dominait les maisons du village. Des femmes entrèrent en même temps qu'elle et la regardèrent en face, sans la saluer.

L'une d'elles, vêtue de noir et portant la tête avec orgueil, fronça le sourcil en la voyant et s'arrêta comme pour mieux surveiller ses mouvements. Elle pouvait avoir cinquante ans ; dans son visage aux chairs lourdes et pâles les yeux noirs semblaient vouloir pénétrer au cœur de ce qu'ils examinaient et la lèvre inférieure avançait légèrement en une moue pleine de dépit. Elle était coiffée d'une toque de fourrure noire ornée d'une plaque de jais à facettes ; un petit rochet de velours couvrait ses épaules puissantes.

Emily passa près d'elle et choisit au fond de l'église une place qui lui permettrait de bien voir le prédicateur et, pensait-elle, de ne pas être remarquée des fidèles. Après avoir prié quelques minutes, elle s'assit, ouvrit son châle et posa sa Bible devant elle. Il faisait bon. Un grand poêle en forme de tour chauffait non loin d'elle avec un murmure à peine perceptible. En s'habituant à l'obscurité, elle distingua la nappe blanche de l'autel et la grande Bible posée sur un lutrin de bois clair. Quelques personnes arrivaient et se courbaient sur les bancs pour lire leurs noms et vérifier leurs places. Le groupe qui l'avait observée à la porte s'était placé tout près de la chaire, mais la dame au rochet de velours ne s'asseyait pas : elle se tenait très droite et regarda lentement autour d'elle jusqu'à ce qu'elle eût aperçu Emily ; un moment elle la considéra, puis elle se pencha vers ses voisines et s'assit en leur chuchotant quelque chose à l'oreille.

Elle s'appelait Eliza Hess. Comme Prudence Easting, elle était du nombre de ces infortunées qui appellent l'amour de toutes leurs forces et dont l'amour semble ne pas vouloir. Elle aussi était éprise de Sedgwick, mais, plus âgée que la directrice et plus instruite d'elle-même, elle ne se trompait pas sur la nature de ses sentiments à l'égard du pasteur et s'avouait tristement son amour dans l'amertume de sa solitude. Cette connaissance de son cœur l'avait aigrie : elle s'en voulait d'être tombée amoureuse du seul homme de la paroisse sur qui elle n'aurait pas dû lever les yeux, car elle n'était pas sans savoir que le caractère ascétique de Sedgwick le confirmait dans le célibat où il avait toujours vécu. Le dépit engendrant la mauvaise humeur, elle avait fini par se résigner, mais ne s'était pas adoucie. Elle haïssait l'ecclésiastique et pourtant se sentait incapable de quitter Glencoe, d'imaginer même qu'elle pût s'éloigner de l'église où elle était certaine de le voir, et ne plus s'asseoir au pied de la chaire où sa passion la tenait enchaînée ; et jalouse, elle montait la garde autour de lui.

En très peu de temps, les bancs se remplirent. Un jeune homme maigre prit place à côté d'Emily. Sous ses paupières mi-closes, on devinait un regard curieux qui se posait sur tout ce qu'il lui était possible de voir sans relever les yeux. Il demeura longtemps immobile, les mains jointes sur ses genoux, examinant avec patience le châle, les bas et les chaussures de la jeune fille, lorsqu'un bruit confus les fit tressaillir tous deux et ils se levèrent vivement avec le reste de l'assemblée.

Ce moment, Emily l'attendait avec une émotion grandissante. Quand elle vit le révérend Sedgwick s'avancer en robe blanche vers le milieu du chœur, elle se haussa sur la pointe des pieds et allongea le cou dans sa direction. Plusieurs personnes remarquèrent cette attitude et le jeune homme maigre lui lança un coup d'œil intrigué, tout en tournant les feuillets de son livre. Elle s'en aperçut et rougit un peu. L'office commença.

Aux cantiques d'Avent chantés avec une ferveur générale succéda la récitation du symbole de Nicée. Emily, qui ne connaissait bien aucune partie de la liturgie, souffrait de son ignorance. Son voisin chantait et récitait d'une voix assurée en affectant de tenir son livre fermé. Derrière elle une femme débitait les phrases rituelles sur un ton aigre et triomphal qui perçait le tympan. Par-dessus toutes ces voix, celle du pasteur s'élevait, dure et ferme, avec un accent de certitude et de volonté qui remuait le cœur de la jeune fille. A tout hasard elle avait ouvert sa Bible au Livre des Psaumes et feignait de réciter en même temps que les fidèles, mais sans proférer un son.

Elle éprouva un soulagement lorsque Sedgwick alla se placer devant le lutrin et commença la lecture d'un chapitre. Les mains appuyées au livre, il lisait sans baisser la tête et de temps en temps relevait les yeux pour fixer un point au fond de l'église. Emily l'observait avec la plus grande attention ; elle lui trouvait un air étrange qui la surprenait et l'empêchait de comprendre les paroles qu'il prononçait. On eût dit que ce regard la fascinait. Elle le guettait et tâchait de le suivre, tournant légèrement la tête, comme pour deviner ce qui pouvait occuper l'esprit du vieillard. A un moment, le pasteur se sentit l'objet d'une curiosité particulière et porta instinctivement les yeux vers la jeune fille qu'il considéra sans interrompre sa phrase. Emily rougit, mais soutint ce regard ; son cœur battait précipitamment ; il lui sembla qu'elle était plongée dans une sorte de rêve et quand enfin Sedgwick se tut à la fin du chapitre, elle sursauta et reçut l'impression douloureuse qu'on la tirait tout d'un coup d'un sommeil profond.

Cependant, l'assemblée s'était levée de nouveau et entonnait un cantique. Miss Hess circulait à présent dans l'église et sans cesser de chanter présentait aux fidèles une large sébile où tombaient des pièces de menue monnaie. Arrivée près d'Emily, elle la regarda dans les yeux et chanta d'une voix plus forte. La jeune fille sentit des gouttes de sueur à la racine de ses cheveux et fit le geste de fouiller dans sa poche ; elle vit le bras de son voisin s'étendre brusquement devant elle pour déposer cinq *cents* dans la sébile, geste qui valut au donateur un grand signe de tête de la dame quêteuse. Cette dernière ne bougea pas et se tint près d'Emily jusqu'à la fin du cantique, les yeux plantés sur elle avec une expression insolente, la poitrine soulevée dans l'effort du chant. Elle s'éloigna enfin, posa la sébile sur une table et regagna sa place en lançant des regards indignés vers la jeune fille inconnue.

Emily n'entendit rien du sermon, bien qu'elle ne quittât pas des yeux le prédicateur. Elle avait conçu tout à coup le projet d'aller lui parler à la fin du service, au moment où il passerait à la sacristie, et cette idée se présentait à elle avec tant de force qu'elle lui interdisait de penser à autre chose. Et, descendant en elle-même, elle se demanda pourquoi elle était venue à cette église, si ce n'était plutôt pour s'entretenir avec le vieillard que pour y faire ses dévotions. Rapidement elle prépara les phrases qu'elle aurait à dire et s'efforça de demeurer calme, mais elle se sentait agitée de sentiments étranges qui la surprenaient et lui ôtaient toute patience. Elle avait hâte que Sedgwick finît son sermon et pourtant cet instant lui paraissait redoutable. Vingt fois elle abandonna son projet et décida de quitter l'église dès qu'elle le pourrait, sans même regarder Sedgwick. Quel besoin avait-elle de lui demander conseil? D'autre part, se pouvait-il qu'elle fût venue de Mont-Cinère à pied pour ne rien accomplir? Était-ce pour prier? Elle priait aussi bien chez elle. Espérait-elle que sa piété s'échaufferait au contact de la piété des autres? Sûrement non. Elle regarda autour d'elle et crut voir que personne n'écoutait, mais que plusieurs fidèles l'examinaient avec un air de curiosité hostile. En particulier, Miss Hess ne se lassait pas de tourner la tête dans sa direction. Elle lui lança une œillade furieuse et reporta aussitôt la vue sur l'ecclésiastique qui parlait sans gestes, les mains le long du corps, avec un visage immobile d'où l'émotion était absente.

Justement, il finissait. Il reprit le livre qu'il avait posé devant lui et descendit de la chaire pour se diriger vers l'autel. L'assemblée se leva de nouveau et entonna un dernier cantique pendant qu'Emily épinglait son châle avec précipitation et cherchait ses gants qu'elle avait laissé tomber à terre. Avec la fin du sermon, son incertitude avait tourné à l'angoisse et elle ne savait plus du tout ce qu'elle allait faire, mais lorsqu'elle vit l'officiant quitter le chœur et refermer derrière lui la porte de la sacristie, elle perdit toute espèce de courage et comme plusieurs personnes se dirigeaient vers la porte de l'église, elle se joignit à elles et sortit.

L'air glacial la frappa au visage ; elle rabattit les ailes de son bonnet sur ses oreilles et noua le ruban sous son menton. Des hommes et des femmes passaient à côté d'elle en la bousculant un peu, car elle se tenait sur le seuil de l'église sans pouvoir se décider à en descendre les marches. Il lui semblait qu'on la regardait beaucoup et qu'on parlait d'elle. Elle rougit et se détourna. Tout à coup elle s'aperçut qu'elle avait oublié sa Bible et rentra aussitôt dans l'église au milieu des fidèles qui en sortaient.

Elle retrouva sa Bible à l'endroit où elle l'avait laissée et s'apprêtait à la glisser sous son châle quand une voix derrière elle lui demanda d'un ton sec :

— Que faites-vous là, mademoiselle ? Ne savez-vous pas que les livres appartiennent à l'église ?

D'un mouvement brusque, Emily tourna la tête et rencontra le regard sévère de la dame quêteuse.

« Faites-moi voir ce que vous emportez, continua celle-ci.

— Non, madame, chuchota Emily en colère, ce livre est à moi.

— Je suis chargée du soin de cette église, reprit la dame quêteuse d'une voix plus forte. Je vous ordonne de me montrer ce que vous emportez.

Soudain elle étendit le bras et arracha le livre des mains d'Emily. Plusieurs personnes, attirées par le bruit de cette scène, se rangèrent autour de Miss Hess et considérèrent la jeune fille avec des yeux méfiants ; quelques-uns échangeaient des paroles à voix basse en secouant la tête d'un air de surprise. Lorsqu'elle put se ressaisir, Emily fit un pas vers Miss Hess.

— Madame, fit-elle d'une voix sourde, je vous préviens

que je me plaindrai. Mon nom est à la première page de ce livre. Je m'appelle Emily Fletcher et j'habite Mont-Cinère. Le révérend Sedgwick connaît ma famille et c'est à lui que je parlerai de vous.

— Taisez-vous, mademoiselle, répliqua Miss Hess à tue-tête. Je trouve dans cette Bible un billet adressé au révérend Sedgwick. Comment ne le lui auriez-vous pas déjà remis si le livre qui le contient eût été à vous ? Ne voyez-vous pas que vous vous perdez ?

Ces mots consternèrent la jeune fille qui recula en s'appuyant à un banc. Elle était devenue toute blême et ouvrait la bouche sans pouvoir répondre. Miss Hess regarda autour d'elle avec une expression de triomphe sur le visage.

« Eh bien, mademoiselle, reprit-elle en mettant la Bible sous son bras, allons demander au révérend Sedgwick de nous éclairer sur ce point.

Et sans écouter les protestations de la jeune fille, elle marcha rapidement vers la porte de la sacristie. Toutes deux entrèrent.

Le pasteur était assis à une table et inscrivait quelque chose dans un livre, la sébile pleine d'argent posée devant lui. En voyant les deux visiteuses et l'agitation peinte sur leurs traits il se leva d'un air étonné et ne parut pas reconnaître Emily.

« Je vous remets ce livre, dit Miss Hess en posant le livre sur la table. Mademoiselle, qui n'est pas de la paroisse, avait cru bon de l'emporter avec elle.

— Ce livre est à moi, murmura la jeune fille d'une voix altérée, mon nom est à la première page.

Sedgwick prit la Bible et l'ouvrit.

— Vous êtes Miss Fletcher ? demanda-t-il lorsqu'il l'eut examinée.

— Certainement, monsieur, vous m'avez vue à Mont-Cinère il y a dix jours et c'est vous qui m'avez chargée d'un travail pour l'ouvroir de Wilmington.

— Miss Hess, conclut Sedgwick, ce livre appartient à mademoiselle.

— En revanche, ceci est pour vous, répliqua Miss Hess qui tendit au pasteur le billet trouvé dans la Bible.

Et elle jeta à Emily un regard moqueur. La jeune fille voulut lui arracher le billet des mains, mais le geste de Miss Hess avait été trop vif et Sedgwick tenait déjà le papier entre ses doigts.

— Que dois-je faire ? demanda-t-il en souriant.

Il regarda les deux femmes sans déplier le billet. Emily se ressaisit aussitôt :

— Il faut le garder et le lire, dit-elle avec fermeté.

— Le lire plus tard, n'est-ce pas ? demanda Sedgwick.

— Pourquoi pas maintenant ? fit Miss Hess qui devenait furieuse. Il y a donc un secret ?

— Miss Hess, répondit Sedgwick sans se départir de son calme, je ne lirai ce billet que lorsqu'il plaira à Miss Fletcher. Du reste, Miss Fletcher est libre de le reprendre si elle le désire, puisqu'elle ne me l'a pas remis de son plein gré.

La douceur avec laquelle ces paroles avaient été prononcées pénétra le cœur de la jeune fille.

— Miss Hess a fort bien fait de vous le remettre, dit-elle, mais je vous prie de le lire lorsque vous serez seul.

Miss Hess rougit fortement et s'écria en se tournant vers Sedgwick :

— Dois-je comprendre que mon pasteur perd la confiance qu'il avait en moi ?

— Il ne s'agit pas de cela, Miss Hess, répondit l'ecclésiastique sévèrement. Votre zèle vous a fait commettre une erreur que mon devoir m'oblige à réparer. C'est tout.

— Personne ne connaît cette jeune fille, reprit Miss Hess avec chaleur, je m'en porte garante et j'exige qu'elle nous fournisse la preuve que ce livre lui appartient.

— Je la connais, cela doit vous suffire, Miss Hess.

La vieille fille leva les bras au ciel d'un air épouvanté et s'exclama :

— Une personne étrangère à la paroisse ! Qu'elle lise ce qu'elle s'est permis d'écrire au pasteur de cette église, si elle l'ose. La vérité est due aux fidèles.

Emily jeta un grand éclat de rire moqueur.

— Vous plaisantez, mademoiselle. Cela ne vous regarde pas.

— Je plaisante ! répéta Miss Hess avec indignation. Croyez-vous que je ne vous aie pas vue tout à l'heure ? Oui, mademoiselle, je suis surveillante, je vous ai observée, j'ai remarqué votre tenue scandaleuse pendant toute la durée de l'office et j'ai le devoir non seulement de vous dénoncer ici, mais de demander au pasteur de cette église qu'il mette à la porte de Glencoe une personne indigne de frayer avec une communauté chrétienne.

— Prenez garde, interrompit Sedgwick, vous allez trop loin. Si vous avez une remarque à faire sur la conduite de Miss Fletcher, faites-la clairement sans mêler l'injure à vos accusations.

Miss Hess couvrit la jeune fille d'un regard de mépris et poursuivit en soufflant un peu :

— Pendant qu'on chantait les cantiques, elle se dressait sur la pointe des pieds et se penchait par-dessus les épaules des personnes placées devant elle.

— Eh bien ? demanda Sedgwick.

— Eh bien, il était trop clair qu'elle ne suivait pas l'office, dit Miss Hess, les yeux brillants.

— Est-ce tout ce que vous avez remarqué, Miss Hess ? Cette inattention ne constitue pas une faute capitale.

— Oh ! fit Miss Hess comme si elle venait de recevoir un coup. Se peut-il que vous ne compreniez pas ce que faisait cette... cette...

— Prenez garde, dit Sedgwick.

— C'est trop fort. Tous mes voisins ont remarqué la même

chose. Elle ne faisait pas attention à l'office, elle n'avait d'yeux que pour vous, pasteur !

L'ecclésiastique tourna la tête vers Miss Hess qu'il regarda en face.

— Vous n'avez pas le droit de parler ainsi, Miss Hess. Je vous ordonne de vous taire.

— J'abandonne mon poste si l'on m'interdit de remplir mon devoir comme je l'entends, répondit-elle en frappant de son poing fermé sur la table.

— Vous ferez ce que votre conscience vous dictera, reprit Sedgwick avec un visage impassible. Si vous me refusez votre aide, je ferai appel à d'autres et j'ose dire que je ne le ferai pas en vain.

A ces mots, Emily fit un mouvement vers l'ecclésiastique. Il prit la Bible et la lui rendit.

« Miss Fletcher, voici votre livre. Je répondrai par écrit à votre lettre ou j'irai à Mont-Cinère.

— Qu'est-ce que Mont-Cinère, s'il vous plaît ? demanda Miss Hess d'un ton agressif.

— Je vous prie de sortir d'ici, répondit Sedgwick sans élever la voix. Votre conduite est inconcevable, Miss Hess.

— Je ne vous laisserai pas seul avec cette personne, cria la vieille fille, ou je raconterai ce qui se passe ici. Je suis puissante à Glencoe, j'ai beaucoup d'influence, je vous ferai bannir de cette paroisse.

Elle se planta devant le pasteur et mit les poings sur les hanches ; on entendit sa respiration courte et bruyante. Sedgwick se mordit les lèvres et détourna la vue un instant.

— Miss Hess, dit-il enfin, tant que j'aurai la confiance des fidèles de cette paroisse, je me considérerai ici comme chez moi. Le jour où il plaira à la Providence de m'en faire partir, je partirai. Aujourd'hui je ferai en sorte que vous m'obéissiez.

Miss Hess lui tourna le dos avec un geste de fureur ; son rochet de velours s'agita autour de ses épaules.

184

— C'est bien, monsieur », fit-elle. Elle aspira violemment et se dirigea vers la porte à pas rapides. Tout à coup, elle s'arrêta et jeta un coup d'œil sur Emily. Elle parut alors frappée d'une idée soudaine et, ouvrant la porte brusquement, elle tenta de s'emparer de la clef, mais sa main trop fébrile n'y réussit pas et la jeune fille eut le temps de se précipiter vers elle et de lui faire lâcher prise. Cette scène avait été si rapide que Sedgwick, qui avait la vue basse et qui n'avait pas observé ce qui venait de se passer, ne comprit pas tout de suite de quoi il était question. Il regarda les deux femmes d'un air de surprise et demeura immobile. Miss Hess parut hésiter un instant, puis sortit.

— Vous voyez ce qu'elle voulait faire !, s'écria Emily en montrant la clef.

— Quoi donc ? demanda Sedgwick.

— Nous enfermer. C'est une mauvaise femme.

— Elle n'est pas mauvaise, elle est folle, Miss Fletcher. Il y en a plusieurs comme elle dans toutes les paroisses d'Amérique.

L'émotion étreignit le cœur d'Emily et la força de s'asseoir à la table où le pasteur écrivait lorsqu'elle pénétra dans la sacristie. Après avoir regardé autour d'elle non sans paraître gênée comme si elle était honteuse de la liberté qu'elle allait prendre, elle dit enfin :

— Monsieur, si vous voulez que je me charge de son emploi, j'espère que vous m'en avertirez.

Sedgwick se tourna vers la jeune fille et la regarda.

— Vous voulez travailler pour moi ?

— Oui.

— Pourquoi ?

Elle haussa les épaules et baissa les yeux.

— Pourquoi ne travaillerais-je pas ? J'en ai le temps.

— Croyez-vous que l'exemple de Miss Hess soit de nature à m'encourager ? demanda-t-il au bout d'un instant.

— Ce n'est pas la même chose, monsieur, dit-elle. Je ne suis pas Miss Hess.

— Bon, fit-il. Je réfléchirai. Avez-vous fini le travail que Miss Easting vous a donné à faire ?

— Oui.

— Vous êtes allée bien vite, Miss Fletcher. Ne bâclez pas l'ouvrage que nous destinons aux pauvres.

— Je n'ai rien bâclé, monsieur. Je crois que Miss Easting sera satisfaite.

Elle se leva et remit ses gants avec les mouvements précis d'une personne qui se sent maîtresse d'elle-même. Le ton plus sévère de Sedgwick lui faisait retrouver le calme que sa douceur lui avait fait perdre. Il lui en coûtait de partir, mais, outre que cela était nécessaire, elle prenait plaisir à se montrer ferme et décidée aux yeux d'un homme dont elle admirait l'esprit autoritaire, et elle se dirigea vers la porte.

« Au revoir, monsieur, dit-elle.

Sedgwick s'inclina sans répondre et lui tourna le dos. Elle sortit.

XXV

Depuis sa visite à l'église de Glencoe, Emily était devenue de plus en plus taciturne, mais son visage respirait le calme et, par moments, une joie secrète qui la rajeunissait. Elle était distraite et répondait brièvement aux questions timides ou irritées de sa mère ; et de même il était fort rare qu'elle ouvrît la bouche en présence de Mrs. Elliot. Toute la journée, elle demeurait assise dans son fauteuil, près du feu et, soit qu'elle lût ou s'occupât de couture, elle gardait un silence que sa grand-mère ne parvenait pas facilement à lui faire rompre. C'était en vain que la vieille femme lui demandait de se confier à elle comme autrefois ; elle avait perdu tout son empire sur cet esprit qui n'avait plus besoin de se délivrer et qui jouissait au contraire de former vingt projets dont personne à Mont-Cinère ne soupçonnait la nature.

Un matin, cependant, elle pénétra dans la chambre de Mrs. Elliot et contre son ordinaire vint s'asseoir au pied de son lit. Elle était hors d'haleine et passait les doigts dans ses cheveux que le vent avait ébouriffés.

— D'où viens-tu donc ? lui demanda sa grand-mère en lui tendant la main.

— J'ai couru un peu au jardin, répondit la jeune fille d'une voix entrecoupée. Il fait très beau.

Mrs. Elliot parut déçue.

— Est-ce là tout ce que tu as à me dire, mon enfant ?

Emily sourit et haussa les épaules.

— Que voulez-vous que j'aie à vous dire, grand-mère ?

— C'est vrai, fit la vieille femme en retirant sa main, tu ne me parles plus, tu n'es plus ma petite-fille. Ah ! autrefois, tu ne me traitais pas ainsi.

Et ses traits s'assombrirent.

— Allons, vous vous plaignez toujours, dit gaiement la jeune fille. N'avez-vous pas de courage ?

— Du courage, mon enfant, répéta Mrs. Elliot d'un air de désespoir, à quoi est-ce que cela sert ?

Emily fit un geste de la tête comme pour indiquer qu'elle ne pouvait pas répondre à une telle question et, se levant tout d'un coup, elle alla s'asseoir dans un fauteuil. Puis elle tira de dessous son châle une lettre qu'elle se mit à lire avec soin. Sans doute avait-elle déjà pris connaissance de son contenu, car le petit cachet de cire noire en était brisé. Voici les termes dans lesquels cette lettre était conçue :

Mademoiselle, il est de mon ministère de vous répondre quelles que soient les difficultés que cette tâche comporte, car vous n'avez pas dû beaucoup réfléchir avant de m'écrire des choses aussi embrouillées, mais c'est moins ce que vous dites que la manière dont vous le dites qui me donne de l'inquiétude et m'oblige à m'occuper de vous aujourd'hui.

Vous comprendrez toutefois que mes conseils auraient plus de force si vous vous étiez donné la peine d'être un peu plus précise. Il est certain que nous nous reverrons et nous pourrons alors librement discuter les projets qui vous occupent et dont vous parlez d'une façon si obscure. Ce jour est-il proche ? Je n'en sais rien. Vous vous alarmez beaucoup plus qu'il n'est raisonnable au sujet de votre grand-mère. Soyez sûre que si son état avait été aussi grave que vous me le dépeignez, votre mère m'en aurait dit un mot. Quoi qu'il en soit, j'irai vous voir dès que cela me sera possible, mais je ne veux plus attendre pour vous aider dans la mesure de mes moyens.

Vous êtes inquiète, vous désirez tour à tour que votre vie prenne fin ou qu'elle vous apporte sans tarder tout ce que vous lui demandez. Parfois la religion vous attire, parfois elle vous répugne. Cela est sans doute bien pénible et cependant vous paraissez croire que ce ne sont là que les moindres d'entre vos maux, car vous me dites un peu plus loin que votre ennui principal vous vient des pensées mauvaises qui naissent en vous et que votre esprit entretient malgré votre désir de les en chasser. Je n'insisterai pas sur ce point que vous aurez à débattre toute seule ; pourtant, que viennent faire en cet endroit les difficultés d'argent de votre mère ? Vous parlez confusément des biens que vous croyez tenir de la Providence et dont une personne que vous ne nommez point semblerait vouloir vous contester la possession. Qu'est-ce que tout cela et comment voulez-vous que je vous donne mon appui, ainsi que vous me le demandez, si vous ne vous décidez pas à me dire clairement de quelle manière je peux vous être utile ?

Vous insistez beaucoup pour me voir et m'entretenir de vos soucis. Cependant une occasion de me parler vous était offerte dimanche et vous n'en avez pas profité. Serait-ce que vous n'osiez pas ? A ce propos, je tiens à vous dire dès maintenant que vous ne réussirez jamais en rien si vous ne pratiquez pas ce courage et cette fermeté qui sont les grandes vertus de notre religion. Ce sont les faiblesses et les hésitations qui perdent le monde, bien plus que la volonté, si pervertie qu'elle puisse être.

Si l'état dans lequel le Ciel vous a fait naître vous paraît triste et déplaisant, réfléchissez s'il est plus légitime d'en sortir que de vous y soumettre et de vous y habituer. Je ne sais ce que vous voulez, mais souvenez-vous qu'un désir de changement est presque toujours suspect, puisqu'il suppose une âme mécontente du sort que la Providence lui assigne.

A présent, méditez bien la question que je vais vous poser.

189

*Votre bonheur dépend peut-être de la façon dont vous la
résoudrez. Avez-vous jamais sérieusement songé au mariage?*

Encore que certaines parties en fussent obscures, cette
lettre plut à la jeune fille qui ne se lassait pas de la relire. Elle
attendait tout autre chose, des conseils d'un ordre pratique,
au lieu de quoi on lui écrivait d'une manière générale qui ne
l'éclairait pas du tout sur la conduite qu'elle aurait à suivre ;
et malgré tout elle se sentait heureuse et pleine d'espoir. Loin
de réprouver sa façon de penser, Sedgwick parlait d'une
autre entrevue. De plus, il trouvait si intéressant ce qu'elle lui
avait confié qu'il lui avait répondu, il le disait lui-même, sans
attendre. C'était là ce qui la frappait le plus ; le reste lui
semblait sans importance parce qu'elle n'y comprenait rien.
La dernière phrase qu'elle avait négligée tout d'abord finit
par retenir son attention et lui parut curieuse ; elle n'en
voyait pas le rapport avec ce qui la précédait, mais quelque
chose l'avertit qu'elle y penserait souvent par la suite. Après
avoir relu la lettre entière plusieurs fois, elle la serra dans sa
Bible et se mit à coudre.

Le mercredi suivant, Emily fit un paquet des chemises
qu'elle avait ourlées et se rendit à l'ouvroir de Wilmington.
Prudence Easting la reçut avec une mine désolée.

— Il ne viendra pas, dit-elle.

En entendant ces mots, Emily éprouva une peine mêlée
d'une sorte de soulagement, car bien qu'elle fût désireuse de
voir le pasteur, elle était si timide qu'elle craignait de ne pas
savoir ce qu'elle devait lui dire. Quelle déception, pourtant !

« Entrez donc, reprit la directrice. C'est jour de congé,
nous pourrons bavarder à notre aise.

Et elle la conduisit dans la petite pièce où elles avaient eu
leur première conversation, la semaine précédente. Les
paniers étaient toujours à leur place, avec leurs numéros
brodés en rouge, mais les guirlandes de feuillage avaient été
enlevées et les murs étaient blancs et nus.

Pendant qu'Emily se débarrassait de son chapeau et de ses gants, Prudence Easting ouvrait le paquet qu'elle avait posé sur la table.

« Bon, dit-elle en dépliant une chemise. Je vois que vous vous y prenez très bien. Voulez-vous en emporter six autres ?

— Naturellement, répondit Emily en s'asseyant à la table, je suis venue pour cela.

— Vous êtes venue un peu pour me parler, j'espère », fit la directrice ; elle rit et ajouta aussitôt : « Aujourd'hui, je suis toute seule.

— Vous vous ennuyez ?

— Non, je travaille, mais j'aime à parler tout en cousant. » Elle s'assit à son tour, en face de la jeune fille, et se mit à coudre. « Savez-vous que j'ai beaucoup pensé à vous ? », dit-elle au bout d'un moment. Emily parut surprise. « Mais avez-vous le temps de m'écouter ?, demanda Prudence Easting.

Emily croisa les bras sur la table et prit un air attentif.

— Je n'ai absolument rien à faire, dit-elle.

— Oui, j'ai pensé à vous, continua la directrice. Je me suis demandé si vous étiez heureuse.

— Heureuse ? Mais oui, assez, fit Emily qui ne s'attendait pas à cette question et ne savait comment y répondre.

— Ah ?

Prudence Easting releva la tête et posa son regard sur Emily ; on eût dit qu'elle était déçue.

« Vous paraissiez soucieuse l'autre jour, fit-elle. Naturellement, je n'ai pas osé vous poser de questions, mais vous savez qu'il est bon de se confier quelquefois. Beaucoup de difficultés s'aplanissent, du fait qu'on s'ouvre à des personnes qui peuvent vous comprendre, comme on dit. On ne gagne jamais rien à se replier sur soi.

Quelques minutes passèrent dans le silence. La directrice cousait, la tête penchée sur son ouvrage ; de temps en temps, des soupirs venaient interrompre le bruit égal de sa respira-

tion. Une timidité subite empêchait Emily de répondre ;
cependant, elle aurait voulu trouver quelque chose d'aimable
à dire à cette femme qu'elle connaissait à peine, mais en qui
elle devinait une tristesse et des inquiétudes qui la rappro-
chaient un peu d'elle-même ; elle regarda sa grosse tête dont
elle voyait les cheveux divisés en bandeaux, ses mains fortes
et rouges, sa poitrine serrée dans un corsage de drap noir, et
sans savoir pourquoi, elle se sentait émue de pitié.

« Vous regrettez de ne pas avoir vu le révérend Sedgwick ?, demanda la directrice.

La réponse vint sans hésitation.

— Oui, je comptais le voir.

— Je l'espérais moi-même, pour vous surtout, Emily. »
Elle releva les yeux. « Car je vous appelle ainsi, n'est-ce pas ?
Ah ! c'est un homme qui a fait beaucoup de bien.

— Vous avez dit que c'était un saint.

— Ai-je dit cela ? fit la directrice dont la main s'arrêta un
instant dans le geste de tirer le fil. Eh bien, oui, c'est vrai. »
Ses pommettes devinrent un peu rouges, et elle ajouta :
« Vous avez dû penser que je parlais de lui avec beaucoup de
chaleur, Emily, mais je lui dois une grande reconnaissance.
Elle se remit à coudre.

« Je vous en prie, ne dites rien de tout ceci, fit-elle après un
instant. Ma vie a été difficile.

Emily ne se tenait plus de curiosité ; elle rougit à son tour
et dit sans regarder sa nouvelle amie :

— Vous avez été malheureuse ?

— Oui, Emily, et des années entières ; mais, comme il me
l'a expliqué, tout concourt à notre plus grand bien, même nos
fautes, en sorte que rien n'est inutile de ce qui nous arrive.
Vous comprendrez plus tard...

— Oui ? Vous êtes plus heureuse maintenant ?

Prudence Easting ne répondit pas tout de suite ; elle
continua de coudre et l'on eût dit qu'elle n'avait pas entendu.

— Je ne suis pas malheureuse, dit-elle enfin.

Toutes deux se turent, absorbées par les pensées qui naissaient en elles. Emily jouait avec ses gants et se sentait subitement mélancolique et découragée.

« Et vous ? », demanda Prudence Easting tout à coup. « A votre âge, il est rare qu'on ait de gros soucis ; et ne m'avez-vous pas dit que vous n'en aviez pas ?

La jeune fille fit un geste, comme pour éviter de répondre plus nettement, mais elle ne put réprimer un élan soudain et dit presque aussitôt, avec une expansion qui ne lui était pas coutumière :

— Si, j'en ai aussi ; je ne suis pas toujours heureuse. Mais ce serait trop long à vous expliquer, ajouta-t-elle en voyant que la directrice la regardait attentivement.

— Pourquoi ne pas me dire tout ? fit Prudence Easting en posant son ouvrage sur la table. Je suis votre amie et votre aînée, vous devez vous confier à moi. J'ai beaucoup d'expérience de la vie, vous savez.

— Moi, je n'en ai pas du tout, s'écria Emily avec un accent de désespoir. Je ne sais jamais ce qu'il faut faire, et tout arrive à l'encontre de mes projets.

Prudence Easting était devenue très grave. Elle mit la main à plat sur la table et dit sans quitter Emily des yeux :

— Écoutez-moi bien. En toutes circonstances, soyez ferme. Ne vous laissez jamais décourager par ce qui paraît contraire à vos vœux.

— C'est cela, murmura Emily ; et elle parut sur le point de dire quelque chose, mais se retint.

Le regard de la directrice la gênait, et elle regretta de s'être laissée aller à dire à une étrangère qu'elle n'était pas heureuse chez elle. Elle se leva.

— Vous partez si tôt ? s'écria Prudence Easting.

— Oui, nous habitons loin, répondit Emily en attachant son châle.

— Tant pis, fit la directrice en souriant. Je comptais sur

une bonne conversation, mais je crois que je vous fais peur, ajouta-t-elle.

Emily devint rouge et secoua la tête.

« Si, si, dit la directrice. Vous êtes plus timide que je ne l'avais cru. Reviendrez-vous mercredi ?

— Bien entendu.

— Alors, voilà les chemises que je vous ai préparées.

Elle lui tendit un paquet et l'accompagna jusqu'à la porte. Comme elle lui serrait les mains pour lui dire au revoir, elle répéta :

« Vous savez, il faudra vous confier à moi, me dire tous vos petits ennuis.

Et comme frappée d'une idée soudaine, elle demanda :

« Me permettez-vous de parler de votre avenir au révérend Sedgwick ?

Emily ne comprit pas. Son avenir ?

— Mais oui, répondit-elle.

— A la bonne heure, fit la directrice.

Et elle lui donna une petite tape sur l'épaule.

XXVI

En arrivant à Mont-Cinère, Emily aperçut Mrs. Fletcher qui se tenait sans manteau sur le porche et regardait dans la direction de la grille. Dès qu'elle vit venir sa fille, elle l'appela et fit un grand geste des bras pour lui dire de se hâter. Emily se mit à courir.

— Qu'est-ce qu'il y a ? », s'écria-t-elle en voyant le visage angoissé de sa mère. Mrs. Fletcher était toute pâle ; des larmes avaient coulé sur ses joues et laissé des traces dans ses rides ; elle étendait les mains devant elle, et tremblait légèrement. Elle bégaya :

— Ta grand-mère... ta grand-mère...

— Eh bien ? », fit Emily en frappant du pied ; l'émoi de Mrs. Fletcher lui faisait peur et l'impatientait à la fois.

Sa mère ne répondit pas et, détournant la vue, comme pour cacher son chagrin, elle rentra dans la maison à pas hésitants. Arrivée à la salle à manger, elle se laissa tomber dans un fauteuil. Emily arracha son bonnet et se planta devant elle.

« Il est arrivé quelque chose à grand-mère ? », demanda la jeune fille ; et elle secoua Mrs. Fletcher par le bras. « Parlez donc, maman.

— Elle est morte, dit Mrs. Fletcher.

— Ah ! », fit Emily ; elle demeura immobile, son bonnet à

195

la main et regarda sa mère d'un air stupide ; enfin, elle alla s'asseoir sur le sofa.

« Elle n'a pas dû souffrir très longtemps, dit-elle au bout d'un moment de silence. C'est une bénédiction.

— Va la voir, mon enfant, dit Mrs. Fletcher en se mouchant. Il faut que tu l'embrasses une dernière fois.

Ces mots firent tressaillir la jeune fille qui se rappela le baiser qu'elle avait donné à sa grand-mère, quelques jours auparavant, et la violence qu'elle avait dû se faire pour poser ses lèvres sur ce front jauni. De tous les sentiments qui l'agitaient maintenant, celui d'un insurmontable dégoût était le plus fort. Il lui semblait horrible de penser qu'une vieille femme morte était étendue dans la pièce au-dessus d'elle.

Elle se leva et alluma la lampe.

« Tu vas monter ? demanda Mrs. Fletcher.

— Pas tout de suite, répondit Emily en plaçant la lampe sur la table.

Mrs. Fletcher s'essuya les yeux avec son mouchoir :

— Tu sais qu'il faut rester un peu avec elle ; cela se fait toujours, mon enfant.

Emily s'assit et croisa les bras sous son châle.

« Eh bien, reprit Mrs. Fletcher. Que vas-tu faire ?

— Laissez-moi donc, maman, dit la jeune fille avec humeur. Il faut que je m'habitue à cette idée que je ne verrai plus grand-mère.

— C'est vrai, observa Mrs. Fletcher. Il est terrible d'apprendre cela tout d'un coup.

— A quelle heure a-t-elle commencé à se sentir mal ?

— Elle m'a appelée un peu avant trois heures. J'étais si émue que je ne savais plus ce que je devais faire. Tu sais, je ne l'avais pas vue depuis le jour où il faisait si froid. Elle criait d'une manière affreuse.

Emily agita la main d'un air d'effroi :

— C'est bien, maman, ne me dites plus rien.

Et elle reprit après quelques minutes :

« Vous vous êtes occupée de l'enterrement ?

— Joséphine est allée à Glencoe. Le pasteur a dit qu'il se chargerait de tout.

Elle regarda sa fille et lui dit d'une voix brusque et émue : « Tu veilleras ta grand-mère, n'est-ce pas, Emily ?

— J'irai passer une minute avec elle, mais c'est tout.

— Tu ne la laisserais pas toute seule, cette nuit. Songe que...

— Veillez-la vous-même, s'écria rudement Emily. N'ayez pas peur ; elle ne vous fera pas de mal.

Elle quitta la salle à manger et se rendit à la cuisine ; presque aussitôt elle revint avec une bougie qu'elle alluma. Mrs. Fletcher la regardait en silence, le visage décomposé par l'émotion.

Sans ajouter une parole, Emily sortit et gagna l'escalier. La honte qu'elle ressentait de la faiblesse de sa mère l'incitait à faire preuve d'un peu de courage ; elle se souvint de ce que Prudence Easting lui avait dit sur la nécessité d'être ferme en toute circonstance, et monta rapidement les premières marches, mais la bougie menaçait de s'éteindre, et elle dut ralentir ses pas. Toutes les réflexions banales et saisissantes que l'on fait sur la mort lui vinrent à l'esprit. Cette femme qu'elle avait vue tous les jours depuis son enfance ne lui parlerait plus. N'était-ce pas impossible à concevoir ? Elle se demanda ce que deviendrait la chambre de Mrs. Elliot et si on la lui donnerait : « Elle est à moi, comme le reste », pensa-t-elle.

Comme elle atteignait le haut de l'escalier, elle éleva la bougie au-dessus de sa tête et regarda. Une inquiétude soudaine la saisit ; elle s'arrêta, crut voir quelque chose qui se tenait devant la porte de la chambre.

— C'est l'ombre, dit-elle tout haut ; et elle fit un grand geste de haut en bas avec sa bougie, pour se rassurer.

Le bras étendu devant elle, les yeux écarquillés, elle avança de quelques pas. Tout d'un coup, elle poussa un cri :

il lui sembla qu'une forme humaine venait de se placer entre elle et la porte, un petit homme voûté qui lui tournait le dos. La terreur la clouait à sa place ; elle pensa à son père et aux pas que Mrs. Elliot ne cessait d'entendre dans l'escalier, pendant la nuit. Une voix rauque l'appela de la salle à manger ; c'était sa mère, et tout d'abord, elle ne put répondre, mais elle se ressaisit vite, car, en regardant bien, elle s'aperçut qu'elle s'était méprise : distinctement, en effet, elle voyait les panneaux de la porte et la clef dans la serrure. Le sang lui monta aux joues. Elle se pencha par-dessus la rampe et cria :

« Ce n'est rien, maman. J'ai cru voir un rat.

Elle entra. Le silence de cette pièce, où elle avait toujours entendu la respiration bruyante de sa grand-mère, lui parut plus étrange et plus sinistre que tout ce qu'elle avait pu imaginer. Alors seulement, elle se sentit en présence de la mort.

Son cœur battait vite ; elle dut s'appuyer contre la porte et resta là un instant, sans bouger, le regard fixé sur les rideaux du lit que sa mère avait tirés et épinglés ensemble. Des tronçons de bûches achevaient de s'éteindre dans la cheminée, les mêmes bûches que la jeune fille y avait placées avant de partir ; et elle s'arrêta à cette pensée comme si elle dût trouver là toute l'explication du mystère de la mort.

Elle se mit à parcourir la chambre sans savoir ce qu'elle faisait. Des pensées innombrables se pressaient en elle, et la tourmentaient. Qu'est-ce que tout cela voulait dire ? Elle avait bien compris que sa grand-mère était morte, et il lui semblait à présent qu'elle ne comprenait plus. Est-ce que tout n'était pas comme auparavant, son fauteuil à sa place, sa Bible posée sur la table ? Elle fit le tour du lit en répétant à mi-voix : « Eh bien, rien n'est changé ici. »

Puis elle s'assit dans son fauteuil, et dit tout haut :

« Si rien n'était arrivé je serais assise comme je le suis maintenant, devant ce feu.

Pour cette raison, il lui parut impossible que sa grand-mère fût morte et, pendant quelques minutes, elle ne put réfléchir à autre chose.

Brusquement, la réalité se présenta à son imagination. Elle se leva et courut au lit dont elle essaya de défaire les rideaux. Elle voulait voir ; ce qu'elle verrait serait affreux, sans doute, mais il fallait dire adieu à sa grand-mère ou, plus tard, elle s'accuserait de sa lâcheté comme d'une faute irréparable. Ne l'avait-elle pas aimée, autrefois ? Elle se rappela l'arrivée de Mrs. Elliot à Mont-Cinère, ses cheveux noirs sous son grand chapeau, sa manière un peu rude de lui parler et de l'appeler : petite sotte. Elle déchira l'étoffe et les rideaux s'entrouvrirent.

Un drap recouvrait la morte et accusait ce que le corps avait de lourd et de disgracieux, le ventre, les épaules massives comme celles d'un homme ; les mains et de longues mèches de cheveux gris dépassaient, trahissant la hâte avec laquelle Mrs. Fletcher avait recouvert le cadavre.

Emily recula ; elle tremblait si fort qu'elle dut poser son bougeoir sur la table, et elle se tint contre une des colonnes du lit. Les paroles de sa mère lui revinrent à la mémoire : « Il faut l'embrasser une dernière fois. » C'était pour cela qu'elle était venue ; elle soulèverait donc ce drap, elle verrait ce visage. Et plus elle y réfléchissait, moins elle s'en croyait capable. Elle eut peur tout à coup, peur comme le jour où elle avait vu son père couché dans ce même lit. L'idée affreuse qu'elle avait eue tout à l'heure vint l'affoler de nouveau : n'était-ce pas son père qu'elle avait vu à la porte, avant d'entrer ? Peut-être était-il entré avec elle, peut-être était-il là ? Alors, elle tomba à genoux et se mit à réciter des prières avec une précipitation fébrile.

La sueur lui coulait des tempes et chatouillait ses joues, mais peu à peu, sous l'influence des paroles qu'elle prononçait, elle se sentit plus calme, et, au bout de cinq minutes, elle se releva.

199

Elle approcha une petite table du lit de Mrs. Elliot et y posa son bougeoir et la grande Bible qu'elle ouvrit à un chapitre des Corinthiens. Dans tous ses gestes, elle s'efforçait de mettre de la lenteur et de la dignité, comme si elle accomplissait les rites d'une religion, mais une envie horrible la prenait, par moments, de se précipiter dehors en criant de toutes ses forces.

Elle domina sa terreur et, se penchant sur le corps, elle appliqua les lèvres à l'endroit du front, sans pouvoir se résoudre à rabaisser le drap. Des larmes d'effroi et de dégoût ruisselaient sur son visage et elle en sentit l'âcre saveur sur sa bouche. Pourquoi fallait-il que tout ce que touchait la mort devînt ignoble aux yeux des vivants ? Elle s'écarta du lit en chancelant ; le sang bruissait dans sa tête.

Elle ouvrit la porte et sortit. Dehors, elle prit son mouchoir de sa poche et s'essuya la bouche plusieurs fois, avec force.

XXVII

Le lendemain, au retour du cimetière, la chambre de Mrs. Elliot fut la scène d'une querelle pénible et la jeune fille put se rendre compte que, malgré son ton doucereux et sa mine éplorée, Mrs. Fletcher n'avait rien perdu de cette violence qui formait le fond de son caractère. A peine avaient-elles mis le pied dans la maison que d'un commun accord les deux femmes se rendirent à la chambre de la défunte. Emily courut à la cheminée et jeta une poignée de fagots dans l'âtre.

— Que fais-tu là ? lui demanda sa mère qui entrait derrière elle.

— Vous le voyez bien, répondit la jeune fille en baissant vivement la trappe ; et elle fit craquer des allumettes qu'elle glissa sous le bois en même temps qu'une feuille de papier.

— Non, non ! », cria Mrs. Fletcher avec un grand geste. Elle traversa rapidement la chambre et voulut écarter sa fille, mais Emily s'était relevée et se tenait devant elle en se frottant les mains d'un air calme.

— Je fais du feu, dit-elle. Qu'y a-t-il donc ?

On entendit le grondement de la flamme sous la trappe.

— Tu brûles mon argent, s'exclama Mrs. Fletcher ; cette chambre ne doit plus être habitée, va-t'en !

Sa main s'abattit sur le bras d'Emily qui se libéra violemment.

201

— Croyez-vous que je vais passer l'hiver dans une maison glaciale ? demanda la jeune fille. Vous voulez donc ma mort aussi ?

Elle avait dit cela sans réfléchir et fut surprise de l'effet de ses paroles. Une pâleur affreuse se répandit sur les traits de sa mère. Un instant elles demeurèrent l'une en face de l'autre. Mrs. Fletcher soufflait un peu sous l'empire d'une forte émotion, elle posa sur sa fille un long regard plein d'étonnement et de colère, et ne dit rien.

« Vous savez bien que je suis délicate ; ne m'entendez-vous pas tousser ? », dit enfin Emily sur un ton qu'elle s'efforçait de radoucir un peu. Elle se retourna et mit deux bûches sur le feu. « Ce n'est pas une si grosse dépense, continua-t-elle tout en les affermissant avec les pincettes, on peut faire durer le bois en le recouvrant de cendres, mais dans toute la maison, il faut bien une chambre où l'on puisse avoir chaud. »

Mrs. Fletcher s'assit dans le fauteuil et baissa la tête ; son voile de crêpe retomba sur son visage. Elle paraissait accablée d'un poids énorme qui la courbait en deux. Furtivement Emily jetait les yeux vers elle. Elle toussa et, croisant les bras sous son châle, reprit d'une voix calme :

« Vous voyez ! Est-ce que je fais exprès de tousser ? Si vous saviez comme cela fait mal ! »

Et elle se frappa la poitrine de son poing fermé et s'assit en face de sa mère qui ne la regardait pas et demeurait plongée dans ses réflexions.

L'immobilité de Mrs. Fletcher commençait à effrayer un peu la jeune fille ; elle n'aimait pas cette attitude qu'elle ne lui avait jamais vue. « Est-ce qu'elle est mal ? », pensait-elle, et elle dit tout haut :

« Approchez donc votre fauteuil ! Le feu chauffe à peine encore ! »

Mrs. Fletcher parut s'éveiller d'un songe ; d'un geste brusque elle écarta son voile et regarda un instant les flammes qui s'élevaient de plus en plus vite.

— C'est trop fort, s'écria-t-elle avec colère, non contente de me braver, tu te moques de moi !

Elle arracha son chapeau dont le crêpe s'enroulait autour de ses épaules et la gênait ; ses cheveux défaits ajoutaient à son air furieux. Emily se leva d'un bond.

« N'as-tu le respect de rien ? continua sa mère en se levant à son tour. Dans cette chambre, dans cette chambre...

Le souffle lui manqua tout d'un coup ; elle demeura la bouche entrouverte et lança un regard de haine à sa fille, qui croisa les bras et se tint devant le feu comme pour le protéger.

« Ici où ta grand-mère est morte, dit Mrs. Fletcher d'une voix étranglée, tu défies ta mère. Démon ! oui, démon ! », cria-t-elle en frappant du pied, et elle répéta ce mot plusieurs fois avec une espèce de férocité ; une petite écume bouillonnait aux coins de ses lèvres.

Soudain, elle passa rapidement devant Emily et se précipita dans le petit cabinet attenant à la chambre.

La jeune fille devint pâle ; l'idée d'un suicide de sa mère traversa son esprit et elle fut sur le point d'appeler, quand Mrs. Fletcher revint, portant à la main quelque chose qu'elle dissimulait sous son bras. D'un pas rapide elle se dirigea vers la cheminée et avant qu'Emily eût pu deviner ce qu'elle voulait faire, elle lança une potée d'eau froide sur les bûches. Un grand bruit couvrit la voix de la jeune fille qui poussa un cri ; des torrents de fumée noire se répandirent dans la pièce et firent reculer les deux femmes.

« Voilà ! s'écria Mrs. Fletcher d'un ton éclatant, voilà !

Elle rejeta la tête en arrière et considéra Emily avec une joie triomphale dans les yeux. Sa main tremblante tenait le pot de porcelaine rose dont elle s'était servie et, dans la fumée qui l'enveloppait encore et se dissipait lentement, elle ressemblait à une divinité hostile.

— Vous êtes folle, cria Emily qui se remettait du premier

moment de surprise. Elle tira violemment son fauteuil en arrière et s'assit au milieu de la chambre.

« Était-ce pour me faire peur ? continua-t-elle sur un ton de mépris, je suis aussi forte que vous, vous savez. Jamais vous ne me contraindrez à vivre comme vous l'entendez.

— Tu es chez moi, tu m'obéiras, répondit Mrs. Fletcher, ou je te mettrai dehors.

Emily éclata de rire.

— Essayez donc ! D'abord, vous n'en avez pas le droit ; ensuite, vous ne le pourriez pas, si on vous le permettait. Vous ne me connaissez donc pas ? J'en ai assez. Aujourd'hui, j'écrirai pour me plaindre de vous. Vous savez que je suis malade, et vous me privez du soin le plus élémentaire qui consiste à chauffer convenablement la maison où je suis forcée de vivre.

— Écrire, écrire, bégaya Mrs. Fletcher, écrire à qui ?

— A qui ? Mais à n'importe qui, maman, fit Emily d'une voix radoucie et pleine de menaces. Croyez-vous qu'il n'y ait pas de lois dans le pays ? Croyez-vous qu'on vous permettra de tuer votre fille sans intervenir, sans vous punir ?

Mrs. Fletcher s'appuya au lit et laissa rouler son pot à eau sur la courtepointe. Une expression d'inquiétude lui fit ouvrir les yeux tout grands.

— Que dis-tu là ? murmura-t-elle. Pourquoi parles-tu toujours de tuer ? Est-ce que je songe…

Et tout d'un coup, elle eut une sorte d'élan et dit avec émotion :

« Mais je suis bonne, je suis chrétienne ! Je n'ai pas fait de mal à ta grand-mère. Je suis une femme comme les autres, je n'ai jamais voulu que tu fusses malade.

— Vous ne voulez pas que je fasse du feu.

— Ah ! ce n'est pas la même chose, mon Dieu, s'écria Mrs. Fletcher en joignant les mains.

— Alors, vous êtes bête ! s'écria Emily, ou vous préférez garder votre argent plutôt que de me voir en bonne santé.

Regardez-moi, je tremble, je grelotte toute la journée, je suis maigre. Croyez-vous que je mange à ma faim ?

— Et moi ? fit Mrs. Fletcher d'un air pitoyable.

— Oh ! vous, répondit sa fille, vous n'avez pas besoin de manger comme moi ; je grandis, moi, je n'ai pas seize ans. Vous, vous êtes vieille. Mais prenez garde, les quelques dollars que vous mettez de côté iront un jour dans la poche du médecin.

— Tais-toi ! dit sa mère, accablée.

— Pourquoi donc ? répliqua Emily. Grand-mère avait raison : vous craignez d'entendre la vérité. Elle l'a dit le jour qu'elle est venue ici. Ah ! si vous l'aviez soignée, elle serait encore avec nous, peut-être dans ce lit où vous êtes assise. Mais non, il fallait faire des économies !

Mrs. Fletcher se leva brusquement ; ces dernières paroles l'avaient atteinte à l'endroit le plus sensible et elle allait parler quand Emily s'écria :

« J'ai raison, je sais que j'ai raison. Si vous aimiez votre argent plus que votre enfant, pourquoi m'avez-vous mise au monde ?

— Tais-toi ! fit de nouveau Mrs. Fletcher toute blême de colère, c'est le démon qui te fait parler. Il n'y a que quelques heures, ma mère rendait l'esprit dans cette chambre et déjà tu souilles cet endroit de tes paroles blasphématoires. Tu oublies le commandement de Dieu...

Emily se mit à rire avec force.

— Elle vous détestait, votre mère. N'avez-vous pas entendu ce qu'elle a dit de vous le jour où vous êtes venue ici vous chauffer ? Son rêve, vous ne vous souvenez pas ? » Elle imita la voix rauque et brisée de Mrs. Elliot : « Tu ne la connaîtras donc jamais... Quelle joie elle aurait à me voir mourir ! »

— Elle n'a pas dit cela ! cria Mrs. Fletcher en frappant du pied.

— Vous le voudriez sans doute, mais elle l'a dit, reprit

Emily sur un ton plus calme. Et savez-vous ce qu'elle craignait par-dessus tout, maman ?

— Hein ? Quoi ? fit Mrs. Fletcher qui chancelait.

— Mais que vous ne l'empoisonniez ; elle me faisait jurer que je vous avais vue goûter aux plats que vous lui envoyiez.

— C'est trop, dit Mrs. Fletcher la gorge sèche, le démon est en toi, mais Dieu te punira de me tourmenter comme tu le fais, moi qui t'ai mise au monde et qui ai souffert pour toi.

— Laissez-moi tranquille, je ne vous demande rien, s'écria Emily en haussant les épaules.

Mrs. Fletcher poussa un cri et, brandissant le poing comme pour attester la vérité de ce qu'elle allait dire, elle s'écria d'une voix forte qui retentit dans la chambre :

— De ma vie, je ne te reparlerai. Tu vivras ici comme une étrangère, et si tu oses me braver encore, je te mettrai à la porte de cette maison.

Emily se leva d'un bond et saisit un tisonnier appuyé au mur :

— Et vous, si vous osez me toucher, je me défendrai ; j'en ai assez d'être tyrannisée par vous. Quel respect vous dois-je ? Est-ce que vous me traitez comme votre fille ? Je suis trop bête à la fin, trop patiente.

Elle s'arrêta pour souffler et fixa sa mère de ses yeux étincelants. Il y eut un moment de silence pendant lequel les deux femmes demeurèrent immobiles. Enfin, Mrs. Fletcher leva les mains au ciel d'un air d'horreur et sortit précipitamment.

XXVIII

Emily ferma la porte à double tour et se mit à éponger les briques de la cheminée ; l'eau avait coulé jusque sur les premières lattes du parquet et dégouttait encore des bûches noircies et luisantes. Elle dut tordre plusieurs fois, par la fenêtre, les linges dont elle se servait ; enfin, lorsqu'elle eut bien essuyé la pierre, elle fit flamber des journaux dans l'âtre et mit ce qui restait de fagots sous les bûches. La trappe baissée, elle se coucha à plat ventre et, pendant quelques minutes, souffla de toutes ses forces sur les brindilles qui s'éteignaient et se ranimaient à tout moment. Brusquement le feu reprit.

Elle se releva heureuse du succès de ses efforts comme s'il en présageait d'autres plus importants.

— C'est un signe, dit-elle à mi-voix, je réussirai.

Et elle frappa dans ses mains pour en faire tomber la poussière.

Sa colère s'était apaisée tout d'un coup, et elle se sentait calme et maîtresse d'elle-même. Elle s'assit près du feu qui s'élevait en grondant contre les parois de la cheminée et réfléchit à la scène qui venait d'avoir lieu. Évidemment, la violence de Mrs. Fletcher ne s'expliquait que par une grande faiblesse de caractère. Quel profit avait-elle tiré de son emportement ? Avait-elle réussi à intimider sa fille ? Bien au contraire, elle l'avait poussée à lui résister et s'était montrée à elle sous un aspect sordide. Pouvait-elle espérer maintenant qu'Emily lui obéirait comme autrefois ? Et la jeune fille se demanda comment elle n'avait pas compris plus tôt qu'il était si facile de tenir tête à cette femme.

« A partir d'aujourd'hui, ma vie va changer, pensa-t-elle, je ferai ce qu'il me plaira, je vivrai à mon aise dans la maison que mon père nous a laissée. Aurait-il permis que l'on passât l'hiver sans allumer de feu, par exemple ? Faut-il vraiment nous priver de tout, manger mal, coucher dans un lit sans draps ? Grand-mère a obtenu ce qu'elle voulait. Comment ? Avec un peu de fermeté. »

Elle se rappela tout ce que Mrs. Elliot lui avait dit à propos de sa fille ; le son de cette voix qu'elle n'entendrait plus résonnait à son oreille. C'était comme si sa grand-mère la conseillait encore par l'esprit. « Quand tu auras de grandes difficultés, tu m'en feras part... Je connais ma fille mieux que tu ne la connaîtras jamais... Il faut t'en remettre à moi pour la conduite à suivre avec elle, autrement elle te dépouillera. »

Ah ! si elle pouvait revenir un instant, le temps qu'il fallait à Emily pour lui raconter la scène avec Mrs. Fletcher. Comme la vieille femme se serait amusée des attitudes de sa fille.

« Vraiment, elle avait un pot d'eau à la main ? Et qu'est-ce qu'elle a dit ? Elle ne sait donc pas à quel point elle est risible ? Elle ne se voit pas ? »

Il semblait à Emily qu'elle entendait alors le rire cassé de sa grand-mère, et qu'elle était derrière elle, dans son lit, comme à l'ordinaire. Que lui aurait-elle conseillé de faire ? Et oubliant que selon toute probabilité elle-même ne lui aurait rien demandé, elle imaginait Mrs. Elliot accoudée sur son oreiller et parlant de sa voix rauque. « Écoute, Emily, ne te trompe pas. N'essaie pas de raisonner avec elle, elle est trop bornée pour comprendre ; du reste, c'est l'instinct qui la fait agir et l'instinct est plus fort que la raison. Elle n'a qu'une idée : vivre sans dépenser d'argent et ne plus toucher à la somme qu'elle a en banque. Ne vois-tu pas qu'elle serait ravie d'être débarrassée de moi ? Elle gronde chaque fois que l'on me porte mon bois et mon déjeuner. Elle me déteste parce que je lui coûte de l'argent. Toi non plus, elle ne t'aime pas, elle n'aime que son argent. Elle veut se défaire de toi aussi. Elle veut que la maison soit vide. Peut-être gardera-t-elle Joséphine pour ne pas mourir de peur ; non, pas toi, Joséphine, parce que Joséphine la craint et lui obéit. Écoute-moi bien, je sais ce qu'il faut faire. Seule la violence peut avoir raison d'elle. Inutile de crier, de l'insulter, il faut la prendre par les épaules, la jeter dehors. »

Combien de fois Emily n'avait-elle entendu sa grand-mère lui tenir ces propos ! Dans les derniers temps de la vie de Mrs. Elliot, elle avait cru que la maladie lui avait ôté la raison et lui faisait voir autour d'elle des dangers imaginaires, en prêtant à Mrs. Fletcher des intentions secrètes et d'horribles desseins. Et cependant, était-il certain qu'elle se fût trompée en tout ? Elle-même, n'avait-elle pas été surprise des regards que sa mère lui avait lancés pendant qu'elle lui parlait tout à l'heure ? Tant de haine dans les yeux, se pouvait-il que cela vînt d'une âme innocente ? Y avait-il une si grande différence entre un sentiment aussi vif et celui qui agite le cœur d'un criminel ? « Elle s'en prendra à toi lorsqu'elle se sera défaite de moi », disait autrefois Mrs. Elliot. Pourquoi pas, en effet ? Et brusquement, il vint à l'esprit de la jeune fille des soupçons de toutes sortes. Comment était morte sa grand-mère ? En deux heures de temps. Sa mère n'avait-elle pas eu un air troublé en lui annonçant cette mort ? Le chagrin n'expliquait pas son attitude ; elle tremblait, elle était incapable de prononcer une parole, elle ne voulait pas monter dans la chambre mortuaire. Se serait-elle conduite d'une manière différente, si elle avait été coupable ? Y avait-il de bonnes raisons pour qu'elle ne le fût pas ?

Emily ne quitta pas cette chambre de toute la journée ; elle n'avait pas faim et l'idée de prendre un repas avec sa mère lui était odieuse. Elle resta dans son fauteuil, lisant, cousant, remuant dans son esprit des pensées sinistres. Pourquoi sa mère n'aurait-elle pas empoisonné Mrs. Elliot? Tous ses intérêts l'y poussaient ; d'autre part, qu'est-ce qui pouvait la retenir? Mont-Cinère était tellement isolé qu'à Glencoe ou à Wilmington on savait à peine que la maison existait et moins encore combien de personnes l'habitaient. De ce côté, l'impunité était certaine. Dans une âme cupide comme celle de sa mère, cette dernière considération devait emporter tous les scrupules de conscience. Ne préférait-elle pas entendre sa fille tousser plutôt que de lui donner quatre bûches pour chauffer sa chambre? Où était la limite entre une action comme celle-là et le meurtre pur et simple?

Toute la journée Emily réfléchit à son avenir, formant et abandonnant des projets sans cesse, poursuivant toutes les chimères de son imagination, et elle en vint à croire, dans l'énervement de sa solitude, que sa vie n'était plus en sûreté à Mont-Cinère. Vers la fin de l'après-midi, elle alluma la lampe et se promena d'un bout à l'autre de la chambre en jetant les yeux autour d'elle d'un air inquiet. Jamais elle ne s'était sentie aussi émue, aussi malheureuse, et cependant quelques heures auparavant elle était tranquille et contente d'elle-même. Avec la nuit, descendait en elle un sentiment étrange qu'elle n'avait pas éprouvé jusque-là. Pourquoi vivait-elle au milieu de tant de difficultés, alors que d'autres menaient des existences en apparence si calmes? Sedgwick, par exemple. Et elle-même se répondait tout haut : « Parce que tu n'es pas comme les autres. »

Pas un bruit dans toute la maison. Elle écouta ; rien. Sans doute les portes étaient-elles fermées en bas, autrement elle entendrait sa mère. Elle était seule. Cette idée l'effraya d'abord, puis lui donna du courage, et elle eut un mouvement d'orgueil. Seule, dans cette chambre d'où elle avait chassé sa mère, de même plus tard elle serait toute seule dans la vie.

Elle ne voulait pas d'amis, elle ne demandait qu'une chose : Mont-Cinère. Était-ce beaucoup exiger ? Elle vivrait là comme il lui plairait, maîtresse de ses biens, maîtresse de sa vie. Cette chambre et les autres seraient à elle ; elle aurait du feu, une table suffisante...

Il lui semblait que les pensées se pressaient dans son cerveau. Elle en était étourdie et dut s'asseoir. Quelle heure était-il ? Avait-on dîné ? Elle se releva pour ouvrir la fenêtre et demeura un instant accoudée à la barre d'appui. Une neige fine tombait doucement sur les branches des sapins avec un son à peine perceptible. L'air froid pénétrait dans la chambre à grands flots, comme une rivière. Elle respira longuement avec délice. Que tout cela était bon, cette fraîcheur sur sa peau, cette neige silencieuse qui semblait bénir la terre ! Une immense tristesse l'envahit. Elle referma la fenêtre et, s'agenouillant au pied du lit, elle se mit à pleurer. Elle avait besoin de parler à quelqu'un, de se remettre à quelqu'un du soin de tout. Elle pria.

XXIX

La semaine suivante, Emily retourna à l'ouvroir avec les chemises qu'elle avait fini d'ourler. Miss Easting l'accueillit sans un mot et, lui prenant la main dans les siennes, elle la regarda longuement.

— Quel malheur! dit-elle enfin, lorsqu'elles se furent installées dans la salle de travail. J'ai su par le révérend Sedgwick; je l'ai vu hier.

Elle secoua lugubrement la tête.

— Vous lui avez parlé de moi?, demanda Emily.

Un sourire éclaira les traits de la directrice.

— Oui, dit-elle, nous avons eu une longue conversation à votre sujet.

— Vraiment? fit Emily qui ne put réprimer un élan de joie.

— Oui, mon enfant. Me permettez-vous de vous appeler ainsi? Vous êtes plus jeune encore que je ne l'avais cru la première fois; et je me sens vieille à côté de vous, plus encore qu'une sœur aînée, votre mère en quelque sorte. Oui, le révérend pense beaucoup à votre avenir. Il a des projets qu'il m'a confiés, naturellement, et que nous avons débattus. Voici ce que nous verrions pour vous. Dois-je vous le dire? C'est un peu un secret, Emily.

— Ah! mademoiselle!

— Eh bien, d'abord, il faut vous marier, mon enfant. Je

l'ai dit au pasteur qui trouve cette idée excellente. Songez
que vous allez sur vos dix-sept ans...

— Seize.

— A seize ans, on se marie très bien, Emily. Il y a des
partis pour vous dans la région, vous êtes riche. N'en doutez
pas, vous serez beaucoup plus heureuse que vous ne l'êtes à
présent...

Elle parla ainsi quelques minutes avec une espèce de
véhémence contenue. On eût dit qu'il s'agissait pour elle de
défendre son propre intérêt. Elle se penchait vers Emily par-
dessus la table comme si elle voulait l'embrasser et répétait
de temps en temps, avec un accent qui trahissait son
émotion :

« Vous ne trouvez pas? Vous ne trouvez pas?

Emily l'écoutait en silence, ravie de voir que son bonheur
était considéré comme possible, mais inquiète des moyens
qu'on lui proposait en vue de l'obtenir ; dans tout cela, en
effet, il n'était pas question de Mont-Cinère. « Pourquoi
donc me marier? pensait-elle. Quel changement cela pour-
rait-il apporter à ma situation présente? » Cette idée se
présentait à son esprit avec tant d'insistance que tout d'un
coup elle s'écria :

— Vous croyez que ce serait bien, mademoiselle? Mais
comment cela serait-il mieux que ma vie présente?

— De toutes les manières, mon enfant, répliqua la directrice avec feu. Mariée, vous êtes à la fois plus libre et plus
occupée. Vous avez un ménage, peut-être une famille. Vous
êtes femme, vous disposez de votre temps comme il vous
plaît, mais votre esprit n'est plus aussi oisif et n'est donc plus,
comme il est à présent, la proie de la tristesse ou de... de
mauvaises pensées, n'est-ce pas? Enfin...

— Où vivrai-je, mademoiselle?

— Mais chez votre mari, mon enfant.

— Il faudrait que ce soit à Mont-Cinère, mademoiselle, je
ne vivrai pas autre part.

— Eh bien, répondit Miss Easting en riant, vous direz cela à votre mari. Ce n'est pas un empêchement, j'imagine. Je comprends que vous aimiez votre maison natale, cependant rappelez-vous ce que dit l'Écriture : *Pour suivre son mari, la femme abandonnera son père et sa mère...*

Emily secoua la tête.

— Il ne peut pas être question d'abandonner Mont-Cinère. La maison est à moi.

— Elle vous reviendra certainement un jour. Mais réfléchissez à ce que je vous ai dit. N'y a-t-il personne à qui vous ayez déjà pensé, mon enfant ? Vous n'hésiteriez pas à me le dire, n'est-ce pas ?

Que se passait-il dans le cœur de la directrice et quels desseins prêtait-elle à Emily ? Elle devenait rouge. Sans doute la soupçonnait-elle d'avoir des vues sur le pasteur, car elle était jalouse et la jalousie ne recule devant rien. Aussi n'est-il pas difficile de concevoir le zèle que mettait Miss Easting à marier sa jeune amie.

Elle se rapprocha un peu et appuya les coudes sur la table.

« Voyez en moi une confidente, quelqu'un à qui vous puissiez tout dire. Ne faites-vous jamais de projets d'avenir, mon enfant ?

— Si, répondit la jeune fille avec vivacité, très souvent, j'imagine ce que sera ma vie dans quelques années. C'est ma grande distraction. Lorsque je m'ennuie, je n'ai qu'à croiser les mains sur les genoux et toutes sortes de choses me passent par la tête. Vous ne connaissez pas Mont-Cinère ? C'est une grande maison qui comprend douze pièces dont plusieurs sont pleines de souvenirs que mon père a rapportés d'Europe. Tout cela est à moi !

— Ou, tout au moins, le sera, n'est-ce pas ?

— Je suis maîtresse de cette immense demeure, continua Emily qui parut ne pas entendre, je m'y promène, j'y fais ce qu'il me plaît. Toute la journée des feux brûlent au salon, aux deux salons (car je rouvrirai le petit), à la salle à manger,

214

dans les chambres. Je lis, je suis heureuse, tout cela est à moi, les meubles, les tableaux. Il faut que je vous parle de mon plus beau tableau.

Elle fit la description de *L'Aurore* en termes pleins de chaleur. La directrice la regardait sans rien dire.

« Vous pensez bien, conclut Emily les yeux brillants, que je ne pourrai jamais abandonner Mont-Cinère. Il faudra que vous veniez m'y voir un jour.

— Mais vous avez bien d'autres soucis, reprit la directrice avec un regard méfiant, vous devez bien songer que vous ne vivrez pas seule.

— Je n'ai que ma mère...

— Dieu vous la garde encore longtemps, Emily, mais plus tard, croyez-vous que vous pourrez vivre toute seule dans cette grande maison ? N'avez-vous pensé à personne pour vous tenir compagnie ? Oh ! ne me cachez rien, mon enfant. Dites-moi tout, je vous aiderai.

Emily réfléchit un instant, puis secoua la tête.

— Cela ne me ferait rien de vivre seule à Mont-Cinère ; je n'aurais pas peur.

Miss Easting soupira :

— Il ne s'agit pas de cela et vous le savez, je crois. Voulez-vous me promettre une chose. Oui ? Eh bien, promettez de songer à tout ce que je vous ai dit. Souvenez-vous de ceci, redites-vous souvent : le mariage est la solution de bien des difficultés. Certainement, parmi les amis de votre maman, il doit y avoir des jeunes gens à qui vous pensez. Ce n'est pas mal, du reste. Mais je vois que vous tenez à vos secrets, ma petite Emily !

Elle se leva et fit un paquet de six chemises.

« Vous prendrez celles-ci encore ? Les autres étaient si bien faites, nous avons eu des compliments.

Au moment de dire au revoir à Emily, elle l'attira sur sa poitrine et l'embrassa.

XXX

A Mont-Cinère, la vie était lugubre comme si la mort, non contente d'avoir frappé un de ses habitants, se fût installée dans la maison. Emily et sa mère prenaient leurs repas en silence et ne se regardaient plus, chacune à ses réflexions. De bonne heure le matin, la jeune fille se levait, avant sa mère, et dérobait à la cuisine du charbon qu'elle faisait ensuite brûler dans la chambre de Mrs. Elliot ; elle était adroite, ne faisait pas de bruit et cachait ses provisions sous les meubles, où elle les retrouvait ensuite lorsqu'elle allait s'enfermer avec un livre et les chemises de Miss Easting. Malheureusement, le gros charbon que l'on employait pour chauffer le fourneau brûlait mal dans la grille de la cheminée. D'autre part le bois était à la cave dont la clef ne quittait pas la ceinture de Mrs. Fletcher.

« A quoi pense-t-elle donc ? », se demandait Emily lorsqu'elle voyait sa mère regarder autour d'elle en mangeant. Son air absorbé l'irritait horriblement. « Je n'existe pas pour elle, sauf quand elle s'aperçoit que je lui coûte quelques dollars. » Et, prise de colère, elle se mettait à l'observer et faisait intérieurement le compte de tout ce que cette femme avait de haïssable. Ce gros visage aux chairs sans couleurs, aux yeux vides, ces gestes, cette manière timide de prendre sa fourchette, son pain, son verre ; cette fausse douceur, son âme peureuse et violente qui se trahissait dans chaque attitude, dans chaque regard.

Depuis quelque temps, Mrs. Fletcher semblait plus préoccupée que d'ordinaire. Sa fille la surprenait en train de rêver sur de vieux journaux, dont elle lisait inlassablement les annonces. Plusieurs fois, elle la vit à son bureau, dans un coin de la salle à manger, écrivant avec une application d'enfant. Elle recevait des lettres qu'elle gardait sur elle, dans son corsage. A tout moment, elle portait les yeux autour d'elle avec un regard sans expression qui s'arrêtait parfois sur une table, un fauteuil, sans raison apparente, comme si de sa vie elle n'avait remarqué ces meubles. Elle semblait une femme détachée du monde qui poursuit sans l'interrompre le cours d'une méditation perpétuelle. Il lui arrivait de diriger sa vue vers sa fille sans qu'elle parût se rendre compte de sa présence, puis tout d'un coup, un bruit, ou une parole qu'Emily adressait à la cuisinière, la faisait sursauter, et elle détournait le visage d'un air gêné. Une fois, oubliant l'espèce de convention en vertu de laquelle elle ne devait plus parler à Emily, elle tint des propos qui n'obtinrent pas de commentaires et ne lui valurent que des regards chargés de mépris. Elle conçut alors un tel dépit de sa bévue que des larmes brillèrent dans ses yeux et qu'elle dut mordre ses lèvres pour se contenir. Cependant, son inadvertance le montrait bien, elle n'avait pas de ressentiment très profond contre sa fille ; elle eût été heureuse d'une réconciliation.

L'après-midi, dès qu'Emily était remontée à sa chambre, Mrs. Fletcher s'asseyait à son bureau et se mettait à écrire. C'était une opération difficile qui demandait de longs préparatifs. Après bien des soupirs et une lecture attentive de lettres et de papiers qu'elle étalait devant elle, elle se décidait à tracer quelques mots qu'elle barrait presque aussitôt. Alors, elle posait son porte-plume et, se prenant la tête dans les mains, demeurait dans cette position plusieurs minutes ; ou bien elle se levait et parcourait la salle à manger en marmonnant, les poings enfoncés dans les poches du grand manteau qu'elle ne quittait plus. Il lui fallait un temps infini pour composer la moindre lettre. Lorsqu'elle se remettait à son bureau, c'était pour écrire et recommencer cinq ou six fois quelques lignes qui lui arrachaient des exclamations de lassitude et d'ennui. Dans ces moments, son visage revêtait un air presque douloureux en ce qu'il avait de tendu et d'absorbé. Si sa fille, ou quelqu'un d'autre, la surprenait dans cette occupation, Mrs. Fletcher rangeait précipitamment ses papiers, ses brouillons et sa lettre, et refermait à clef son secrétaire.

Le matin, après avoir balayé le porche, elle se plaçait près de la fenêtre et regardait la route pour voir si le facteur ne venait pas. Dès qu'il apparaissait en haut de la côte, elle se portait à sa rencontre en agitant une enveloppe cachetée qu'elle avait sortie de son corsage. Pour rien au monde, elle n'eût couru le risque de la déposer dans la boîte avant son arrivée ; il eût été si facile de la lui dérober ! Un matin, elle revint chez elle en lisant une lettre qu'on venait de lui remettre. Ses mains tremblaient légèrement et elle s'arrêtait à chaque pas, les yeux rivés à la feuille qu'elle tenait tout près de son visage. Comme elle montait sur le porche, elle aperçut sa fille qui l'épiait derrière les rideaux de la fenêtre ; à regret, elle serra sa lettre dans sa poche.

Les jours suivants, elle parut agitée d'une grande impatience. Elle mangeait de moins en moins aux repas, et regardait sans cesse du côté de la fenêtre avec un air d'inquiétude qui exaspérait Emily. Elle n'écrivait plus de lettres, mais elle relisait à tout moment la dernière qu'elle avait reçue, de même que les découpures des journaux dont elle avait rempli ses poches. Enfin elle avait contracté l'habitude de se ronger les ongles, ce qui achevait de la rendre méprisable aux yeux de sa fille.

Cependant Emily travaillait aux chemises que Miss Easting lui avait données à coudre, et occupait les loisirs qui lui restaient à lire les vieux romans de la bibliothèque, ceux-là mêmes qu'elle portait autrefois à sa grand-mère et dont les titres avaient si vivement choqué la directrice de l'ouvroir. Elle avait commencé le *Livre des martyrs,* mais cet ouvrage où elle ne trouvait aucune de ses préoccupations la rebutait, et elle aimait mieux les traductions de romans étrangers qui l'intriguaient agréablement : « Je suis sûre que ces gens-là m'auraient comprise, pensait-elle en refermant son livre. J'ai une âme comme la leur. » Et elle faisait de dures réflexions sur les circonstances qui voulaient qu'elle vécût avec une femme dépourvue de sensibilité et de toutes les qualités d'esprit qu'elle se découvrait à elle-même. Ce qui la chagrinait le plus, c'était qu'il n'y eût dans sa vie aucun élément de ce romanesque qu'elle aimait tant, et que toutes ses difficultés, toutes ses souffrances eussent un air commun, et si peu d'intérêt. Quel romancier eût voulu parler, par exemple, de l'odeur insupportable que dégageait son feu ? C'était ignoble.

Sans cesse occupée d'elle-même, elle avait des crises de désespoir qui la faisaient cruellement souffrir dans sa solitude. Elle s'en voulait alors de tous les projets qu'elle avait formés depuis quelques mois et se répétait en pleurant que tout était vain et qu'il fallait se résigner à vivre comme elle avait toujours vécu. Parfois, elle réfléchissait aux conversations qu'elle avait eues avec Miss Easting. Pourquoi donc cette femme lui parlait-elle de mariage ? Il semblait à Emily que le mariage était fait pour les autres, non pour elle ; cette opinion prenait dans son esprit la valeur d'une vérité indiscutable et l'idée ne lui venait pas de l'examiner. Elle se demandait seulement, en réfléchissant aux conseils qu'elle avait reçus : « A quoi cela me servirait-il ? Serais-je plus heureuse ? Pourquoi ? » Et aucune des réponses qu'elle se faisait à elle-même ne la convainquait.

En moins de quatre jours, elle avait fini son travail et maintenant, enfermée dans sa chambre, elle n'avait plus que la lecture comme amusement, car il faisait trop froid pour sortir. Mais au bout de quelques heures elle se fatiguait de ses livres et ne savait plus à quoi passer son temps. A force de vivre toute seule, sans jamais parler à personne, sans jamais prendre d'exercice, elle devenait de plus en plus nerveuse, et pleurait aux moindres contrariétés. Elle se promenait d'un bout à l'autre de la pièce, s'arrêtant devant les tableaux et la collection de pierres qu'elle examinait avec une attention ennuyée. Souvent, elle regardait le portrait de son père, accroché entre les deux fenêtres. Il paraissait lui sourire, d'un air à la fois triste et moqueur, et lui parler un muet langage qu'elle interprétait selon son humeur du moment. Parfois encore, elle chantonnait en jetant les yeux autour d'elle avec une expression d'inquiétude, puis tout d'un coup, elle se laissait tomber dans un fauteuil et sanglotait, ou bien, se précipitant sur le lit de sa grand-mère, elle s'y roulait avec de petits cris et des éclats de rire, la tête enfouie dans l'oreiller que d'ordinaire elle ne pouvait toucher sans un dégoût horrible et le sentiment d'une souillure innommable.

XXXI

Le jour tant désiré où elle devait se rendre à Wilmington vint lui apporter la seule distraction de sa singulière existence, mais, comme il arrive fréquemment, après avoir compté les heures qui la séparaient de la visite à Miss Easting, elle n'avait plus envie d'aller à l'ouvroir, l'après-midi même dont elle était convenue avec la directrice. Volontiers, elle fût demeurée dans la chambre où elle avait été prisonnière une semaine et elle se mit en route de mauvaise humeur. Comme elle ouvrait la porte de la maison pour sortir, elle vit sa mère sur le porche, dans son manteau d'homme, une main appuyée sur la balustrade, l'autre arrondie au-dessus des yeux, dirigeant sa vue à droite et à gauche. Au bruit que fit Emily, elle se retourna vivement et sembla sur le point de dire quelque chose, mais elle se retint. Une grande satisfaction était répandue sur ses traits et elle s'éloigna de quelques pas en se frottant les mains.

On eût dit que la maussaderie de la jeune fille s'était communiquée à Miss Easting. Elle reçut Emily avec froideur, prit les chemises et les examina sans mot dire, se contentant d'exprimer son approbation par un signe de tête. Son gros visage avait cet air un peu irrité qu'Emily lui avait vu, le matin où elle était allée à l'ouvroir pour la première fois ; à contre-jour, elle observa les plis de mécontentement qui se creusaient aux coins de la bouche, dans cette chair qui

221

paraissait celle d'une enfant, tant elle était rose et grasse, et elle fit intérieurement les remarques que cette espèce de moue lui donnait dix ans de plus.

— Qu'y a-t-il ? », demanda Miss Easting, mal à son aise sous ce regard curieux. Emily haussa les épaules sans répondre et tirant *le Livre des martyrs* de dessous son châle, elle le posa sur la table. Miss Easting le saisit avec vivacité.

« Les livres ne doivent pas se garder aussi longtemps, fit-elle. Pensez à ceux qui les attendent et qui en ont besoin. » Sa voix était si brutale et si cassante qu'elle-même en parut choquée. « Excusez-moi si je ne vous retiens pas aujourd'hui, ajouta-t-elle sur un ton un peu radouci ; je ne suis pas bien.

Presque aussitôt elle remit à Emily un nouveau paquet de chemises et la reconduisit à la porte.

Bien que les journées fussent les plus brèves de l'année, il faisait encore très clair lorsque Emily revint à la maison. Un peu lasse, elle marchait d'un pas ralenti et pensait avec plaisir à son fauteuil qu'elle allait retrouver près du feu. De temps en temps, elle s'arrêtait pour reprendre son souffle et, posant son paquet sur le talus, croisait les bras sous son châle et regardait autour d'elle. Déjà elle pouvait voir les grands sapins qui entouraient Mont-Cinère et dont la cime tremblait légèrement au gré d'une bise froide. Elle parut rêver un instant, et secoua la tête, puis avec un soupir elle reprit son paquet et continua son chemin.

A peine entrée dans la maison, elle eut une surprise. La voix de sa mère, cette voix qu'elle n'avait pas entendue depuis quelques jours, retentit dans l'escalier et appela la cuisinière. Au même instant, Emily entendit des pas qui allaient et venaient au premier étage. Cela lui parut si étrange qu'elle demeura immobile, comme si elle n'osait bouger de sa place.

— Est-ce vous, Joséphine ?, appela de nouveau Mrs. Fletcher qui se penchait sur la rampe. La jeune fille allait répondre, lorsqu'elle entendit une autre voix, inconnue celle-là, et venant du fond d'une chambre.

— Laissez donc, madame, je m'en tirerai bien toute seule.

Emily s'appuya contre un fauteuil. La stupeur et le vague pressentiment de quelque chose de fâcheux la retinrent de monter. En quelques secondes, elle supposa toutes sortes d'événements qui pouvaient expliquer la présence d'une étrangère à la maison. La visite d'une amie de sa mère, un accident arrivé à quelqu'un sur la route de Mont-Cinère. Un nom lui revint à la mémoire : Grace Ferguson, et elle se le répéta, stupidement, à mi-voix. Tout d'un coup elle cria :

— Maman, qu'est-ce qu'il y a ?

— Bon, c'est toi », grommela Mrs. Fletcher ; et Emily l'entendit s'éloigner et fermer une porte derrière elle. Elle laissa tomber son paquet et monta rapidement jusqu'au palier du premier étage. C'était de la chambre de son père que venait le bruit. Elle ouvrit la porte avec précipitation et s'arrêta interdite.

Un feu de bois remplaçait les blocs de charbon qu'elle avait laissés fumant dans la grille ; ce fut la première chose qu'elle remarqua. Puis son regard se porta sur une grande malle noire, ouverte au milieu de la chambre ; de menus objets jonchaient le tapis et les fauteuils : des livres, une canne et un parapluie au manche orné d'une ruche à pompons ; ce dernier détail parut la fasciner et elle ne put en détacher la vue, comme si la solution du mystère se fût trouvée là. Cependant, le bruit d'une conversation lui parvenait du cabinet de toilette. Elle écouta. La voix basse et humble de sa mère murmurait confusément en réponse à des questions que posait une autre voix, grêle et bavarde. Un bourdonnement emplit les oreilles d'Emily et tout d'abord elle ne comprit pas, mais une phrase articulée avec plus de précision que les autres lui révéla d'un seul coup ce qu'elle redoutait d'apprendre.

— C'est bien, madame, disait la voix de l'inconnue, je me

contenterai de ce que vous mettrez à ma disposition. Il est
entendu que la chambre sera chauffée. Je paierai le supplé-
ment nécessaire.

— Qu'est-ce que c'est ? », cria la jeune fille sans quitter
sa place. Elle tremblait tellement qu'elle dut s'asseoir.
Mrs. Fletcher parut dans l'encadrement de la porte et leva le
bras d'un air furieux.

— Quitte cette chambre, ordonna-t-elle en chuchotant.

Emily secoua la tête de droite à gauche, mais la force lui
manquait de répondre.

— Miss Gay, reprit alors Mrs. Fletcher d'une voix aimable
en se retournant vers le cabinet de toilette, si vous voulez
venir par ici, je vous présenterai ma fille.

Et elle s'effaça pour laisser passer Miss Gay qui entra d'un
pas vif et délibéré. Elle était petite et forte, vêtue d'une large
cape de satin noir qui flottait autour d'elle et se gonflait
comme une voile. Les ailes de son bonnet de tulle étaient
collées à ses joues au moyen d'un large ruban mauve,
fortement noué sous le menton. Son visage était rouge, sa
bouche ouverte, prête à parler ; ses yeux sans cils semblaient
perpétuellement occupés à chercher quelque chose. Par un
geste qui paraissait un tic, elle rejetait la tête en arrière et
découvrait un cou charnu, entouré de chaînettes d'or. En
voyant Emily, elle fit un pas vers elle, et s'arrêta décontenan-
cée par la mine morose de la jeune fille qui se leva sans
proférer une parole. Mrs. Fletcher se plaça vivement entre
elles, et dit d'un air affairé :

« C'est ma fille Emily, mademoiselle. Va me chercher la
cuisinière », reprit-elle en s'adressant à Emily. Mais, comme
il lui arrivait dans les moments d'émotion, sa langue s'embar-
rassa et elle dit quelque chose comme : va me, cherche-moi
la cuisinière. Sa fille sourit. « Va donc », cria Mrs. Fletcher,
subitement furieuse ; et elle devint toute rouge.

— Oh ! madame, fit Miss Gay en s'approchant, avec un
geste de ses petites mains gantées de fil, peut-être Miss Emily

224

désirerait-elle faire connaissance avec moi ? Elle m'aiderait à ranger mon linge, par exemple.

Elle posa les doigts sur le bras d'Emily qui ne broncha pas.

« Nous serons bonnes amies, continua Miss Gay du ton jovial d'une personne qui veut ramener la paix entre deux adversaires en détournant leur attention de l'objet de leur querelle. Je vois là un portrait qui vous ressemble, Emily. » Elle fit un geste respectueux vers la photographie de Stephen Fletcher qui contemplait cette scène avec une ironie amère. Mrs. Fletcher se dirigea vers le fond de la pièce comme pour s'occuper de mettre en place les livres et le linge épars sur les meubles, mais en réalité parce qu'elle se sentait gênée par la présence de sa fille et par les propos que lui tenait Miss Gay.

« C'est votre papa, sans doute ? demanda celle-ci.

— Oui, madame, répondit Emily du fond de la gorge.

— Ah ! Et... et que fait-il ? Le verrai-je ? poursuivit Miss Gay d'une voix hésitante comme si elle regrettait sa question avant même de l'avoir posée. Oh ! pardon ! », s'écria-t-elle en voyant qu'Emily ne répondait pas et, se retournant vers Mrs. Fletcher, elle dit avec précipitation : « Vous êtes heureuse d'avoir une grande fille pour vous aider, madame. Elle doit être si active et si travailleuse. » Mrs. Fletcher regarda furtivement Emily et ne répondit pas.

« Allons, dit Miss Gay qui s'apercevait de l'embarras que causait chacune de ses paroles, il faut que je mette ma chambre en ordre. Jeune fille, allez-vous me prêter la main ?

Emily se redressa tout d'un coup et croisa les bras sous son châle. On eût dit que ces derniers mots venaient de la tirer de la stupeur pénible où elle était plongée.

— Non, madame, fit-elle de sa voix coupante.

Le visage de Miss Gay se transforma aussitôt ; les coins de sa bouche s'abaissèrent lentement et ses yeux bleus prirent un air sévère.

— Ah ! murmura-t-elle, c'est autre chose. Madame, ajouta-t-elle en se retournant vers Mrs. Fletcher qui faisait des signes désespérés à sa fille, je crois que je me tirerai d'affaire toute seule ; je vous remercie.

Lentement, avec un calme affecté, elle défit l'agrafe qui retenait sa cape sur sa poitrine et posa le vêtement sur le lit. Un léger tremblement agitait ses mains et elle regardait droit devant elle, la tête en arrière. Son corsage de satin noir dessinait en surfaces brillantes le contour vigoureux de ses épaules et des omoplates, et lui serrait la taille de façon à gêner sa respiration. On l'entendait souffler comme un animal en colère. Elle s'assit dans le fauteuil et croisa les pieds l'un sur l'autre, présentant ses semelles à la chaleur du feu, sans faire attention à la mine consternée de Mrs. Fletcher ni à l'attitude impassible de la jeune fille. Il y eut un silence. Mrs. Fletcher s'assit et parut sur le point de dire quelque chose, mais Emily vint se placer devant Miss Gay et lui demanda d'une voix hostile :

— Dois-je comprendre que vous voulez louer cette chambre, madame ?

Miss Gay agrippa les bras du fauteuil et se pencha vers Mrs. Fletcher qui devenait pâle.

— Y a-t-il contestation, madame, cette maison n'est-elle pas à vous ?

— Assurément, répondit Mrs. Fletcher d'une voix sourde, et elle leva vers sa fille des yeux où la haine mettait une flamme qui paraissait en changer la couleur.

Emily la considéra un instant. Il lui semblait qu'un vaste bourdonnement emplissait l'air et noyait tous les sons autour d'elle. Jamais comme à cet instant elle n'avait senti en elle-même cette espèce de force bondissante et frénétique de la colère. Elle dut se maîtriser pour ne pas gifler ces deux femmes qui la regardaient en silence. De longues mèches noires tremblaient sur son front, elle les releva plusieurs fois d'un geste convulsif. Dans son cœur, quelque chose pénétrait comme un couteau. Elle s'appuya contre une des colonnes du lit et parut hésiter une seconde sur ce qu'elle allait faire. Tout d'un coup, elle détourna le visage et se dirigea vers la porte qu'elle ouvrit et referma bruyamment derrière elle. Elle entendit alors Miss Gay qui disait d'une voix aiguë :

— Voulez-vous que je vous aide à la briser, madame ? Il faut être sans pitié pour des esprits comme le sien. Prenez mon jeune frère par exemple. A treize ans...

Elle écouta quelques minutes, mais la voix baissa subitement pour donner plus de sens à ce qu'elle allait dire et la jeune fille ne distingua plus aucune parole dans le murmure qui suivit ; elle s'éloigna.

Comme toujours, dans les moments de perplexité, elle se rendit à sa chambre et s'assit à sa table. Là, seulement, elle se sentait indépendante ; là, elle n'avait jamais à craindre la présence odieuse de sa mère, car la chambre de sa fille était de toutes les pièces de la maison la seule où, par une sorte de pudeur instinctive, Mrs. Fletcher ne pénétrât pas.

Le premier mouvement d'Emily fut d'écrire au pasteur et elle commença une lettre dans laquelle elle tâchait de lui expliquer ses difficultés ; mais elle répugnait à se plaindre de sa mère en prenant pour juge une personne étrangère et d'ailleurs elle n'avait pas tracé quatre lignes qu'elle se rendit compte de leur futilité : ce qu'elle disait était trop obscur, trop enveloppé. Jamais Sedgwick ne comprendrait ; et puis, s'il comprenait, que pouvait-il faire ? Ne lui conseillerait-il pas le mariage ? Malgré le trouble où elle était, cette dernière réflexion la fit rire. Elle déchira sa lettre et, se levant, elle se mit à parcourir sa chambre en tous sens pour se réchauffer. Le vent gémissait dans le couloir et venait ébranler la trappe de la cheminée. Rien n'était lugubre comme ces fins d'après-midi dans la grande maison. Elle appuya son front sur le carreau de la fenêtre et regarda le triste ciel d'hiver qui devenait rouge à l'horizon et commençait déjà à s'obscurcir.

Elle toussa ; les bras serrés contre son corps, elle contenait sa poitrine, comme pour arrêter cette toux qui la déchirait, puis, la crise passée, elle s'appuyait contre le mur, soufflant, exténuée, avec une petite sueur qui perlait à la racine des cheveux. Ses jambes faiblissaient sous elle ; elle s'assit et ramena son châle autour de ses épaules ; et, baissant la tête, elle se mit à réfléchir.

XXXII

Une demi-heure plus tard, elle descendait l'escalier. En passant devant la chambre où sa grand-mère était morte, elle entendit le bruit d'une conversation joyeuse entre sa mère et Miss Gay. Par moments, une lueur fugitive paraissait sous la porte et indiquait que les deux femmes entretenaient le feu, mais qu'elles n'avaient pas encore allumé la lampe.

La jeune fille ne s'arrêta que sur le porche. Il faisait tout à fait noir et le vent soufflait avec violence ; cependant l'air était beaucoup moins froid et de grosses gouttes de pluie venaient frapper les murs de la maison. Emily fit quelques pas sous les arbres, puis, se ravisant tout d'un coup, elle rentra.

Au bout de deux ou trois minutes, elle reparut coiffée d'une petite toque de velours, les gants aux mains, et tenant un parapluie qu'elle ouvrit en redescendant les marches du porche. Une connaissance précise de tous les sentiers du parc lui permit de gagner la grille en très peu de temps malgré l'obscurité profonde et le vent qui l'obligeait à baisser la tête. Les branches des sapins qui s'agitaient avec un son confus l'effleuraient à son passage et, plusieurs fois, elle entendit les puissantes ramures grincer dans la bourrasque. Tout ce mouvement et ce tumulte l'effrayaient presque autant qu'ils la stimulaient, et elle fut heureuse de retrouver la campagne où le bruit perdait de sa force. Elle marchait vite, le dos rond sous son parapluie qu'elle tenait à deux mains. Déjà la terre molle de la route commençait à se détremper et de petites flaques d'eau s'y formaient de place en place.

Elle se mit à courir, en serrant son châle sur sa poitrine, le regard attaché aux grosses pierres blanches dont le sol était hérissé et qui permettaient à la jeune fille de reconnaître son chemin, entre les talus noirs dont la crête se confondait avec le ciel. Trébuchant, excédée, elle crut vingt fois qu'elle s'arrêterait sans pouvoir faire un pas de plus, mais quelque chose d'impérieux la poussait toujours et elle finit par ne presque plus sentir la fatigue de ses membres. Lorsqu'elle aperçut enfin une lumière, à un tournant de la route, elle s'étonna d'être parvenue aussi vite et, s'appuyant contre un arbre, elle rentra sous sa toque les mèches de cheveux que la sueur et les gouttes d'eau collaient à son front et à ses joues, et s'arrêta un instant pour reprendre son souffle. Le vent s'était abattu, mais la pluie tombait avec un bruit précipité qui ressemblait au piétinement d'une foule invisible.

Quelques minutes plus tard, Emily frappait à la porte de Stevens. Le vieux cocker, qui dormait sur le porche, vint vers elle et flaira ses bottines en aboyant de sa voix basse. Un visage se montra à la fenêtre, essayant de voir, malgré la pluie et l'obscurité, qui pouvait être le visiteur et presque aussitôt la porte s'ouvrit.

La jeune fille détourna le visage en fermant les yeux devant la lumière, puis elle entra, suivie du chien qui s'installa au fond de la pièce, près d'un maigre feu de bûches.

Jusque-là, Emily s'était sentie calme et résolue, mais il lui sembla, dès qu'elle eut passé le seuil de cette maison, que sa force l'abandonnait d'un seul coup. Elle s'assit sur un banc adossé au mur et ferma les yeux. Une âcre odeur flottait dans l'air, cette odeur de fumée qu'elle se rappelait si bien et qui la fit se souvenir aussitôt de sa première visite à Rockly. Que cela paraissait loin ! En ouvrant les yeux, elle vit Frank qui se tenait devant elle.

— Venez vous réchauffer près du feu, dit-il doucement. Vous avez l'air fatiguée.

Emily fit signe qu'elle voulait rester où elle était et dit enfin d'une voix qui trahissait un effort pour parler :

— Nous sommes seuls ici ? J'ai quelque chose à vous dire.

Il la regarda sans paraître comprendre. Avec ses mains pendant le long de son corps et son visage surpris, il faisait songer à un jeune garçon à qui l'on pose des questions difficiles. Sa chemise ouverte laissait voir la peau brune de sa poitrine ; il s'en aperçut et boutonna rapidement son col.

« Vous n'entendez pas ? demanda la jeune fille qui retrouvait son assurance devant une si grande timidité. C'est important.

— Oui, mademoiselle », répondit-il. Et il répéta : « Venez donc près du feu.

Cette fois elle se leva et suivit Frank qui plaça un fauteuil devant le feu et l'offrit à la jeune fille. Elle s'assit sans dire un mot et se mit à caresser, d'un geste machinal, les oreilles du chien qui dormait à ses pieds. Son regard inquiet se posait sur les objets rassemblés autour de la cheminée et l'on eût dit qu'elle les dénombrait, des hoyaux et des bêches, un balai de bruyère. Elle était venue, il fallait parler ; après tout, ce n'était qu'un homme de la campagne qu'elle avait devant elle, une sorte de garçon de ferme.

Elle releva la tête et regarda Frank ; il s'était assis sur un banc et attendait qu'elle lui parlât. Par un souci analogue à celui qui lui avait fait boutonner son col tout à l'heure, il avait rabattu ses manches jusqu'aux poignets et, les mains croisées, il appuyait ses coudes sur ses genoux. Le reflet du feu frappait son visage de côté et dorait ses joues brunes dont une barbe de quelques jours dessinait le contour vigoureux. Chez un homme d'aspect aussi fort et aussi sain, l'expression fuyante et sournoise des yeux clairs surprenait beaucoup. Emily planta sur lui un regard méfiant.

— J'espère que ma présence ne vous gêne pas, dit-elle au bout d'un moment.

— Bien sûr que non, fit le jeune homme.

Emily parut réfléchir un instant, puis elle reprit :

— Je n'ai pas oublié que vous m'avez écrit, il y a un mois. Si j'avais pu vous aider à ce moment, je l'aurais fait.

— Mademoiselle, il est encore temps.

— Nous allons en parler, répondit la jeune fille.

Elle se leva et fit quelques pas vers la fenêtre ; une vive agitation se peignait sur ses traits et ses joues étaient empourprées ; plusieurs fois, elle joignit les mains avec force, au point d'en faire craquer les os. Comme elle passait devant une petite glace pendue au mur, elle se regarda furtivement et dit à mi-voix :

« Bon Dieu, que tu es laide ! »

C'était vrai ; dans ce visage au nez puissant, à la bouche mince et dure, la rougeur subite qui enflammait les pommettes semblait une dérision, à peu près comme un fard répandu sur les joues creuses d'une vieille femme.

Elle arracha sa toque et la jeta sur le banc où elle s'était assise d'abord ; puis elle revint à grands pas vers le feu, sans faire attention au jeune homme qui s'était levé à son tour et la considérait en silence, avec la crainte manifeste de lui avoir déplu.

« Vous m'avez dit que vous étiez pauvre, dit-elle tout à coup en le fixant de ses yeux noirs.

— Vous le voyez bien, dit Frank ; et d'un geste il montra la pièce où ils se tenaient.

Emily croisa les bras sous son châle.

— Vous avez besoin de beaucoup d'argent ?

— J'ai une petite fille à élever, mademoiselle.

— Une petite fille ? Où est-elle ?

— A Glencoe, en nourrice. C'est pour cela que je vous avais écrit, au moment de la mort...

— Je sais », interrompit la jeune fille. Elle reprit sa place auprès du feu et se mit à tisonner la braise. « Eh bien, fit-elle au bout d'un instant, si je vous offrais de vous aider ?

— Ah ! mademoiselle, s'écria Frank.

— Il y a quelque temps, vous aviez parlé de travailler chez nous, comme autrefois, continua Emily d'un ton ferme. Aujourd'hui, c'est moi qui vous propose, non seulement de travailler chez nous... » Elle hésita et détourna la tête. « ... Non seulement de travailler à Mont-Cinère, dit-elle avec effort, mais de vous y installer.

— M'y installer, mademoiselle ?

— Ne comprenez-vous pas ? fit Emily d'une voix irritée tout d'un coup. Oui, de vous y installer pour y vivre.

Et, toute rouge, elle ajouta :

« Est-ce que Mont-Cinère ne vaut pas Rockly ?

— Sans aucun doute ! s'exclama Frank. Je ferai ce que vous voudrez, je ne demande que du travail.

La jeune fille domina son trouble du mieux qu'elle put.

— Écoutez, dit-elle. Vous m'avez parlé de vos difficultés, je vous parlerai des miennes. Cependant, quoi que nous décidions ce soir, je veux votre parole que vous ne répéterez jamais rien de ce que je vais vous confier.

— Vous avez ma parole.

— Soyez sûr que je ne vous dirais rien de tout ceci, si je n'y étais contrainte, reprit Emily d'une voix qui s'étranglait, mais je le fais parce que je le dois. » Elle s'arrêta pour se recueillir. « Eh bien, vous savez, peut-être, que Mont-Cinère me reviendra un jour, la maison et tout ce qu'elle contient. Je considère qu'elle est déjà à moi,' ou, tout au moins, que personne n'a le droit d'y toucher sans mon consentement, d'en vendre les meubles, par exemple, ou n'importe quelle partie de ce qui constitue mon héritage.

Elle se montait peu à peu et, frappant de sa main gantée le bras du fauteuil, elle dit avec véhémence :

« Tout cela est à moi. Ce que mon père a laissé à sa mort doit me revenir en entier. Si, progressivement, on vend l'argenterie, puis les meubles ; si des étrangers viennent ensuite vivre chez moi comme si la maison leur appartenait, vous verrez qu'à vingt ans, ou enfin le jour de la mort de ma mère, je ne sais pas quand elle va mourir, moi, vous verrez que je n'aurai plus rien et je vivrai Dieu sait où.

Elle s'aperçut que ses propres paroles l'emportaient et que Frank ne la suivait plus. Alors elle se mit à lui expliquer la situation créée par les manies avaricieuses de sa mère ; toutes sortes de choses qu'elle retenait en elle depuis de longues semaines se livrèrent passage dans un torrent de phrases pleines de rancune. Jamais elle ne s'était laissée aller à un tel accès de dépit, jamais, surtout, elle ne s'était confiée à personne comme elle se confiait à cet étranger. Une ardeur extraordinaire envoyait le sang à ses joues et jetait une lueur plus vive dans ses prunelles dilatées. On sentait que, pour la première fois de sa vie, peut-être, ce cœur nourri de colères et de déceptions s'ouvrait et se libérait avec une joie furieuse.

« Vous ne savez pas ce que c'est que vivre avec une femme comme ma mère, dit-elle. Vous l'avez vue, elle paraît douce et timide ; il y a des gens qui l'appellent la bonne Mrs. Fletcher. Eh bien, j'aimerais mieux être rouée de coups tous les soirs que de finir ma vie sous le même toit qu'elle. Tout ce que ma vie a d'amer, je le lui dois. J'ai froid le jour et la nuit, je n'ai pas de feu dans ma chambre ; pas assez de couvertures à mon lit, je tousse, je suis malade, c'est sa faute. Je suis malheureuse, laide, oui, laide, eh bien, c'est sa faute ! Lorsque je la vois, lorsque je suis obligée de lui parler, il y a en moi quelque chose de trouble et de fort qui me pousse à me jeter sur elle, à l'insulter, à la battre ; alors, mes mains tremblent, il me semble que j'ai la fièvre. Vous appelleriez cela colère, mais ce mot ne dit rien. Si votre bêche plie sur une pierre pendant que vous bêchez votre jardin, vous êtes en colère, vous la jetez loin de vous ; si votre cheval bute, vous le frappez ; cela, c'est la colère. Mais dites-moi pourquoi il suffit que je voie ma mère pour que je sente en moi le désir de la tuer, avant même qu'elle ait dit quelque chose, avant qu'elle m'ait regardée. Un jour, en son absence, j'ai vu son chapeau qu'elle avait posé sur un fauteuil ; je l'ai pris, je l'ai frappé comme on frappe un ennemi, je l'ai piétiné ; c'est sans doute ridicule, mais je ne vous cache rien. Ajoutez à tout cela, à mes sentiments pour cette femme que je déteste naturellement, depuis mon enfance, ajoutez tout ce qu'elle fait pour m'irriter. Sournoisement, elle se débarrasse de tout ce que mon père nous a laissé. Elle vend, je ne sais comment, ni où, ce que nous possédons de plus précieux. L'argenterie, par exemple ; nous n'en avons plus. J'ai vu une liste des objets dont elle compte se défaire : ce qui n'est pas absolument nécessaire doit être sacrifié à ce qu'elle nomme économie. Elle parle même de vendre la maison...

— Vendre Mont-Cinère ! s'écria Frank en ouvrant de grands yeux.

— Oui », répondit Emily. Elle se tut un instant et baissa la tête. Enfin, elle reprit d'un ton plus calme : « Je suis venue pour vous demander de m'aider.

— Vous aider ? Comment puis-je vous aider, mademoiselle ? », fit le jeune homme. Il avait une mine peureuse en disant ces mots, comme s'il eût craint tout à coup de s'engager dans une aventure fâcheuse.

Emily se redressa dans son fauteuil et dit d'un air résolu :

— Je vais vous expliquer. Vous vivez ici, seul, misérablement, n'est-ce pas ? Vous ne savez, en outre, comment vous vivrez demain, où vous trouverez de l'argent. D'autre part, j'ai une grande maison qui me reviendra un jour en entier, bientôt peut-être, tout de suite si je force ma mère à respecter mes droits ; car, si j'attends que je sois majeure, il se pourrait très bien que ma mère se défît de tous nos biens, et alors, où vivrai-je ? Que faut-il donc faire ? Puisqu'elle est résolue à ne pas se laisser convaincre par des raisonnements (essayez de raisonner avec elle !), je la ferai céder par force.

Ses mains tremblaient sur ses genoux ; elle tira son mouchoir de son jupon et se moucha.

« Comprenez-vous ce que je veux ? demanda-t-elle d'une voix qui annonçait des larmes. Il faut que vous m'aidiez, il faut que je sois maîtresse à Mont-Cinère. Hier, elle a reçu chez nous une femme, une étrangère à qui elle loue une chambre, la chambre où mon père est mort, où ma grand-mère est morte, le mois dernier. Et cela au nom de son odieuse économie. Vous la croyez pauvre ? Elle est riche ! C'est une avare comme on en voit dans les romans. Elle a un compte en banque, à Wilmington, tout l'argent que mon père nous a laissé, et il était riche. De son vivant, nous avions des domestiques, du feu dans toutes les pièces dès les premiers jours d'hiver, de bons repas. Je veux que tout soit chez nous comme en ce temps-là ; c'est très facile, je saurai m'y prendre, mais il faut quelqu'un pour m'aider, quelqu'un de fort dont ma mère ait peur, un homme. D'abord, il faut mettre à la porte cette Miss Gay...

Elle se leva et frappa du pied en prononçant ce nom. Frank la regardait avec un visage où l'inquiétude le disputait au désir de comprendre ce que voulait la jeune fille et surtout au désir de ne pas lui déplaire.

« Vous viendrez avec moi, continua-t-elle. Il suffirait de menacer ma mère pour qu'elle m'abandonne tout. Vous ne savez pas comme elle est poltronne. Quelquefois, elle crie, mais c'est alors qu'elle tremble le plus.

— Mais je ne peux pas, bredouilla le jeune homme.

— Vous ne pouvez pas ? dit Emily d'une voix coupante. Et pourquoi, s'il vous plaît ?

— Mais je ne suis rien à Mont-Cinère, mademoiselle !

— Comment ? s'écria Emily furieuse. Rien à Mont-Cinère si vous m'épousez ?

Frank la regarda comme on regarde une folle.

— Vous épouser ? dit-il. Vous n'aviez pas dit...

— Si, je l'ai dit, cria-t-elle, mais vous préférez vivre ici, sans doute, dans votre sale Rockly, alors qu'à Mont-Cinère, Mont-Cinère...

Elle répéta ce nom d'une voix altérée, comme s'il l'étouffait. Tout à coup, elle se laissa tomber dans le fauteuil et devint très pâle. Elle enleva ses gants et porta les mains à son visage.

— Pardonnez-moi, dit Frank, je n'avais pas compris.

Et il se confondit en excuses.

Pendant quelques minutes, il se tint devant elle, stupéfait, n'osant croire à ce qu'elle venait de dire. Dans le silence, on entendait la pluie qui battait les vitres avec un bruit monotone, et le petit sifflement du bois humide dans la cheminée.

Il se leva du banc où il s'était assis et alluma une lampe qu'il posa sur la table. Ses gestes étaient lents comme ceux d'un homme qui suit le cours d'une méditation et n'agit que machinalement.

« C'est bien, mademoiselle, dit-il enfin. J'irai à Mont-Cinère quand vous voudrez. Je vendrai Rockly.

Elle le regarda et ne répondit pas.

XXXIII

La jeune fille passa la nuit à Rockly.

Elle ne dormit pas. Assise dans le fauteuil d'où elle semblait incapable de se lever, elle demeurait immobile, en proie à des réflexions qui mettaient dans son regard quelque chose de fixe et d'amer.

En vain, Frank essaya de la faire parler, mais elle se contentait de froncer les sourcils lorsqu'il lui posait des questions et ne répondait pas. Avec une obstination égale, elle refusa le dîner qu'il voulait lui faire partager. Cette attitude le surprit et l'inquiéta. Regrettait-elle ce qu'elle avait dit ? Toutefois, il jugea plus adroit de ne pas insister et, s'asseyant à la table, il se mit à manger la soupe de légumes et le pain de maïs qui constituaient le repas du soir.

Il dîna sans hâte, guettant du coin de l'œil la jeune fille qui ne semblait même pas le voir, bien qu'elle fût tournée de son côté et que son regard fût posé sur lui ; on eût dit une personne plongée dans un rêve d'où elle ne parvient pas à sortir ; mais, de temps en temps, elle laissait aller sa tête sur le dossier du fauteuil et gémissait d'une voix presque imperceptible. Elle entrouvrit son châle. La fièvre faisait courir son sang plus vite dans ses membres que le feu n'avait pu réchauffer ; une douleur continue enserrait son crâne ; elle ferma les yeux et, sans s'en rendre compte, elle s'assoupit.

La pièce était vide lorsqu'elle s'éveilla. Le chien dormait à ses pieds, étendu devant les cendres et la tête posée sur la pierre de l'âtre. Une lueur triste et indécise tombait entre les lattes des volets et permit à la jeune fille de reconnaître l'endroit où elle se trouvait. Son cœur se serra au souvenir de ce qu'elle avait fait, et déjà elle sentit le dégoût de la tâche qu'elle venait d'entreprendre. Une sueur glacée coulait lentement de ses tempes et lui chatouillait la peau. Elle épingla son châle sur sa poitrine et tenta de ranimer le feu dont les cendres étaient encore tièdes, mais elle ne réussit qu'à troubler le sommeil du chien qui s'étira et se mit à lécher ses pattes bruyamment.

La pluie avait cessé. Seules, des chouettes rompaient le silence de la campagne de ces plaintes tremblantes où l'on croit parfois reconnaître les accents de la voix humaine. La jeune fille prit peur en les entendant; elle se leva avec précipitation et, après avoir cherché quelques minutes dans la pénombre, elle trouva la lampe qu'elle alluma aussitôt.

Réconfortée par la lumière, elle s'agenouilla devant son fauteuil et pria.

XXXIV

Cependant, Mrs. Fletcher ne s'inquiétait pas autrement de la disparition de sa fille : elle la croyait dans sa chambre, boudant comme elle lui avait vu faire si souvent, et elle se félicitait de son absence qui lui permettait de dîner en paix avec sa locataire.

Miss Gay lui plaisait ; elle trouvait dans sa façon de parler et de juger les choses et les gens une gaieté d'esprit et une bonne humeur qui la séduisaient. Dès qu'Emily eut quitté la chambre, les deux femmes se lièrent de conversation avec une chaleur subite, l'attitude glaciale de la jeune fille leur donnant à toutes deux le désir de s'épancher dans le sein l'une de l'autre. Maria Gay déclara qu'elle avait tout de suite compris la triste situation où étaient les habitants de Mont-Cinère, et offrit à Mrs. Fletcher le secours de son affection comme à une vieille amie éprouvée.

Ces paroles allèrent au cœur de Mrs. Fletcher qui s'essuya les yeux et la remercia ; et elles descendirent à la salle à manger, la main dans la main, conversant avec une insouciance qui les rajeunissait. Jamais Mrs. Fletcher n'avait ressenti à un tel degré la joie de se savoir écoutée dans le récit de ses infortunes ; elle conta ses déboires depuis la mort de son mari et se représenta comme la victime d'un devoir ingrat et difficile, luttant contre la prodigalité de sa fille pour qui elle se dévouait sans trêve.

Miss Gay l'entendait à demi-mot et finissait ses phrases pour elle, lorsque la langue de Mrs. Fletcher s'embarrassait un peu. Elle-même avait eu des croix à porter ; et elle énumérait et décrivait ses malheurs avec la hâte et le zèle d'une petite fille qui craint d'oublier quelque partie de la leçon qu'elle récite. « Nous sommes faites pour nous entendre », répétait-elle fréquemment. Alors, Mrs. Fletcher, qu'une émotion étrange faisait pleurer en silence, soupirait et lui serrait la main sans répondre.

On eût dit qu'elles se connaissaient depuis l'enfance et qu'elles se retrouvaient après une longue séparation.

— Toute ma vie, dit Miss Gay à sa nouvelle amie, j'ai souffert de ne pouvoir me confier à quelqu'un.

Elle expliqua qu'elle avait été élevée au sein d'une famille qui n'avait jamais rien compris à sa manière de penser et qui semblait heureuse de la traverser en tout. Si bien que, au désespoir, elle avait quitté sa mère et ses trois sœurs, préférant vivre seule et vivre en paix. Et depuis quatre ans, elle errait de ville en ville, dans toute l'étendue de la Virginie, cherchant un hôtel, une pension où elle pût se croire chez elle, avoir l'illusion d'un foyer, mais partout l'irritabilité des gens la contraignait de se transporter ailleurs. Enfin, elle avait lu l'annonce dans *l'Étoile de Wilmington*. Mont-Cinère. Combien de fois ne s'était-elle pas répété ce nom ! Un pressentiment l'avait avertie qu'elle serait heureuse chez cette Mrs. Fletcher qu'elle ne connaissait pas, pourtant. (Ici, elle lui serra le bras.)

« Permettez-moi de vous appeler Kate ! », s'écria-t-elle avec une affectueuse brusquerie, et elle éclata de rire en regardant Mrs. Fletcher à travers ses lunettes bombées.

Elle était très allante, très empressée de parcourir la maison et d'en connaître l'histoire. Tout lui paraissait bien, à Mont-Cinère : la disposition des pièces, le choix des meubles. Elle joignait les mains devant les tableaux, suppliait

Mrs. Fletcher de lui dire l'origine de toutes les petites curiosités du salon.

— Mon mari a rapporté cela d'un voyage en Europe…, répondait invariablement Mrs. Fletcher, pendant que Miss Gay poussait des cris d'admiration.

Sur le porche, Miss Gay déclara :

— La situation de Mont-Cinère est vraiment admirable. Ah ! je veux vivre ici ! Je veux arriver à connaître ce paysage aussi bien que vous, Kate !

— Ce n'est pas difficile, remarqua Mrs. Fletcher. Il est tellement monotone.

— Mais quelle grandeur, Kate ! Quelle majesté !

— Ah ? fit Mrs. Fletcher que cet enthousiasme gênait un peu.

Elles remontèrent à la chambre, sitôt qu'elles eurent dîné, car il faisait froid à la salle à manger, même en laissant ouverte la porte de la cuisine. De nouveau, elles parlèrent d'Emily.

— Je vois exactement le genre de fille que vous avez », dit Miss Gay en croisant les pieds l'un sur l'autre ; et elle remua le bout de sa semelle qu'elle présentait à la flamme. « Volontaire, insolente, c'est tout à fait mon frère lorsqu'il avait treize ans. Il n'y a que l'énergie pour venir à bout de ces petits rebelles, Kate. Elle vous boude ? Laissez-la. Enfermez-la pendant une journée, sans lui porter ses repas. N'hésitez pas non plus à la frapper.

Elle continua ainsi quelques minutes, la mine satisfaite, la figure rougie par la chaleur de la digestion. Elle avait appuyé sa tête au dossier de son fauteuil et laissait aller ses regards curieux à droite et à gauche. Mrs. Fletcher, assise sur une chaise, l'écoutait avec respect et ne la quittait des yeux que pour jeter, de temps en temps, des cendres sur les bûches, lorsqu'elle jugeait qu'elles se consumaient trop rapidement…

242

— Vous avez raison, soupirait-elle ; et elle hochait la tête chaque fois qu'il était question de sa fille.

Avant de se coucher, elles s'embrassèrent.

Le lendemain, il fit beau. Le temps était clair, le ciel d'un bleu froid et dur qui annonçait la gelée. Miss Gay proposa que l'on fît un tour au jardin et mit sa cape et ses gants de fil gris perle qu'elle boutonna avec soin.

Elle poussa un cri en voyant que son amie s'apprêtait à sortir sans châle ni manteau.

« Allez tout de suite mettre quelque chose ! commanda-t-elle.

Mrs. Fletcher se débattit mollement ; enfin, elle jeta son manteau d'homme sur ses épaules et affecta de ne pas en passer les manches.

— C'est un manteau de voyage, expliqua-t-elle comme Miss Gay l'examinait en fronçant les sourcils.

Elles traversèrent la longue pelouse et s'arrêtèrent un instant auprès des rochers, pour jouir du paysage que l'on découvrait de cet endroit.

— Oh ! oh ! oh !, répétait Miss Gay avec l'accent d'une admiration que les mots ne peuvent rendre.

Lorsque les premiers moments d'enthousiasme furent passés, Miss Gay leva son parapluie qu'elle pointa vers le sud.

« Voyons si je m'y reconnais, dit-elle. Là, nous avons Manassas. Quels souvenirs, Kate !

Immédiatement, elle parla de l'horrible guerre qui avait dévasté le pays, vingt-trois ans plus tôt ; et le sang afflua à son visage.

« Vainqueurs, nous étions vainqueurs si les munitions n'avaient pas manqué ! Nous avions les meilleurs généraux, n'est-ce pas ?

— Oui, oui, fit Mrs. Fletcher qui croisa les mains et regarda une touffe d'herbe à ses pieds.

— Et qui donc nous opposait-on ? continua Miss Gay en

s'appuyant sur son parapluie comme sur un sabre ; et elle pencha la tête de côté, le regard brillant de colère. Grant ? Un ivrogne, un homme déshonoré que les gens évitaient de rencontrer, dans les rues de sa ville natale, qui devait de l'argent à tout le monde et ne se lassait pas d'emprunter de petites sommes pour aller fumer au bar, en compagnie de vauriens. Sherman ? Sherman !

Sa voix devint rauque ; elle prit Kate Fletcher par le bras et la secoua.

« Sherman, Kate ? Ce démon qui allumait l'incendie sur ses pas, dont la route se traçait dans notre sang ? Qu'on ne m'en parle jamais ! Il arrachait lui-même les bagues de nos mains, et il ordonnait à ses soldats de souiller et de détruire la nourriture qu'ils ne pouvaient emporter avec eux. Misérable !

Elle leva son parapluie vers le ciel. Mrs. Fletcher se taisait, mais cette véhémence remuait en elle de vieux souvenirs et de vieilles indignations ; elle hocha la tête et poussa un soupir ; Miss Gay s'épongea les yeux.

Elles rentrèrent. Comme elles remontaient sur le porche, Miss Gay se moucha et, dans un élan d'affection, serra Mrs. Fletcher contre sa poitrine.

XXXV

A ce moment, elles entendirent le roulement d'une voiture dans le chemin qui unissait Mont-Cinère à la route de Wilmington. Une légère inquiétude se répandit sur les traits de Mrs. Fletcher; elle appuya les mains sur la balustrade et écouta.

— Qu'est-ce que c'est? demanda Miss Gay.

— Mais je ne sais pas, murmura Mrs. Fletcher. Personne ne vient par ici d'ordinaire, et je n'ai pas d'amis dans le voisinage.» A mi-voix, elle ajouta : «Ce ne peut être que Stevens, ou le pasteur.» Et sans attendre, elle rentra. «Venez donc, dit-elle de l'antichambre, ne restez pas là, on vous verrait.

— Et pourquoi ne me verrait-on pas? fit son amie qui se penchait par-dessus la balustrade, pour mieux voir.

— Je ne veux pas qu'on sache que je suis à Mont-Cinère, cria Mrs. Fletcher d'une voix étranglée. Rentrez!

— Ah! laissez-moi!, répondit Miss Gay sans se retourner.

La porte se referma à toute volée : Mrs. Fletcher était furieuse. Presque au même instant, une carriole parut devant la pelouse et s'arrêta un peu avant d'arriver à la maison. Miss Gay leva les bras et, traversant le porche, elle ouvrit la porte et se mit à crier à tue-tête :

«Kate! Kate! Où êtes-vous? C'est votre fille!

245

Mrs. Fletcher sortit de la salle à manger ; elle était très pâle et dut s'appuyer au mur.

— Ma fille, répéta-t-elle d'une voix à peine perceptible.

Elle fit mine de se porter en avant, puis se ravisant soudain, elle rentra dans la salle à manger.

Miss Gay la suivit.

— Vous ne comprenez pas ? s'écria-t-elle d'un ton excité. Votre fille Emily est là, elle est devant la maison ; elle vient vers le porche avec quelqu'un !

Elle s'élança vers Mrs. Fletcher et lui saisit le bras.

« Quelle aventure, Kate ! Venez donc ! Supposez qu'elle se soit enfuie avec son amoureux et qu'elle revienne avec lui ! Soyez certaine qu'elle a un amoureux ! A son âge !

Elle secoua Mrs. Fletcher par le bras, et la laissant tout à coup, elle se précipita vers la porte ; son manteau se gonflait tumultueusement derrière elle ; elle sortit.

Mrs. Fletcher semblait frappée de stupeur ; elle regardait la porte par où la vieille fille venait de disparaître, sans pouvoir en détacher les yeux, quand un bruit de voix sur le porche la fit tressaillir. Elle ramassa son manteau qui avait glissé à ses pieds et, peureusement, elle courut à la cuisine.

— Mademoiselle Emily... », dit-elle en voyant la négresse. Dans son émoi, elle bredouillait. « Où... Où a-t-elle dîné hier ?

— Mademoiselle Emily ? répéta la cuisinière d'un air effrayé.

— Mais oui, fit Mrs. Fletcher en frappant du pied. Tenez, ajouta-t-elle avec brusquerie, il y a une visite ; allez voir ce que c'est.

Joséphine commençait à défaire les cordons de son tablier bleu, mais sa maîtresse la poussa dehors.

« Non, dit-elle, allez comme cela ; vous direz que je suis sortie. » Elle referma la porte avec vivacité et s'assit sur une chaise en soupirant. Son cœur battait fort ; elle en percevait le son monotone et précipité sous le large revers de son manteau. Quelques minutes passèrent ; puis elle entendit des pas dans la salle à manger et la voix dure de sa fille qui parlait à Joséphine. Une grande lassitude envahit Mrs. Fletcher ; elle appuya son front sur la pierre de l'évier et ferma les yeux. Ces mots, prononcés par sa fille, frappèrent son oreille :

— Où est-elle ? Je sais qu'elle n'est pas sortie, Joséphine.

Presque aussitôt, Emily entra dans la cuisine ; ses yeux brillaient.

« Que faites-vous là, maman ? demanda-t-elle sur le ton de la plus grande surprise. Venez donc.

Elle lui prit le bras et la mena dans la salle à manger où trois personnes étaient rassemblées, mais il parut à Mrs. Fletcher que cette pièce était pleine de monde. Miss Maria Gay s'était assise sur une chaise, près de la table, et semblait dans l'état d'esprit d'un spectateur au théâtre, qui attend le lever du rideau ; les mains croisées sur les genoux, elle jetait les yeux à droite et à gauche d'un air de vif intérêt, et de temps en temps, avec la hardiesse des vieilles filles qui se permettent ces façons à cause de leur âge, comme si l'âge y faisait rien, elle attachait des regards curieux sur Frank et lui souriait furtivement. Gêné par cette attention, le jeune homme se tenait un peu à l'écart ; il avait revêtu un habit de drap brun à boutons de cuivre par-dessus une chemise de grosse toile, et portait à la main un long fouet de buis qu'il n'avait pas jugé bon de laisser dans la carriole, de peur, sans doute, qu'on ne le lui dérobât ; ce porte-respect ne lui donnait aucune assurance, toutefois, et il baissait la tête avec la mine gauche et timide d'un petit garçon qui craint, pour une raison ou pour une autre, qu'on ne s'aperçoive de sa présence et qu'on ne lui adresse la parole.

Emily entraîna sa mère jusque dans le petit salon dont elle referma la porte en donnant un tour à la clef. Mrs. Fletcher était trop émue pour protester, et l'on eût cru qu'elle avait perdu l'usage de la parole. Elle avait reconnu le jeune Stevens et ne se souciait pas d'engager une conversation avec cet homme de qui elle se méfiait, ce fut donc avec une sorte de plaisir qu'elle se laissa mener au salon. Elle s'assit dans un fauteuil, après en avoir relevé la housse d'un geste machinal.

— J'ai une nouvelle à vous annoncer, maman, commença la jeune fille de sa voix brève.

— Emily ?

Mrs. Fletcher la considéra sans répondre ; depuis quelques minutes elle semblait ne plus rien comprendre. Elle bredouilla :

« Qu'est-ce que tu veux dire ?

— Je me marie.

— Tu te maries ? répéta sa mère.

Emily la couvrit d'un regard de mépris.

— Qu'y a-t-il de singulier dans ce que j'ai dit ? demanda-t-elle. J'aurai seize ans dans quelques mois. On s'est mariée plus jeune.

— Mais pourquoi ? Pourquoi ? », fit Mrs. Fletcher en se penchant vers elle ; elle plissa le front et frappa de ses poings les bras de son fauteuil, le visage empourpré. Tout à coup, elle éclata de rire, mais elle reprit son sérieux aussitôt. « Qu'est-ce que tu as dit ? demanda-t-elle, les yeux hagards.

— Êtes-vous sourde ? cria Emily. Je me marie, oui. Croyez-vous que j'allais continuer à vivre comme vous m'y forciez ? Périr de froid et de faim, et voir disparaître tout ce qui appartenait à mon père, tout ce qu'il nous avait légué ? Vous verrez que cette maison est aussi bien à moi qu'à vous.

— C'est trop fort ! s'écria Mrs. Fletcher en se levant. C'est trop fort !

Les sons s'étranglaient dans sa gorge ; elle répéta ces mots plusieurs fois, d'une voix rauque.

— Trop fort ? fit Emily. Ah ! vous allez voir maman. J'aurai quelqu'un pour me défendre. Mon mari...

248

Elle éclata de rire à son tour et agita les bras comme une folle.

« Que je suis heureuse, maman, que je suis heureuse !

Et par un geste soudain, elle saisit la main de sa mère et la tira comme si elle eût voulu la faire danser. Mrs. Fletcher se dégagea violemment.

— Tu me fais mal ! dit-elle avec indignation. Démon, oui, démon ! Tu as menti, tu ne vas pas te marier. Qui voudrait de toi, d'abord, laide comme tu es ?

— Laide ! cria Emily. Et vous, on vous a bien épousée ! Savez-vous qui j'épouse, moi ? Stevens, le jeune Stevens qui travaillait pour vous autrefois. Il est à côté. Voulez-vous qu'il entre ? Il vous le dira lui-même si vous ne me croyez pas.

Mrs. Fletcher s'adossa au mur.

— Qu'as-tu fait ? murmura-t-elle. Tu es folle.

— Non, je ne suis pas folle, mais vous avez peur, maintenant. Stevens a demandé ma main, je la lui ai donnée.

— Demandé ta main..., répéta Mrs. Fletcher. Quand ?

— Hier.

— Tu mens. Tu étais ici, hier.

— J'ai passé la nuit à Rockly.

— Ce n'est pas possible », fit Mrs. Fletcher. Elle saisit le poignet de sa fille et le secoua rageusement. « Petite misérable, tu es déshonorée !

— Moi ? s'écria Emily. Pourquoi donc ? Que voulez-vous dire ? Si vous ne me croyez pas, je ferai entrer...

— Ah ! non », dit Mrs. Fletcher en se plaçant devant la porte ; des gouttes de sueur coulaient lentement sur ses joues. « Il t'a dit..., reprit-elle au bout d'un instant, elle haletait.

— Mais oui, maman, ne comprenez-vous pas ?

— Qu'est-ce qu'il t'a dit ?

Et brusquement, cette femme, transformée par la terreur, se jeta sur sa fille et lui prit les deux bras.

« Dis-moi ce qu'il t'a dit, répéta-t-elle d'une voix impérieuse.

— Il m'a dit qu'il m'épouserait quand je voudrais.

— Il t'a dit cela où ? Quand ?

— Hier soir, chez lui.

Mrs. Fletcher lâcha les bras d'Emily et tomba à genoux.

— Quelle croix ! murmura-t-elle.

— Croyez-vous que vos péchés ne vous valaient pas de punition ?, lui demanda sa fille.

XXXVI

Le mariage fut célébré le lendemain matin, dans le salon même où, quelques heures auparavant, Emily s'était expliquée avec sa mère. Mrs. Fletcher n'y parut pas. Après avoir envoyé Joséphine à la recherche du révérend Sedgwick, elle s'était couchée, abattue, privée de toute espèce de courage, et déclarant à Maria Gay qu'elle désirait rester toute seule dans sa chambre pendant les quelques jours qui suivraient. Cependant, le matin même de la cérémonie, par un de ces mouvements de l'âme dont le principe est si difficile à saisir, elle fit appeler sa fille à son chevet et lui dit d'une voix calme et assurée :

— As-tu songé que tu n'as pas seulement un voile à mettre sur ta malheureuse tête ? Je te donne le mien. Cherche-le dans mon armoire. Puisse-t-il être de meilleur augure pour toi qu'il n'a été pour ta mère.

« Embrasse-moi », ajouta-t-elle, lorsque Emily eut trouvé le voile et l'eut mis sur son bras. Mais la jeune fille secoua la tête :

— Je ne vous aime pas, répondit-elle ; et elle sortit.

Comme elle entrait dans la salle à manger, vêtue d'une robe de toile blanche et les cheveux recouverts de son voile, elle vit Prudence Easting s'avancer vers elle en lui tendant les mains ; la directrice avait les larmes dans les yeux.

— Je suis venue avec le révérend, dit-elle, j'étais au

251

presbytère pour rendre compte de mon travail du mois quand votre cuisinière est arrivée. Mon enfant, vous avez suivi mes conseils ! » Et elle l'embrassa.

Sedgwick s'avança à son tour et la félicita.

— Vous vous êtes décidée bien vite, fit-il, mais que le Ciel bénisse cette résolution !

A tous ces propos, Emily ne répondit rien, et elle se déroba avec brusquerie aux effusions de Maria Gay qui voulait, elle aussi, la serrer dans ses bras.

— Quel bonheur ! répétait cette dernière. Quel bonheur d'être arrivée juste à temps pour voir cela !

Et elle demanda au pasteur s'il avait connu beaucoup de mariages dont les circonstances fussent aussi romanesques.

Frank se tenait un peu à l'écart de ce petit groupe de personnes et regardait par la fenêtre chaque fois que les yeux se tournaient vers lui. Depuis son arrivée à Mont-Cinère, il n'avait presque pas parlé ; il avait passé la nuit tout habillé sur un canapé du salon, et dès cinq heures il s'était levé pour se promener au jardin.

— L'émotion le rend tout sérieux, chuchota Prudence Easting.

— C'est un beau garçon, ajouta Miss Gay d'un ton péremptoire ; et les deux vieilles filles échangèrent un sourire.

— Ne trouvez-vous pas ? demanda Miss Gay à Emily ; celle-ci fit signe que non.

— Naturellement ! dirent en même temps Miss Gay et Prudence Easting, et elles éclatèrent de rire.

— Vous vous connaissiez depuis longtemps ? », demanda encore Miss Gay ; mais la jeune fille ne répondit pas. Il y eut un silence pendant lequel le regard de Miss Gay chercha en vain celui de Prudence Easting qui examinait ses gants.

La cérémonie eut lieu quelques minutes plus tard.

XXXVII

Il était étrange de voir combien peu de changements le mariage d'Emily apportait à la vie de Mont-Cinère. Toute la journée, Frank était dehors, en bras de chemise et les manches relevées ; son hoyau à la main, il parcourait le potager, défrichant quelque petit coin de terre, semant des grains. Ou bien, par les grands froids, il jetait sa veste brune sur ses épaules et se promenait autour de la maison en sifflant un air monotone : *In the gloaming,* qui ressemblait à un cantique. Emily le voyait des fenêtres de la salle à manger, marchant dans les allées qu'il entretenait autrefois et que l'herbe avait envahies ; parfois, il s'arrêtait, regardait autour de lui d'un air absorbé, comme s'il mesurait le terrain des yeux, et frappait de sa badine les talons éculés de ses bottes sales.

Presque jamais on ne le voyait à la maison, sauf aux heures des repas, et alors il mangeait vite et parlait peu ; invariablement, il quittait la salle à manger avant qu'Emily et Miss Gay eussent fini leur déjeuner, mais il ne manquait pas de dire, par manière d'excuse :

— Je suis un homme de plein air, vous savez !

Et il riait d'un rire bref ; on ne le revoyait pas jusqu'au soir.

Emily passait ses journées au coin de la cheminée, dans la salle à manger où elle avait allumé du feu le matin même de son mariage. Maintenant, les bûches y flambaient sans arrêt et sa grande occupation était d'en modifier l'arrangement, de glisser des fagots et des brindilles dans la cendre, de tout faire pour que l'intensité du feu ne diminuât pas une seconde. Penchée au-dessus des flammes, son visage dur et sévère tout empourpré de chaleur, elle rappelait d'une façon saisissante la sorcière traditionnelle perpétuellement soucieuse du sort de ses tisons. De temps en temps, elle prenait un livre, lisait quelques pages jusqu'au moment où le craquement d'une bûche qui se rompait lui faisait jeter son roman de côté et saisir sa pelle et ses pincettes.

Il était fort rare qu'elle et Miss Gay échangeassent d'autres paroles que bonjour et bonsoir. Ce n'était pas que la vieille fille n'en eût pas envie, mais toutes ses questions demeuraient sans réponse. Elle se résignait donc à tricoter en silence, de l'autre côté de la cheminée, et lorsqu'elle s'ennuyait trop, montait voir Mrs. Fletcher dans sa chambre.

Elle la trouvait enfouie jusqu'au cou sous ses couvertures, car la malade ne permettait pas qu'on allumât de feu chez elle. Était-elle vraiment malade ? Elle ne le disait pas, mais comme elle ne se levait pas non plus il était permis de le croire. Sans doute souffrait-elle du foie. Elle était jaune, avec quelque chose de bouffi et de malsain dans le visage et des paupières plus lourdes qu'à l'ordinaire. Le matin, elle recevait la visite de Joséphine qui venait lui demander l'argent nécessaire aux achats du jour ; alors, Mrs. Fletcher tirait de dessous son oreiller les quelques pièces de monnaie qu'elle accordait à la cuisinière et lui faisait des recommandations de toutes sortes sur la manière de les dépenser.

Un peu plus tard, et à toutes les heures de la journée, Maria Gay venait lui tenir compagnie, mais le cailletage de la vieille fille fatiguait Mrs. Fletcher autant qu'il l'avait divertie les premiers jours, et elle dissimulait assez mal son impatience.

— N'avez-vous pas froid dans cette pièce ? lui demandait-elle, désespérant de la voir partir. Ne seriez-vous pas mieux auprès du feu ?

— Laissez-moi donc faire monter des bûches ici !, s'exclamait Miss Gay.

Mais Mrs. Fletcher fermait les yeux et secouait la tête sur son oreiller.

Une ou deux fois, Miss Gay voulut lui parler de sa fille ; elle comprit assez vite, toutefois, que ce sujet était en horreur à Mrs. Fletcher, et se tut ; cela ne voulait pas dire qu'elle abandonnait la partie.

Enfin, le froid la chassant, elle redescendait auprès d'Emily qui affectait de lui tourner le dos, dans son fauteuil, lorsqu'elle l'entendait approcher.

L'Amérique est pleine de femmes comme Maria Gay. Bonnes et en même temps odieuses, elles ne demandent qu'à rendre service et ne parviennent qu'à irriter les personnes qui vivent avec elles.

« J'ai une mission, répétait Miss Gay à Mrs. Fletcher qui se tournait et se retournait dans son lit en gémissant. Je le sais. Ainsi, quand mes intérêts m'appelleraient ailleurs, je ne quitterais pas cette maison, parce que je peux y faire du bien. Croyez-vous que je n'ai pas compris la situation pénible où vous êtes ? Je me charge de vous ramener votre fille. Qu'elle ne me parle pas, si elle n'en a pas envie. Je pense à elle, je prie pour elle tout en travaillant. Ma présence lui fera du bien.

Sa présence faisait tout le contraire. Jamais Emily ne s'était senti de sympathie pour elle, mais depuis qu'à certaines heures du jour elle ne pouvait plus relever la tête sans rencontrer le sourire bienveillant de Maria Gay, elle la détestait du fond du cœur. Un soir, elle trouva sur son oreiller un tract religieux sur le quatrième commandement, que la main bien intentionnée de la vieille fille y avait posé ; ce tract fut déchiré et jeté au feu, mais Emily le retrouva, comme par miracle, glissé dans sa serviette, au petit déjeuner du lendemain. De telles attentions la rendaient furieuse.

Un jour qu'elle se trouvait seule avec Frank dans la salle à manger, Emily dit brusquement au bout d'un long silence :

— Il faut nous débarrasser de cette Miss Gay.

Le jeune homme était occupé à dégrossir un bâton de buis avec un couteau ; il s'interrompit un instant et regarda sa femme qui tenait ses yeux fixés sur les flammes.

— Ah ? Pourquoi ? demanda-t-il doucement.

Emily ne répondit pas.

« Vous croyez qu'elle ne paiera pas sa pension ? demanda-t-il encore.

— Elle m'ennuie, fit Emily en frappant la pierre de son tisonnier. Et puis cette maison n'est pas une pension ; elle est à moi.

Frank reprit son occupation sans rien dire.

Le lendemain matin, Emily frappa à la porte de Miss Gay. La vieille fille, qui finissait de s'habiller et s'apprêtait à descendre, vint à elle les mains tendues.

— Quelle surprise ! dit-elle. Vous voilà moins sauvage.

Emily lui lança un regard qui la glaça.

— Je regrette d'avoir à vous donner de mauvaises nouvelles, dit-elle d'une voix coupante, mais il faut que vous partiez d'ici.

— Comment ? fit Miss Gay en reculant d'un pas.

— Nous avons besoin de cette chambre, continua Emily. Mon mari doit l'occuper.

— Mon Dieu, Emily, s'écria la vieille fille, vous n'y songez pas. Votre mère m'a loué cette chambre, nous sommes convenues de tout, elle et moi. Et puis, c'est impossible. Où irais-je ?

— Écrivez. Faites quelque chose. Ma mère a agi sans mon consentement et cette maison m'appartient autant qu'à elle. Je ne veux pas de pensionnaires.

— C'est une trahison ! cria Miss Gay en levant ses petits bras. Vous ne me chasserez pas, je ne me laisserai pas faire !

— Mon mari est plus fort que vous, répondit Emily sans changer de visage ; et elle sortit.

Miss Gay se précipita dans la chambre de Mrs. Fletcher et se mit à lui raconter la scène avec une véhémence qui la faisait bégayer.

— N'avez-vous aucune autorité chez vous ? demandait-elle à Mrs. Fletcher qui ne remuait pas et se contentait de fermer les yeux en fronçant les sourcils. Me laisserez-vous mettre à la porte ?

Mais elle ne put arracher que des gémissements à cette femme pour qui le son de la voix grêle et frénétique de Miss Gay était une souffrance.

Alors, par un mouvement subit de zèle religieux, la vieille fille se jeta à genoux au milieu de la chambre et, joignant les mains avec force, elle pria tout haut pour les habitants de Mont-Cinère.

Elle passa le reste de la journée à écrire des lettres, les yeux rouges et la main tremblante. Un peu avant dîner, elle se planta devant Emily qui tisonnait et lui dit d'une voix tranquille :

« Je m'en vais demain, Emily. » Elle accompagna ces paroles d'un sourire triste et ajouta : « J'ai prié pour vous.

— Je ne vous le demandais pas, répondit Emily sans lever les yeux.

— Je ferai de même tous les jours, insista Maria Gay.

— Vous êtes une insolente, dit Emily en la regardant en face. Je vous défends de prier pour moi.

La vieille fille ne répondit pas et, prenant la laine, elle tricota jusqu'à l'heure du dîner. Son visage respirait le calme ; on n'entendait dans le silence que son souffle léger et le petit bruit des longues aiguilles qui se choquaient dans la laine.

Elle dîna, puis monta faire ses adieux à Mrs. Fletcher.

Emily ne la revit plus. De bonne heure le lendemain matin, la jeune fille entendit la carriole qui s'avançait jusqu'au porche et la voix détestée de Maria Gay résonna encore une fois à ses oreilles : elle parlait à Frank. Enfin, l'on chargea les malles, et de nouveau la carriole s'ébranla ; ce fut tout.

XXXVIII

L'après-midi du même jour, Mrs. Fletcher put se lever. Son teint s'était éclairci, mais elle était faible et marchait avec des précautions d'infirme, en s'aidant d'une vieille canne de son mari. En entrant dans la salle à manger, elle s'appuya un instant contre la porte et considéra le feu dont l'éclat illuminait la pièce entière.

— Cinq bûches d'un coup ! murmura-t-elle. Mon Dieu !

Elle vint s'asseoir dans un fauteuil, en face de sa fille qui regardait obstinément les flammes et semblait ne pas l'avoir entendue entrer. De longues minutes passèrent.

« Emily, dit Mrs. Fletcher.

La jeune fille ne répondit pas. Mrs. Fletcher soupira bruyamment, puis s'écria d'une voix lasse :

« Oh ! mon enfant, qu'as-tu fait ?

Emily resta immobile, la tête dans ses poings. A ce moment, Frank passa en sifflant sous la fenêtre.

« C'est lui !, dit Mrs. Fletcher à mi-voix.

A partir de ce jour, sa vie devint excessivement difficile. Elle craignait le mari de sa fille autant qu'elle le haïssait et n'osait jamais lui adresser la parole. Pendant quelque temps, elle donna le spectacle d'une femme que la peur et le désespoir rendent stupide. Elle mangeait peu et d'un air abattu. L'après-midi, on la voyait assise sur une chaise, dans un coin de la salle à manger, en train de réfléchir ; ou bien, elle se promenait sur le porche d'un pas mal assuré, titubant comme si les jambes lui faillaient. Si elle croisait son gendre, elle s'arrêtait tout d'un coup, baissait la tête et attendait qu'il fût passé pour reprendre sa promenade.

Cependant, Frank s'habituait à Mont-Cinère et, autant qu'on pût en juger, car il parlait peu, il s'y plaisait. De temps à autre, lorsque la pluie l'obligeait à rester à la maison, il parcourait les pièces du rez-de-chaussée et demandait à Emily la provenance des bibelots dans les vitrines et sur les cheminées. Emily expliquait brièvement et ajoutait du ton que l'on prend avec un enfant :

— N'y touchez pas !

Alors, il la regardait avec un sourire un peu narquois et remettait lentement l'objet à sa place.

Il coucha d'abord dans une petite chambre assez éloignée du reste de la maison et qui avait autrefois servi de fumoir à Stephen Fletcher. C'était une petite pièce misérable dont les tentures portaient de larges taches d'humidité et dont presque tous les meubles avaient été vendus par Mrs. Fletcher. On y installa une paillasse. Puis la chambre de Mrs. Elliot se trouvant inoccupée par suite du départ de Miss Gay, on la lui donna aussitôt. Il avait accepté sa première chambre sans dire un mot, et il s'installa dans la seconde en observant le même silence.

Dès cinq heures, Emily l'entendait descendre l'escalier. Son pas lourd résonnait dans toute la maison ; elle n'avait qu'à l'écouter pour le suivre : il allait de pièce en pièce, comme s'il eût passé une inspection, et au bout d'un quart d'heure, il sortait et se promenait au jardin en sifflant *In the gloaming*.

Elle remarquait que, depuis quelque temps, il devenait plus réservé encore qu'il ne l'avait été jusque-là. Il était fort rare qu'il lui adressât la parole, ou même qu'il la regardât ; il semblait occupé d'autre chose. Jamais on n'eût dit qu'ils étaient mariés. Cependant, il n'était pas impoli. Il ne manquait pas de saluer Mrs. Fletcher ou sa fille s'il les rencontrait dans ses promenades autour de la maison. On eût pu même trouver dans ses manières quelque chose qui contrastait avec sa vigueur physique, une sorte d'humilité assez surprenante. Moins que personne il faisait penser au maître de Mont-Cinère.

Toutefois, la présence de cet homme faisait beaucoup souffrir Mrs. Fletcher. De jour en jour, elle paraissait vieillir ; sa taille, depuis sa maladie, s'était voûtée un peu plus ; ses yeux s'enfonçaient dans leurs orbites et se cerclaient de taches jaunâtres. Et comme si l'excès de ses ennuis affectait sa personne morale après l'avoir atteinte dans sa chair, elle changeait visiblement ; son caractère se modifiait ; le côté rêveur de sa nature se montrait plus nettement. Assise, dans son manteau d'homme, les mains étalées sur les genoux, elle se plongeait dans des méditations sans fin et prenait cet air hagard qu'ont les gens lorsqu'ils réfléchissent avec amertume.

Plus souvent qu'autrefois, elle lisait la Bible ; et c'est ainsi qu'elle passait des heures dans un coin de la salle à manger, n'interrompant sa lecture que pour considérer de loin, avec une expression impossible à rendre, le feu qui brûlait sans interruption et au-dessus duquel le dur et mâle profil d'Emily restait obstinément penché. Lorsque Frank entrait, Mrs. Fletcher détournait son visage et sortait presque aussitôt, sa Bible sous le bras. Il semblait que, par une espèce de superstition, elle appréhendait que son regard ne croisât le sien. Alors, elle allait à la cuisine où elle s'asseyait et, sans prononcer une parole, observait tous les mouvements que faisait Joséphine. Elle ne parlait plus ; sa voix était devenue rauque et sourde.

Certains jours, cependant, une lueur de plaisir se glissait sur ses traits : c'était lorsqu'elle entendait Frank annoncer le matin qu'il allait à la ville pour ses affaires, comme il disait, et qu'il serait absent jusqu'au soir. Enveloppée dans son manteau, un châle autour de la tête, elle se promenait sur le porche et guettait son départ ; par la fenêtre, elle le regardait manger son maïs devant le feu. Il s'en allait enfin, et elle rentrait, l'air moins inquiet qu'à l'ordinaire.

Très peu de paroles s'échangeaient entre elle et sa fille et celles-là n'avaient trait qu'à de petits détails domestiques. Emily demandait, par exemple, les clefs de la cave au bois pour que Joséphine pût aller chercher des bûches ; ou bien, elle remarquait que le dîner de la veille n'avait pas été assez abondant et qu'il fallait donner plus d'argent à la cuisinière lorsqu'elle irait faire son marché. Dans ces moments, Mrs. Fletcher feignait de ne pas avoir entendu ; mais elle-même ne croyait guère à l'efficacité de cette ruse, car il suffisait que sa fille insistât pour qu'elle se rendît, détachât la clef de sa ceinture, ou sortît de sa poche l'argent qu'elle comptait pièce à pièce.

Que se passait-il dans cette âme ? Souffrait-elle beaucoup ? On peut en douter. Un coup violent l'avait dépossédée à jamais de ce qui la rendait heureuse. Elle avait perdu Mont-Cinère le jour où Frank Stevens y était entré. Mais qu'était-ce que cela comparé au supplice qu'elle eût enduré s'il eût fallu que son autorité lui fût disputée tous les jours, si tous les jours on l'eût privée d'un peu de son pouvoir, de ses clefs d'abord, puis de sa bourse, puis de la faculté de disposer de ses meubles ? Elle perdait tout en une seule fois. C'était affreux, sans doute, mais c'était définitif et beaucoup plus simple. Peut-être l'avait-elle compris.

Et cependant elle conservait encore ce que personne ne pouvait lui arracher : l'argent qu'elle avait à la banque. Sans doute, la conscience de se sentir invincible de ce côté lui donnait-elle le courage de supporter le poids de ses autres malheurs. Qui donc lui ferait signer un chèque, si elle ne le voulait pas ? C'était la seule arme dont elle pouvait user contre sa fille et l'homme qu'Emily avait épousé, mais cette arme n'était-elle pas redoutable ?

Quinze jours après sa maladie, elle eut l'occasion de s'en servir. Elle était seule dans la maison avec Emily, quand celle-ci lui demanda brusquement :

— Pourquoi n'avez-vous pas donné assez d'argent à la cuisinière ce matin ? On a dû lui faire crédit.

Mrs. Fletcher releva les paupières ; un éclair de joie passa dans ses yeux. Était-ce le moment qu'elle attendait depuis si longtemps ? Elle haussa doucement les épaules et dit avec une sorte de sourire :

— Je n'ai plus d'argent.

— Allons donc ! fit Emily en frappant la pierre de son tisonnier. Qui vous empêche de signer un chèque ?

Mais Mrs. Fletcher ne répondit pas et, baissant les yeux, elle reprit la lecture de la Bible.

MONT-CINÈRE

XXXIX

La vie à Mont-Cinère continua ainsi pendant tout un mois. Noël passa inaperçu, sauf de Mrs. Fletcher qui célébra cette fête dans la solitude de sa chambre glaciale où elle chanta un vieux cantique anglais de sa triste voix rauque et fêlée ; l'adversité faisait agir en elle un vieux levain de puritanisme et semblait la réconforter au lieu de l'abattre.

Emily qui vivait, au contraire, à peu près comme elle l'avait souhaité depuis son enfance, devenait de jour en jour plus nerveuse et plus maussade. Plusieurs fois, elle chercha querelle à Frank, mais le jeune homme avait appris d'un premier mariage qu'il y a tout à gagner à ne pas s'engager dans une discussion et que celui qui se tait l'emporte toujours sur une personne qui ne peut se taire. Emily se heurta donc, comme sa mère autrefois, à un silence opiniâtre. Le temps lui pesait horriblement depuis qu'elle se savait maîtresse à Mont-Cinère. Sans cesse, elle regardait par sa fenêtre, guettant les beaux jours qui lui permettraient de faire des promenades dans les champs, mais l'hiver était loin de sa fin.

Pour la première fois de sa vie, elle avait ce qu'on appelle des ennuis d'argent, pour la première fois elle connut l'ironie et l'amertume de cette espèce d'euphémisme. Il fallait tout acheter à crédit, et les fournisseurs s'étonnaient d'une nouvelle habitude qui rompait avec la tradition de Mont-Cinère. Combien de temps toléreraient-ils cet état de

264

choses ? Et comment les paierait-on si Mrs Fletcher s'obstinait à ne pas signer de chèques ?

Ces gros soucis n'étaient pas les seuls. Depuis quelques
jours, elle s'était rendu compte de ce qu'elle n'avait pas
consenti à s'avouer jusque-là. Il s'agissait de Frank. Elle en
était venue à le détester. Pourquoi ? Elle ne comprenait pas
qu'en demeurant ce qu'il avait toujours été, un être humain
pût devenir aussi odieux. Certainement, Frank n'avait pas
changé ; il était toujours aussi calme, aussi froid dans ses
manières, aussi prudent et réservé dans ses paroles, plus
réservé peut-être. En réfléchissant aux sentiments qu'elle
avait pour lui, elle s'aperçut qu'à l'origine de sa haine se
trouvait la défiance, mais une défiance obscure et qu'elle ne
s'expliquait pas, quelque chose de semblable à ce que
ressentait sa mère, sans doute ; et elle se souvint des paroles
qu'elle avait si souvent entendu prononcer à Mrs. Fletcher :
« Je n'aime pas ses yeux. » Ah ! elle non plus n'aimait pas ses
yeux, ni son visage fermé, ni sa façon de s'absenter toute la
journée ou de rôder autour de la maison comme un
malfaiteur.

Elle ne pouvait se résoudre à lui parler de ses difficultés
d'argent ; il lui semblait que cela manquerait de dignité, car
elle ne considérait pas que Frank fût autre chose qu'un
étranger. Cependant, elle aurait voulu se servir de lui pour
terrifier sa mère et la contraindre à signer un chèque. Un
jour, elle monta la voir dans sa chambre.

— J'ai à vous parler au sujet de l'argent, dit-elle d'une
voix abrupte. Il faut vous en occuper.

Mrs. Fletcher la regarda en silence.

« Prenez garde ! fit Emily en levant la main. J'en parlerai à
mon mari.

Mais Mrs. Fletcher se contenta de joindre les mains et de
lever les yeux vers le ciel, sans répondre. Emily lut dans ce
regard qu'elle se ferait tuer plutôt que de consentir à ce qu'on
lui demandait ; elle se retira pour cacher à sa mère les larmes

de rage qui tremblaient au bord de ses paupières. Le cœur lui faillait.

Deux ou trois jours plus tard, elle reçut une lettre de Prudence Easting qui, servant d'intermédiaire entre elle et le révérend Sedgwick, lui proposait le poste de dame surveillante à l'église de Glencoe.

Il a fallu que j'attende que vous fussiez mariée, écrivait la directrice de l'ouvroir, *avant de vous offrir ce poste, car vous êtes mineure. Sachez que vous aurez tout lieu de vous féliciter, si vous l'acceptez. Quêteuse et surveillante, vous occuperez un rang qui vous donnera accès à la bonne société de Glencoe. Vous pourrez même devenir dame patronnesse dans les fêtes mensuelles que l'on célèbre au profit des pauvres, et membre de la Confrérie des Dames confédérées.*

Elle citait encore des sociétés et des œuvres, et terminait par des souhaits de bonheur.

Cette lettre atteignit Emily en plein cœur. Elle était horriblement malheureuse, et voilà qu'on lui écrivait ! Il lui sembla évident que Prudence Easting se moquait d'elle. Elle répondit :

Ne m'écrivez plus, Mademoiselle. Je souffre trop d'avoir suivi vos mauvais conseils pour ne pas désirer que le Ciel juge bon de vous punir.

Elle s'arrêta après avoir écrit ces mots, chercha un grief capital, puis elle ajouta dans son écriture tremblante de petite fille :

Voilà deux grands mois que je suis mariée, et je n'ai pas encore un seul enfant.

266

Car elle pensait quelquefois aux enfants qu'elle pourrait avoir un jour, et il lui paraissait étrange et humiliant que le Ciel ne lui en eût pas encore envoyé. Mais c'était uniquement par une sorte de vanité qu'elle désirait être mère ; elle n'aimait pas beaucoup les enfants et lorsque Frank faisait allusion à sa petite fille, elle ne songeait jamais à lui demander s'il avait de ses nouvelles. Un jour, cependant, elle l'entendit prononcer des paroles qui l'épouvantèrent en même temps qu'elles la comblaient d'étonnement. Il venait de dire que les mois de nourrice coûtaient cher et qu'il fallait être riche pour élever des enfants, lieu commun qu'il répétait assez volontiers depuis quelques jours, lorsqu'il ajouta tout à coup :

— Comme s'il ne suffisait pas que Laura ait coûté la vie à sa mère.

Emily tressaillit et, levant les yeux, elle rencontra le regard qu'il posa sur elle ; elle ne put rien dire ; elle baissa la tête et garda pour elle les effroyables idées que ces paroles faisaient surgir dans son esprit et les multiples questions qu'elle aurait voulu poser. A partir de ce moment, elle ne songea plus qu'à Laura ; elle rêvait d'elle et dans sa solitude, la petite fille ne la quittait plus. Son imagination la lui montrait sous tous les aspects possibles, terrifiants et ridicules. Elle voyait, par exemple, un enfant monstrueux en qui la nature se serait plu à réunir les difformités les plus étranges et les plus répugnantes. Il lui semblait qu'elle devait avoir des mains crochues, des yeux glauques comme une petite ogresse, et des airs penchés, avec un abominable sourire. Un besoin maladif de penser à ces choses la tenait immobile des heures entières, le regard dans les flammes. La nuit, cette vision devenait plus nette et troublait son sommeil. Peu à peu, elle s'y habitua bientôt et n'y pensa plus, mais elle recevait encore une impression fort désagréable, chaque fois que son mari parlait de sa petite fille ; et il le faisait assez souvent, bien qu'il ne fût pas bavard.

Un après-midi de janvier, il attela sa carriole et partit dans la direction de Glencoe. Il revint deux heures plus tard. Emily qui était assise devant le feu entendit alors les pleurs d'un enfant et le pas de son mari montant sur le porche.

Brusquement, elle se leva et courut à la cuisine. Son sang s'était retiré de son visage et elle se mit à murmurer d'une voix haletante :

— C'est elle, c'est sa petite fille.

Et elle dut faire un effort pour retourner à la salle à manger.

C'était Laura en effet, non comme Emily l'avait imaginée, mais chétive et petite, avec des yeux bleus constamment noyés de larmes.

Partagée entre la stupeur et l'effroi, Emily ne comprit pas tout de suite ce que Frank lui disait en lui montrant sa petite fille, et même lorsqu'elle se fut rendu compte que l'enfant ne différait pas sensiblement de tous les autres enfants de cet âge, elle ne put surmonter le dégoût qui l'empêchait de toucher ces petites mains crispées et ces joues humides.

Elle apprit par la suite que Frank entendait que Laura fût élevée à Mont-Cinère. Cette nouvelle l'étourdit. Quand elle put parler, elle demanda à Frank une explication. Il la regarda dans les yeux et dit brièvement :

— Mieux vaut l'avoir ici que de payer une nourrice.

— Mais ce n'est pas ma fille, dit Emily d'une voix blanche.

Le jeune homme ne répondit pas.

« Je ne veux pas d'elle ici ! cria Emily exaspérée par ce silence. Vous la ramènerez à Glencoe.

— Paierez-vous les mois de nourrice ? demanda Frank d'un ton calme.

268

Cette question parut une insulte à Emily qui se retint pour ne pas le gifler.

— Pourquoi paierais-je ? s'écria-t-elle.

— Il faut bien que quelqu'un fournisse l'argent nécessaire, répliqua Frank. Vous êtes riche, moi je n'ai rien. En attendant, elle reste ici.

— Ici ! dit Emily. Chez moi ! Imbécile ! Pensez-vous que je vous ai épousé pour que vous viviez dans ma maison comme il vous plaît, pour que vous y ameniez votre fille ? Vous n'êtes pas chez vous. Je vous chasserai si je veux !

Elle se mit à l'insulter de sa voix rauque et naïvement elle le menaça de se plaindre à Sedgwick.

« Je vous ferai jeter dehors, répétait-elle avec une obstination furieuse. Nous verrons bien si je suis maîtresse ici.

Mais le jeune homme paraissait ne pas l'entendre. Il s'était assis près du feu et frappait la pierre à petits coups de tisonnier. Emily se planta devant lui.

« Que diriez-vous si je faisais intervenir les autorités ? demanda-t-elle. Croyez-vous qu'il n'y ait pas de lois pour vous faire respecter la propriété des autres ?

Il leva la tête et dit :

— Vous voulez rire. Je suis votre mari. J'ai des droits sur cette maison ; la loi me les donne.

Emily devint blême.

« Ce n'est pas vrai, murmura-t-elle. Il a été convenu entre nous...

— Rien n'a été convenu par écrit, répondit Frank. Maintenant, relisez dans votre livre de prières tout ce qui a trait au mariage. Il y est dit que vous me devez obéissance. Quand la loi ne les confirmerait pas, ces paroles seraient suffisantes pour me donner raison contre vous.

A ces mots, le cœur d'Emily se serra. Il lui sembla que la vie se retirait d'elle et elle ne put répondre. D'un coup, elle comprit l'énorme erreur qu'elle avait commise. Il n'y avait rien de convenu par écrit et elle était jouée. Pouvait-elle se douter que Frank se conduirait comme il le faisait ? Il avait l'air si timide. Cependant, sa mère l'avait mise en garde contre lui, elle avait toujours dit qu'il avait l'air perfide. Un bruit bourdonnant et confus emplit les oreilles d'Emily. Brusquement, elle eut l'impression qu'une brume noire sortait du plancher et des murs et s'avançait vers elle. Elle perdit connaissance.

Quelques jours passèrent.

Elle écrivit au révérend Sedgwick, afin de savoir si Frank n'avait pas menti, si vraiment elle n'avait plus que des droits limités sur sa maison, si vraiment elle avait été assez folle pour donner Mont-Cinère à un étranger qu'elle méprisait.

La réponse lui arracha un cri de désespoir. Toute sa vie, elle était condamnée à vivre sous la loi de cet homme, à moins qu'elle n'eût recours à un divorce qui la priverait peut-être d'une façon complète et définitive de sa maison natale.

Alors, une tristesse horrible s'empara d'elle. Pendant toute une journée, elle erra de pièce en pièce, sans force, s'appuyant aux meubles qu'elle connaissait si bien, et qui, tout à coup, lui paraissaient différents ; la maison n'était plus la même. Elle se demanda si elle ne perdait pas l'esprit. Assise au salon, elle regardait autour d'elle d'un œil hagard, ne reconnaissait plus ce qu'elle voyait ; et elle parlait toute seule, d'une voix monotone de vieille femme qui s'effraie dans sa solitude et se rassure elle-même en de longs monologues.

XL

Cependant, la présence de la petite fille ne changeait presque rien aux habitudes de Mont-Cinère. C'était Joséphine qui s'occupait d'elle et, lorsqu'elle n'était pas là, sa nièce, une jeune femme à qui l'on donnait ses repas pour la payer de son temps.

Jamais on ne voyait l'enfant ; elle passait toute la journée dans une petite pièce du premier étage, mais Emily entendait quelquefois ses cris ; alors, la jeune fille tendait l'oreille : quelque chose de sauvage traversait ses yeux et son visage se crispait.

Ni Frank ni Mrs. Fletcher n'avaient varié leurs occupations, et la vie continuait à Mont-Cinère dans une monotonie que l'hiver rendait cruelle.

Mrs. Fletcher, après avoir jeté un coup d'œil indifférent sur la petite Laura, semblait avoir oublié qu'elle existât. Lorsqu'elle ne lisait pas sa Bible, elle parcourait les pièces du rez-de-chaussée d'un pas lent et inégal pendant des heures, ou bien elle méditait longuement dans un fauteuil de la salle à manger.

Frank n'allait jamais voir sa fille. Matin et soir, il était dehors, soit qu'il se promenât au jardin, soit qu'il se rendît en carriole dans les villages voisins. Il revenait ponctuellement aux heures des repas, saluait Mrs. Fletcher qui ne lui

271

répondait pas, et s'asseyait en silence à côté d'Emily qui s'écartait aussitôt. Il mangeait lentement, les yeux baissés, et ne buvait que de l'eau. Jamais il ne quittait la salle à manger sans avoir dit quelques mots que l'on pouvait prendre pour des excuses.

A cela près qu'elles étaient fort laides et qu'il ne l'était qu'à leurs yeux, il semblait le fils et le frère de ces femmes, tant il y avait de douceur et de respect dans ses manières ; et qui l'eût vu aussi entre elles à table n'eût point songé qu'il fût cause de cette tristesse et de ce désespoir qu'on lisait dans leurs regards. Les joues rouges, bien portant, taciturne, mais heureux, il apportait à toutes ses occupations le calme d'un homme que jamais un souci ne trouble. Dès qu'il était seul, il sifflait. Le soir, cette gaieté s'atténuait un peu ; s'il ne montait pas à sa chambre immédiatement après dîner, il se promenait en silence au jardin. Puis il rentrait, mettait le loquet à la porte avec soin, et allait se coucher, laissant les deux femmes assises devant le feu.

Un soir, comme il revenait de Glencoe, il tendit une lettre à sa femme. Elle la prit, la parcourut des yeux en fronçant les sourcils, et la serra dans son corsage. Plus tard, lorsqu'elle fut seule avec sa mère, elle lui mit cette lettre sur les genoux.

— Lisez, dit-elle. Cela vous regarde.

Mais Mrs. Fletcher la lui rendit presque aussitôt.

— Cela ne me regarde plus, répondit-elle.

C'était une note de fournisseur dont on demandait l'acquittement. Emily haussa les épaules et la posa sur la cheminée. Il se passa une semaine pendant laquelle il n'en fut pas dit un mot.

Enfin, comme il se levait de table, un matin, Frank sortit la note de la poche de son pantalon et demanda à Emily si elle en avait pris connaissance. La jeune fille inclina la tête.

— Il faut songer à la payer, dit Frank. On nous refuse le crédit.

Pour la première fois depuis de longues années, la mère et la fille échangèrent un regard où passait autre chose que du mépris. Elles se turent.

Le soir, Frank vint vers sa femme et lui dit :

« Cette question d'argent ne peut plus durer. Les fournisseurs de Glencoe refusent le crédit ; je vous l'ai dit, il me semble.

— Que voulez-vous que j'y fasse ? demanda Emily d'une voix morne ; et elle leva vers lui un visage plein de lassitude et de haine. Est-ce à moi que vous demandez de l'argent ? Vous savez bien que je n'en ai pas.

— Votre mère en a, fit le jeune homme en se tournant du côté de Mrs. Fletcher.

— Je n'en ai pas pour vous, répliqua aussitôt celle-ci sans interrompre sa lecture.

— Bien, dit-il d'un ton froid. Vous voulez donc mourir de faim ?

— Je ne mourrai pas de faim, répondit doucement Mrs. Fletcher. J'ai assez pour vivre.

Frank fit quelques pas dans la pièce ; puis il revint devant la cheminée.

— Écoutez-moi, dit-il à Mrs. Fletcher qui joignit les mains sur la Bible et le regarda. Écoutez-moi bien. Il est impossible que nous vivions sans argent. Je n'en ai pas. Vous devez nous aider.

Mrs. Fletcher ferma les yeux et hocha la tête de droite à gauche.

« Eh bien, dit Frank d'une voix contenue, choisissez : signez un chèque ou allez-vous-en.

— Vous êtes fou ! s'écria Emily en se levant, vous n'avez pas le droit...

— Laisse donc, fit Mrs. Fletcher. J'ai tout décidé depuis longtemps. Je m'en vais, j'aime mieux cela. Demain, vous

273

me conduirez à Wilmington, ajouta-t-elle en s'adressant à Frank.

Elle parut réfléchir un instant ; puis elle ferma sa Bible et, poussant un soupir, elle se leva et quitta la salle à manger sans regarder sa fille ni son gendre.

XLI

Elle partit de bonne heure le lendemain matin, avant même qu'Emily se fût habillée. La jeune fille entendit sa mère qui lui criait au revoir de l'escalier, mais elle ne répondit pas. Il faisait encore nuit.

Toute la matinée, elle fut inquiète. Elle allait et venait sans cesse d'une pièce à l'autre et s'arrêtait parfois au coin du feu, mais, incapable de demeurer immobile, elle reprenait aussitôt l'espèce de promenade sans but qu'elle faisait à travers le rez-de-chaussée. Au moindre bruit, elle regardait autour d'elle avec cette vivacité dans les yeux et dans ses mouvements qui faisait penser à un animal méfiant et craintif.

Elle essaya de lire, puis de s'occuper du feu comme elle faisait d'ordinaire ; cependant, elle ne réussissait pas à fixer son attention sur les choses les plus simples, et elle rejetait de côté le livre ou les pincettes avec un geste plein de colère. Des rides se dessinaient alors sur son front et le long de ses joues dont les os saillaient sous la peau sans couleur. Elle soupirait, croisait les bras, et se remettait à marcher lentement à travers la pièce.

Vers onze heures, un bruit de roues l'avertit que Frank revenait de Wilmington et elle se précipita à la fenêtre pour le voir. Comme il montait sur le porche, elle eut un mouvement convulsif et, cédant à une impulsion soudaine,

275

elle courut dans l'antichambre et se lança contre la porte qu'il se préparait à ouvrir.

L'épaule au vantail, les doigts agrippant les rainures, elle s'appuyait de toutes ses forces. La main de Frank tourna inutilement le bouton. Il appela. Au bout de quelques secondes, il donna un violent coup d'épaule à la porte, qui céda.

— Pourquoi ne vouliez-vous pas me laisser entrer ?, demanda-t-il à la jeune fille.

Elle recula devant lui, les cheveux en désordre et les yeux brillants. Enfin, elle rentra dans la salle à manger où il la suivit.

« La vie devient plus difficile, fit-il en s'asseyant. Ce n'est pourtant pas ce que vous m'aviez promis.

Il y eut un silence. Elle se tenait debout, près du feu, et le regardait sans rien dire, les bras croisés sous son châle.

« Croyez-vous que je vais me laisser mourir de faim ? continua Frank. Et ma fille ? Vous l'oubliez.

Il se mit à rire d'un rire bref. Quelque chose de cruel se glissa dans ses traits.

« Je veux qu'elle grandisse, dit-il, qu'elle soit belle et heureuse...

Il rit de nouveau et ajouta :

« ... qu'elle se marie.

Emily détourna la tête.

Il se leva et emplit un verre d'eau.

« J'ai soif, dit-il. Croiriez-vous que j'ai chaud ? Il fait bon dehors. Regardez le soleil.

Il but à longs traits, et se dirigea vers la cuisine.

« Joséphine !, appela-t-il.

Personne ne répondit. Alors, il se retourna vers sa femme et demanda :

« Où est-elle ?

Emily parut ne pas entendre. Il frappa du pied et répéta d'une voix qui changea d'un coup :

« Où est-elle ?

Le sang lui monta au visage. A ce moment, la cuisinière entra.

— J'étais avec la petite fille, expliqua-t-elle, effrayée.

— Je veux la voir, dit Frank. Il fait trop froid dans cette chambre où on la garde. Désormais, elle restera ici, sur une couverture qu'on étendra devant le feu. Allez la chercher.

Il s'assit dans un fauteuil et déboutonna sa veste, sans quitter sa femme des yeux ; elle se tenait à quelques pas de lui, immobile et muette ; sa face était blême et elle tremblait légèrement.

Au bout de quelques minutes, Joséphine entra de nouveau, portant la petite fille que Frank prit aussitôt dans ses bras.

— Il y avait longtemps que je ne vous avais vue », fit-il d'une voix tendre, en chatouillant l'enfant sous le menton. Et s'asseyant avec elle près du feu, il se mit à lui parler en approchant son visage du sien. « Ce beau feu vous plaît-il ? Il est à vous.

Il la serra contre lui et reprit : « Que pensez-vous de la belle maison de votre papa ?

— Imbécile ! », cria Emily. Sa voix était rauque. Elle répéta : « Imbécile ! » avec une sorte de fureur.

Il la regarda sans rien dire, puis il continua de parler à l'enfant ; plus rien de sa colère de tout à l'heure ne paraissait sur son visage.

— Tout ceci est à nous, dit-il à Laura. Vous vivrez toujours ici avec moi, parmi ces beaux meubles. » Il promena son regard à travers la salle à manger comme pour montrer les meubles à la petite fille. « A moins, ajouta-t-il, et son regard se porta vers Emily, à moins que nous ne les vendions pour acheter du pain.

Emily tressaillit et fit un pas vers le jeune homme qui la

considéra en silence. Elle passa la main sur son front et en écarta les mèches qui le recouvraient ; ses yeux étaient dirigés de côté, comme ceux d'une personne qui écoute un son lointain. Une indéfinissable expression de souffrance et de malice se lisait sur ses traits ; elle laissa pendre ses mains le long de son corps et demeura un instant dans cette attitude.

Brusquement, elle baissa la tête et vit l'enfant sur les genoux de Frank. Son visage changea. Avant qu'on eût le temps de l'en empêcher, elle se laissa tomber sur la petite fille et lui étreignit la gorge de ses mains. Presque aussitôt, elle fut jetée à terre et lâcha prise en hurlant de douleur sous les coups frénétiques que le jeune homme lui portait, tandis que Joséphine, saisissant dans ses bras l'enfant qui suffoquait horriblement, lui versait l'eau d'une carafe sur le visage.

Terrifiée par la violence de son mari, Emily s'était enfuie de la salle à manger et montait précipitamment l'escalier, où il la suivit en criant. Elle eut le temps de se réfugier dans sa chambre et ferma la porte à double tour ; puis, d'une masse, elle s'effondra sur le plancher.

Confusément, elle entendit le pas de Frank que la colère faisait trébucher. Lorsqu'il atteignit la porte, il en martela le vantail de ses poings et tenta en vain de l'ébranler.

« Prends garde à toi ! cria-t-il d'une voix aiguë. Je te dénoncerai. Tu as voulu tuer ta mère, tu as tué ma fille. Ils te pendront à Glencoe, ils te pendront, tu verras !

Un instant plus tard, il redescendit.

XLII

L'enfant se remit peu à peu. Tout l'après-midi, la négresse la tint sur ses genoux et la soigna avec ce dévouement instinctif des femmes de sa race. Debout, près du feu, Frank la surveillait en silence, l'œil dur et méfiant, comme s'il eût monté la garde.

A la tombée de la nuit, Joséphine, ayant couché l'enfant dans son lit, monta secrètement à la chambre de sa jeune maîtresse et tenta de lui faire ouvrir la porte, mais elle ne put pas même obtenir de réponses aux questions qu'elle chuchota par le trou de la serrure. Ce silence l'épouvanta. Elle eut l'idée d'en avertir Frank, puis résolut d'attendre le jour pour aller trouver Mrs. Fletcher à Glencoe, et lui apprendre ce qui se passait à Mont-Cinère.

Ce soir-là, Frank ne sortit pas et veilla près du feu assez tard. Il était un peu plus de onze heures lorsqu'il ouvrit la porte de la salle à manger pour monter à sa chambre. Comme il s'avançait dans l'antichambre, un bruit sourd de crépitement saisit son oreille, en même temps qu'une odeur insupportable le faisait reculer. Il se précipita vers la porte qui donnait sur le porche et courut au jardin.

Un cri d'angoisse s'échappa de sa poitrine. Mont-Cinère brûlait. De la chambre d'Emily des nuages noirs roulaient sur la façade de la maison, et des flammes gigantesques perçaient la fumée et s'élançaient vers le toit.

Il appela de toutes ses forces, affolé, courant sur la pelouse comme un dément. Tout à coup, il bondit sur le porche et rentra dans l'antichambre, mais il dut se tenir sur le seuil de la porte : une énorme masse de fumée descendait avec lenteur, éclairée par des flammes dont on entendait le grondement monotone.

Il mit ses mains en porte-voix et appela de nouveau, mais il lui sembla que ses cris n'arrivaient pas à percer cette espèce de nappe rougeâtre qui avançait sur lui. Au même instant, il entendit un craquement horrible, puis un autre plus prolongé, et aussitôt, dans un fracas assourdissant, toute la partie de l'escalier qui reliait le rez-de-chaussée au premier étage s'écroula. Un trou apparut dans le plafond ; de longues flammes jaillirent, avec une espèce d'émulation féroce et joyeuse.

Alors, il s'élança de nouveau dans le jardin, hurlant sans arrêt, comme une bête qu'on veut abattre. Des cris répondirent aux siens, de l'intérieur de la maison. Il crut voir des fenêtres se lever, mais une épaisse fumée s'étendait sur toute la façade. Mont-Cinère ressemblait maintenant à ces maisons que les enfants découpent dans du carton et qu'ils s'amusent à illuminer par-derrière. Toutes les fenêtres du premier étage se détachaient en rouge. Enfin, le toit se lézarda sous l'action des flammes qui se dressèrent par cette nouvelle ouverture et atteignirent les branches des sapins les plus proches. Quelques minutes après, le mur de la façade oscillait, retenu encore par le poids de la toiture qui s'effondrait peu à peu, mais il resta debout, flambant derrière les arbres qui entouraient Mont-Cinère.

La maison brûla jusqu'à l'aube.

DU MÊME AUTEUR

ROMANS

Mont-Cinère
Adrienne Mesurat
Léviathan
L'Autre Sommeil
Épaves
Le Visionnaire
Minuit
Varouna
Si j'étais vous
Moïra
Le Malfaiteur
Chaque homme dans sa nuit
L'Autre
Le Mauvais Lieu

NOUVELLES

Le Voyageur sur la terre
Histoires de vertige

AUTOBIOGRAPHIE

*Partir avant le jour
**Mille chemins ouverts
***Terre lointaine
****Jeunesse

ESSAIS ET DIVERS

Pamphlet contre les catholiques de France
Suite anglaise
Qui sommes-nous?
Liberté chérie
Ce qu'il faut d'amour à l'homme
La Nuit des fantômes, conte pour enfants
Une grande amitié, correspondance avec Jacques Maritain
Julien Green en liberté
Frère François
Paris

DU MÊME AUTEUR

ROMANS
Mont-Cinère
Adrienne Mesurat
Léviathan
L'Autre Sommeil
Épaves
Le Visionnaire
Minuit
Varouna
Si j'étais vous...
Moïra
Le Malfaiteur
Chaque homme dans sa nuit
L'Autre
Le Mauvais Lieu

NOUVELLES
Le Voyageur sur la terre
Histoires de vertige

AUTOBIOGRAPHIE
*Partir avant le jour
**Mille chemins ouverts
***Terre lointaine
****Jeunesse

ESSAIS ET DIVERS
Pamphlet contre les catholiques de France
Suite anglaise
Qui sommes-nous ?
Liberté chérie
Ce qu'il faut d'amour à l'homme
La Nuit des fantômes, *conte pour enfants*
Une grande amitié, *correspondance avec Jacques Maritain*
Julien Green en liberté
Frère François
Paris

JOURNAL

THÉÂTRE
Sud
L'Ennemi
L'Ombre

ŒUVRES COMPLÈTES
Tomes I, II, III, IV, V
Bibliothèque de la Pléiade

ŒUVRES EN ANGLAIS
The Apprentice Psychiatrist
The Virginia Quarterly Review, 1920
Memories of Happy Days
New York, Harper, 1942; Londres, Dent, 1942
Traductions de Charles Péguy :
Basic Verities, Men and Saints, The Mystery
of the Charity of Joan of Arc, God speaks
New York, Pantheon Books, 1943

A PARAÎTRE
Journal, XIII, L'Arc-en-ciel
Demain n'existe pas, *pièce en 3 actes*
L'Automate, *pièce en 4 actes*
Le Grand Soir, *pièce en 3 actes*
Jeunesse immortelle

JOURNAL

I. Les Années faciles, 1926-1934
II. Derniers beaux jours, 1935-1939
III. Devant la porte sombre, 1940-1943
IV. L'Œil de l'ouragan, 1943-1944
V. Le Revenant, 1946-1950
VI. Le Miroir intérieur, 1950-1954
VII. Le Bel Aujourd'hui, 1955-1958
VIII. Vers l'invisible, 1958-1966
IX. Ce qui reste de jour, 1967-1972
X. La Bouteille à la mer, 1972-1976
XI. La terre est si belle..., 1976-1978
XII. La Lumière du monde, 1978-1981

Dans la gueule du Temps, journal illustré, 1926-1976.

THÉÂTRE

Sud
L'Ennemi
L'Ombre

ŒUVRES COMPLÈTES

Tomes I, II, III, IV, V
Bibliothèque de la Pléiade

ŒUVRES EN ANGLAIS

The Apprentice Psychiatrist
The Virginia Quarterly Review, 1920
Memories of Happy Days
New York, Harper, 1942; London, Dent, 1942
Traductions de Charles Péguy :
Basic Verities, Men and Saints, The Mystery
of the Charity of Joan of Arc, God speaks
(New York, Pantheon Books, 194...)

À PARAÎTRE

Journal, XIII, L'Arc-en-ciel
Demain n'existe pas, pièce en 3 actes
L'Automate, pièce en 4 actes
Le Grand Soir, pièce en 3 actes
Jeunesse immortelle

ATEL. S.E.P.C. À SAINT-AMAND (CHER)
DÉPÔT LÉGAL JANVIER 1984. N° 6678 (2523-1963)